RUBEN DARIO A LOS VEINTE AÑOS

BIBLIOTECA ROMANICA HISPANICA

DIRIGIDA POR DAMASO ALONSO

II. ESTUDIOS Y ENSAYOS

RAUL SILVA CASTRO

RUBEN DARIO A LOS VEINTE AÑOS

LIBRARY

JUL 27 1967

UNIVERSITY OF

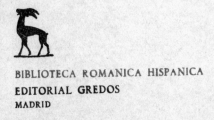

BIBLIOTECA ROMANICA HISPANICA
EDITORIAL GREDOS
MADRID

LIBRARY

JUL 27 1967

UNIVERSITY OF THE PACIFIC

169908

Reservados todos los derechos

Quedan hechos los depósitos
que marca la ley

Copyright by
Editorial Gredos-Madrid, 1956

Bajo nuestra estrella antártica vivió Rubén Darío.

PABLO NERUDA.

Con esta obra el autor pone término provisional a su pesquisa de veinticinco años acerca de las relaciones literarias que mantuvo Rubén Darío con Chile, tanto en los días de su vida en este país, como en algunos siguientes. Inicióse la pesquisa en 1930 con ciertas Anotaciones bibliográficas precedidas de una Introducción sobre Rubén Darío en Chile. Esta pequeña obrita, con el título de *Rubén Darío y Chile,* se publicó en las páginas de la *Revista de Bibliografía Chilena,* editada por la Biblioteca Nacional y, en seguida, tirada aparte en muy corto número de ejemplares. Prosiguió con las *Obras Desconocidas de Rubén Darío escritas en Chile y no recopiladas en ninguno de sus libros,* que la Universidad de Chile premió con la publicación a sus expensas, en 1934. Por 1935 se agregó a la serie el título *Rubén Darío y su creación poética,* en que el autor ensayó algunos alcances al libro del mismo título publicado por el escritor argentino Arturo Marasso. Al año siguiente se dió a la circulación una *Antología Poética* de Rubén Darío, en la cual el recopilador incluyó cierto número de composiciones inspiradas por la vida chilena, no porque le parecieran excelsas, sino como reveladoras del grado de penetración que Darío alcanzó en ella. De esta antología se hizo en años siguientes una segunda edición autorizada por la misma editorial Zig-Zag, que había lanzado la primera; y una clandestina impresa en Buenos Aires, con multitud de erratas, y en la que, para disimular su índole, se suprimió el prólogo de las legítimas. Y, en fin, en 1940, como contribución al II Congreso Internacional de Catedráticos de Literatura Iberoamericana reunido en Los Angeles (California, Estados Unidos), se publicó el *Esbozo de un programa de estudios sobre Rubén Darío.* Este *Esbozo* es la segunda redacción de una lista de temas darianos que el autor había incluído en el folleto *Rubén Darío y su creación poética,* ya citado.

Mención aparte merece el proyecto de edición conmemorativa del cincuentenario de la publicación de *Azul...,* que el autor, en la gratísima compañía de don Julio Saavedra Molina, auspició ante la Universidad de Chile. Esta institución autorizó el homenaje y, en atención a ello, se publicó el primer volumen de una serie que debía constar de dos, con el título general de *Obras Escogidas* de Rubén Darío. El segundo fué destruído por el incendio de la imprenta que lo estampaba, justamente ocurrido en la noche del día en que se habían entregado al taller las pruebas completas de la obra, con el visto bueno de los editores para que se procediera a tirar los pliegos. La muerte del señor Saavedra Molina vino a postergar *sine die* el generoso proyecto, que tanto había progresado bajo la dirección ilustrada y sagaz de aquel benemérito dariísta, uno de los más perspicaces entre todos y, sin duda, el más autorizado de los de nacionalidad chilena. En el volumen que destruyó el fuego se habría debido incluir el primer esbozo de esta biografía. Y fué ventajoso el incendio a pesar del dolor y del desaliento que acarreó a los editores, ya que en el camino ha podido el autor introducir en ella no pocas enmiendas debidas a la publicación de diversas obras que han renovado el concepto habitual que sobre Darío teníamos hasta 1940 cuantos nos habíamos detenido en el tema.

Y quien ha renovado más a fondo ese concepto es don Diego Manuel Sequeira, autor de *Rubén Darío criollo,* trabajo publicado en Buenos Aires el año 1945. Ese libro es una monografía de amplia información sobre los primeros años de Rubén Darío, esto es, los anteriores al viaje a Chile. Todos ellos discurrieron en países centroamericanos y especialmente en Nicaragua, su tierra natal. El señor Sequeira estudió, en diarios viejos, los primeros destellos del talento de Darío, así en el verso como en la prosa académica y periodística; y, merced a su colosal empresa, ha podido poner en relieve multitud de aspectos hasta entonces totalmente desconocidos y sobre los cuales, por falta de su obra, rodaban leyendas prejuiciosas y generalizaciones inconducentes. El autor de esta biografía no pretende competir con el precioso modelo que es *Rubén Darío criollo;* pero si su obra fuese tan completa como la del señor Sequeira, en lo que se refiere al fragmento chileno de la vida y de la producción de Darío, sentiríase perfectamente compensado de las fatigas de una investigación prolongada a lo largo de veinticinco años, cual se patentiza en el primer párrafo de esta Introducción.

Se redactan estas líneas, por lo demás, no para jactarse de haber encontrado en el camino tales y cuales dificultades, vencidas o no, sino para dejar establecido que este libro no habría sido posible sin la lectura de obras ajenas, en las que el autor encontró informaciones de mucho peso que era preciso ensamblar y disponer en un cuadro de conjunto para relevar mejor sus luces. La pesquisa en los diarios chilenos que sirvieron de tribuna a Darío ha dado el resto, es decir, un caudal que ha hecho crecer muchísimo las páginas del libro destruído por el incendio, sin alterar su estructura. Y para abrir paso en este libro a las informaciones de terceros, que dicen algo sobre la vida de Rubén Darío en Chile y su trato con escritores chilenos de 1886 a 1889, y aún en años siguientes, se ha tenido un solo criterio:

el de que contengan algo apreciable para redactar la biografía completa de Darío, que falta todavía, a pesar de lo mucho que en ella ha logrado darse por establecido.

Santiago de Chile, Biblioteca Nacional, abril de 1956.

EL VIAJE DE NICARAGUA A CHILE

El poeta nicaragüense Rubén Darío, de que trata este libro, nació en Metapa el día 18 de enero de 1867, y, desde muy joven, niño en verdad, dióse a conocer por la aptitud para componer versos. A los trece años de edad, en 1880, salieron los de su poema *Desengaño,* bajo el anagrama *Bruno Erdia,* en la revista juvenil *El Ensayo,* publicada en León, ciudad nicaragüense. En aquellas horas, Darío estudiaba humanidades, y no fueron los versos publicados en 1880, según parece, los primeros que produjo. "¿A qué edad escribí mis primeros versos? —preguntábase el poeta años después—. No lo recuerdo precisamente, pero ello fué harto temprano. Yo nunca aprendí a hacer versos. Ello fué en mí orgánico, natural, nacido". A la iniciación en *El Ensayo* siguieron otras publicaciones poéticas que pronto permitieron dar a Rubén Darío el cariñoso remoquete de niño-poeta con que fué conocido, a pesar de que esas primeras producciones fueron lanzadas con seudónimos, el ya mencionado y otro anagrama, *Bernardo I. U.,* que siguió empleando en *El Ensayo.* Y dicen los testimonios de aquellas jornadas infantiles que los versos le abrieron paso a los salones, en donde se festejaba al joven para obtener de él los presentes que derrochaba su pluma.

Ya en 1881 el jovencito, de catorce años de edad, intenta reunir sus composiciones en un volumen, que iba a caratular con

el título de *Poesías y artículos en prosa*. Cinco versos alusivos
sirven de epígrafe a aquel proyecto:

> *Lector, si oyes los rumores*
> *de la ignorada arpa mía,*
> *oirás ecos de dolores,*
> *mas sabe que tengo flores*
> *también de dulce alegría.*

Sin que aquel libro salga del escritorio de Darío a la imprenta, el mismo año 1881, la muerte de Máximo Jerez, presti-
gioso caudillo de la causa unionista de las naciones centroamericanas, da al poeta la oportunidad de hacerse mejor conocido al
recitar en acto público la composición que ha escrito con motivo
del fallecimiento de Jerez. Y merced a este espaldarazo, se hace
salir de León al muchacho para que prosiga sus estudios en
Managua, capital de Nicaragua. Fué allí precisamente, en los
primeros días de 1882, cuando por primera vez se presentó al
poeta la tentación de salir de viaje por países extranjeros, para
conocer otros hombres y otros climas y para fecundar con más
amplia cultura la que había podido aprender hasta entonces. La
intención de los valedores que habían surgido en la capital nicaragüense era que Darío pasara a estudiar a España; pero el Se-
nado la modificó en el sentido de darle educación "por cuenta
de la Nación, en el plantel de enseñanza que estime más conveniente"[1]. Y así se aprobó y promulgó con fecha 21 de febrero de 1882.

Darío pasó a estudiar al Colegio de Granada, pero estaba
nuevamente en León con motivo de las fiestas de Semana Santa,
coincidiendo con el político y orador cubano Antonio Zambrana, que antes había viajado por Chile. Se hicieron amigos, y en

---

[1] Sequeira, *Rubén Darío criollo*, p. 263.

las charlas que hubieron de sostener, más de una vez pasó el
nombre de aquel país que era totalmente desconocido para el joven aprendiz de escritor. Zambrana, en cambio, lo estimaba en
mucho. En Chile había tratado a no pocos hombres ilustres,
y por circunstancias que hoy no sería fácil desentrañar, el resultado fué que se convirtió en admirador del país austral, en
el que con tanto respeto había sido escuchada su palabra de
propagandista de la independencia de Cuba. De este ilustre cubano escribía Darío poco después, cuando ya estaba en Chile:
"Yo he oído de un ilustre amigo mío, Antonio Zambrana, pin-
turas de reuniones de literatos y poetas en la capital de Chile, no ha mucho tiempo, muy semejantes a un banquete de los
antiguos filósofos, a un día del Ágora o a una asamblea noble y erudita en el siglo XVII..." Y agregaba: "Zambrana me
refería cómo los humanistas chilenos (y entre todos, gran iniciador de estos adelantamientos, el venerable sabio Lastarria)
trataban grandes cuestiones de ciencias y de letras, como no
se hiciera mejor en ateneos de Europa; y de qué modo los
nacionales vates presentaban obras maestras llenas de inspiración
y galas poéticas al criterio de la justa y razonada crítica." (*Obras
Desconocidas*, p. 13.)

Tambián era admirador de Chile el poeta salvadoreño Juan
José Cañas, a quien Darío conoció en agosto de 1882, cuando
por algún tiempo se radicó en San Salvador. Cañas había sido
representante de su país en Chile durante la Exposición Internacional de 1875, y su nombre de poeta —es el autor del himno
patrio de El Salvador— había hecho fácil la misión diplomáti-
ca que le trajo a Chile y grato el ambiente que aquí le fué dado
respirar. Y así se ve cómo se van uniendo en torno al nombre de
Darío los recuerdos de Chile, y cómo la vida chilena le iba siendo conocida en plena juventud.

En 1883 Darío había regresado a su tierra natal y desde León hubo de trasladarse a Managua con el ánimo de impetrar del Presidente Cárdenas protección para sus estudios. Y allí encontró algo mejor todavía: pasó a servir en la Biblioteca Nacional. "Modesto Barrios —escribe Sequeira— era director de la Biblioteca Nacional y había nombrado a Rubén colaborador en esas funciones. La biblioteca era en ese entonces la mejor dotada de la América Central, por cuanto los cinco mil volúmenes con los cuales se inauguró en Enero de 1882, habían sido cuidadosa y personalmente seleccionados en España por don Emilio Castelar, por especial solicitud del gobierno de Nicaragua, presidido entonces por el general Joaquín Zavala." Darío emprendió en aquella Biblioteca una labor empeñosísima de autodidacta, que le iba a franquear prontamente los secretos literarios que más podían halagar las nativas propensiones de su espíritu. Recordaba él mismo, andando los años, que había leído los prefacios e introducciones de la colección de autores españoles llamada popularmente de Rivadeneira, por el nombre de su editor; y a ello pueden agregarse, siguiendo atentamente las reminiscencias y citas de obras ulteriores, no pocas otras nociones literarias. Se hizo erudito, entendiendo esta palabra en su acepción más amplia y generosa, sin dejar por ello un instante de ser poeta. Sequeira atribuye a la estancia de Darío en la Biblioteca Nacional de Managua lecturas de Víctor Hugo, de Théophile Gautier, de Ernest Feydeau, de Catulle Mendès, de La Fontaine, de Lamartine, de los Goncourt y de Villemain, por haber tenido a la vista las obras de estos autores que conserva aquel establecimiento (o. c., p. 173).

Y fué también Managua la ciudad en la cual comenzó a imprimirse el primer libro de Darío, titulado *Primeras notas,* suspendido en su impresión y lanzado provisionalmente, en corto número de ejemplares, en 1888, es decir, cuando el autor estaba en Chile. Un terremoto destruyó la imprenta en que se tiraba, aunque no los pliegos ya estampados, algunos de los cuales pudieron preservar los amigos del autor. Este, por lo demás, trajo a Chile uno que mostró a Poirier y que puso en seguida en manos de Eduardo de la Barra, quien le prometió estudiarlo, y acaso uno o dos ejemplares más que guardó para compartirlos con sus nuevos amigos.

En diciembre de 1885 apareció en Managua el salvadoreño Cañas, a quien se ha aludido antes, desterrado político por el derrocamiento del régimen del Presidente Zaldívar. Cañas y Darío reanudaron la amistad iniciada en El Salvador, amistad que iba a ser decisiva para la vida futura del poeta y, ante todo, para el viaje a Chile que éste emprendería el año siguiente. Mientras tanto, el poeta intenta la publicación de un diario propio, *El Imparcial*, cuyo primer número se lanzó a la circulación el 8 de enero de 1886. Y en este diario escribe ya de todo, como periodista fogueado en anteriores empresas, desde los versos o la prosa que no vacila en suscribir con su propio nombre, hasta las noticias del día en que, sin la firma, puede reconocerse por el estilo al autor. El 9 de febrero de 1886 publicaba además el diario de Darío la siguiente noticia:

VICUÑA MACKENNA.—E. P. D. el insigne repúblico y famoso historiador chileno, el más fecundo de los escritores de América.

Que su gloria se acreciente cada día y que su recuerdo viva en el corazón de sus conciudadanos como su nombre en la historia del nuevo continente, donde brillará aparejado con los de los egregios varones, honra y orgullo de la patria latino-americana.

Algunos días después, *El Diario Nicaragüense* por su parte daba cuenta de la visita que algunos amigos habían hecho a Cañas poco antes:

... Con motivo de la muerte de Vicuña que nos trajo el cable, varias personas amigas del poeta y general salvadoreño don Juan

J. Cañas, que fué ministro de su país en Chile y amigo del ilustre difunto, pasaron a darle el pésame, el 1 del corriente, a su residencia del Hotel Nacional. Estas eran: el general don Carlos T. Avilés, el poeta Rubén Darío, don Vicente Guardia, el coronel don Francisco Juezo y otros.

Darío fué el encargado de exponer el objeto de aquella visita, quien lo hizo en breves, pero sentidas y elocuentes frases a las que el señor Cañas correspondió de la manera siguiente.

Y a continuación se lee el discurso de Cañas, muy sentido y elogioso para Vicuña Mackenna. *El Imparcial* publicaba por su parte, el 21 de febrero, un artículo firmado por Rubén Darío y titulado escuetamente *Vicuña Mackenna,* en el cual el niño-poeta de otras horas se encumbraba con notoria gallardía a la altura de buen retratista de escritores. Y este artículo, escrito en Managua, fué reproducido por *El Mercurio,* de Valparaíso, el 7 de abril de 1886, en cuanto llegó a su poder el diario nicaragüense que lo había publicado la primera vez. Cañas —según expresa Sequeira— fué el primer sorprendido de la producción de su joven amigo. "El poeta Juan J. Cañas no volvía del asombro que le había causado la lectura del artículo transcrito: para Rubén Darío, haber oído de sus labios un mal hilvanado relato y luego escribir esa brillante reseña sobre la vida y la obra del ilustre chileno desaparecido, todo fué uno. ¡Admirable! ¡Admirable!, exclamaba Cañas, a solas, paseándose en sus habitaciones del Hotel Nacional, cuando se presentó Darío. Con un cordial abrazo recibió Cañas a su amigo. Hablaron largas horas, de cosas muy íntimas y trascendentales en la vida de Darío." Desde entonces Cañas hubo de aconsejar a Rubén Darío que hiciera viaje a Chile.

En aquellas conversaciones se trató más de una vez el tema del viaje, y entre Darío, que hablaba de París, y Cañas, que opinaba por Chile, prevaleció la opinión del último, que tal vez asumió carácter de consejo. Eduardo Poirier, el primer amigo chile-

Eduardo Poirier, según retrato litográfico de Luis Fernando Rojas, publicado en "La Tribuna", Santiago de Chile, 14 de julio de 1889.

no del poeta, que le oyó reminiscencias de aquellas charlas, sintetizó en esta forma la escena:

> —Don Juan —le dijo—, deseo partir a París, y vengo en busca de su consejo.
> —París es París —replicóle el ardoroso y noble viejo—; tú eres un loco y te perderías allí. ¡Ve a Chile! Chile es la gloria...².

Por su parte, Darío quiso dar corte novelesco y sentimental a su salida de Centro América, y en la *Autobiografía* habló de una desilusión amorosa.

> A causa de la mayor desilusión que pueda sentir un hombre enamorado, resolví salir de mi país. ¿Para dónde? Para cualquier parte. Mi idea era irme a los Estados Unidos. ¿Por qué el país escogido fué Chile? Estaba entonces en Managua un general y poeta salvadoreño, llamado don Juan Cañas, hombre fino y noble, de aventuras y conquistas, minero en California, militar en Nicaragua, cuando la invasión del yanqui Walker. Hombre de verdadero talento, de completa distinción y bondad inagotable. Chilenófilo decidido desde que en Chile fué diplomático allá por el año de la Exposición Universal.
> —Vete a Chile —me dijo—. Es el país a donde debes ir.
> —Pero, don Juan —le contesté—, ¿cómo me voy a ir a Chile si no tengo los recursos necesarios?
> —Vete a nado —me dijo—, aunque te ahogues en el camino.
> Y el caso es que entre él y otros amigos me arreglaron mi viaje a Chile.

El viaje a Chile había sido proyectado desde marzo de 1886, y en el mes siguiente se le daba ya como hecho de próxima ocu-

---

² Entre los amigos chilenos de Cañas debe mencionarse en forma especial al dramaturgo Daniel Caldera (1851-97), después también amigo de Darío, a quien Cañas dirigió una *Epístola* en verso que publicó *La Época* en su edición de 3 de mayo de 1889.

rrencia en una información de *El Mercado de Managua,* que cita Sequeira en su *Rubén Darío criollo* (p. 272) con reproducción de los términos exactos que se dieron a esa noticia (17 de abril). Dos importantes apoyos recibió el poeta para su empresa: los consejos de Cañas, a quien trató con mucha intimidad por esos días, y la ayuda gubernativa. Este último punto había quedado hasta hoy esbozado apenas en una que otra referencia, pero puede ser afirmado con mayor robustez desde que se le ha dado la autoridad de las líneas que siguen. "Afortunadamente, ya en esos días —escribe Sequeira, o. c., p. 279—, el viaje de Rubén a Chile era cosa resuelta. El presidente Cárdenas había dirigido orden al agente de la Compañía Kosmos para que, de acuerdo con las cláusulas de la convención celebrada entre esa empresa y el gobierno de Nicaragua, concediera a don Rubén Darío un pasaje de primera hasta Valparaíso, a bordo del primero de sus buques que anclara en el puerto de Corinto. De su peculio personal, el presidente Cárdenas entregaría a Rubén el dinero necesario para sus demás gastos de viaje." Esta información se confirma con el suelto de *El Independiente,* de Granada, reproducido por *La Época,* de Santiago, el 14 de julio, donde se leía: "El joven poeta Rubén Darío partió para Chile, habiéndole proporcionado el Gobierno el pasaje y algunos fondos para los primeros meses de su residencia en aquella República."

A las alturas de Mayo de 1886 el viaje ya era conocido por todos los amigos del poeta, y así lo hicieron saber los periódicos, que tenían costumbre de dar noticias sobre Darío. Este y sus amigos más íntimos habían puesto grandes esperanzas en el paso a Chile, y al escribir sobre el viaje daban la impresión de que con él la ilustración de Darío iba a sufrir profundas transformaciones. Así se lee, por ejemplo, en *El Mercado,* diario de Managua, que con fecha 25 de mayo informaba a sus lectores:

"Nuestro amigo Rubén Darío, como lo han anunciado ya

algunos periódicos, saldrá pronto de Corinto para Chile, en donde piensa fijar su residencia.

"Darío lleva el propósito de ilustrarse con sólidas enseñanzas, de adquirir conocimientos universales y nutrir su inteligencia de sanísimas doctrinas en el país en donde la literatura ha llegado a un grado de desarrollo admirable y las ciencias han adquirido un ensanche prodigioso. ¡No es difícil que lo consiga el poeta! Viva imaginación, fantasía ardiente, genio creador y fecunda iniciativa son cualidades que adornan a Rubén, que lo están poniendo muy por encima de ciertas vulgaridades literarias, cuyos nombres jamás salvarán los linderos de nuestras aldeas y caseríos".

Las circunstancias en que Darío se embarcó rumbo al Sur en el vapor *Uarda* fueron contadas por él con adornos que les dan ciertos tintes novelescos. "Vino un gran terremoto. Estando yo de visita en una casa, oí un gran ruido y sentí palpitar la tierra bajo mis pies; instintivamente tomé en brazos a una niñita que estaba cerca de mí, hija del dueño de casa, y salí a la calle; segundos después la pared caía sobre el lugar en que estábamos. Retumbaba el enorme volcán huguesco: llovía cenizas. Se oscureció el sol, de modo que a las dos de la tarde se andaba por las calles con linternas. Así me fuí al puerto como entre una bruma. Tomé el vapor, un vapor alemán de la Compañía Kosmos, que se llamaba *Uarda*. Entré en mi camarote; me dormí. Era yo el único pasajero. Desperté horas después y fuí sobre cubierta. A lo lejos quedaban las costas de mi tierra. Se veía sobre el país una nube negra. Me entró una gran tristeza."

En el curso de la navegación hacia el Sur embarcóse también en el *Uarda* otro pasajero, y el día 24 de junio de 1886, cuando el barco atracó en el muelle de Valparaíso, bajaron a tierra dos personas, una de las cuales era Rubén Darío. Los dos diarios de Valparaíso, *La Unión* y *El Mercurio*, dieron cuenta de estos pasajeros y registraron sus nombres, desfigurando un tanto el del poeta, que el primero imprimió *Rubens* y el segundo *Reibén*...

Años más adelante, hablando de Chile y queriendo señalar las circunstancias en que llegó a este país, el poeta dijo en su *Autobiografía* que su llegada había coincidido con la muerte de Vicuña Mackenna, y que a escape había escrito en el barco mismo el artículo destinado a solemnizarla. Con lo que llevamos dicho basta para desacreditar aquella invención. Y ese artículo, que en realidad es en cierto grado responsable del propio viaje a Chile, no fué reproducido en la *Corona fúnebre*, poco más tarde editada en memoria de Vicuña Mackenna. (Ver en el *Apéndice* la carta de Darío dirigida a la viuda de Vicuña.) En el *Uarda*, en cambio, escribió la poesía titulada *Ondas y nubes*, que dedicó a su amigo chileno Eduardo Poirier, al darle publicación en *La Época* de Santiago, pocas semanas después de haber pasado a la capital.

Capítulo I

PRIMEROS PASOS Y PRIMERAS OBRAS

El buen don Juan José Cañas, a quien debe Chile el presente de este poeta, le había dado cartas de recomendación ante los amigos chilenos a quienes tenía en la memoria, y de estas cartas Darío recordaba dos: una dirigida a Eduardo Poirier, habitante de Valparaíso entonces, que en el periodismo y en el comercio se estaba haciendo una situación independiente, y la otra destinada a "un alto personaje de Santiago", a quien Darío identificó sólo por las iniciales C. A. Según Poirier las cartas estaban dirigidas a él y a Eduardo Mac-Clure (1850-1901), director de *La Época* de Santiago. Luego veremos que las cartas, según información contemporánea, estaban dirigidas al doctor Adolfo Valderrama y a don Adolfo Carrasco Albano, las iniciales de cuyos apellidos concuerdan con las que recordaba Darío.

En todo caso, es seguro que la primera persona a quien se dirigió Darío en Chile fué a Poirier[1], quien, como es de presumir, le introdujo en *El Mercurio* (que entonces se publicaba sólo en el puerto), le invitó a colaborar en la redacción de *Emelina* para optar al premio que ofrecía *La Unión,* diario también

---

[1] Poirier estaba al frente del Telégrafo Nacional, empresa de comunicaciones que servía especialmente a la prensa en la transmisión de noticias. Por este motivo, era muy conocido en todos los diarios.

de Valparaíso, y le presentó a algunos escritores residentes en la llamada capital comercial de Chile. Poirier evocó, a la muerte del poeta, aunque, por desgracia, sin la debida precisión, los recuerdos de aquellos años, y dijo que había recibido la visita de Darío sin previo aviso. "Una buena mañana vi llegar a mi oficina a un mozo casi imberbe, flaco, semientumecido de frío", que le alargó una carta. Por su contenido pudo imponerse Poirier de que era su viejo y buen amigo Cañas quien recomendaba a este joven, el cual, por lo demás, le pareció "inexperto, novedoso, buscador de emociones, bohemio entusiasta y lleno del ardor que inflama las venas a los veinte años". Más tarde pudo apreciar en él una facultad de asimilación portentosa y una memoria que le hacía pensar en Menéndez y Pelayo.

Al mismo Poirier, el primer amigo chileno de Darío en el tiempo y uno de los más fieles y constantes, debe atribuirse la expresiva crónica que *El Mercurio* publicó para presentar al forastero en este país, por las muchas informaciones que contiene, que sólo han podido ser proporcionadas por el poeta a quien le hubiese merecido confianza cordial y literaria.

DON RUBÉN DARÍO.—Se halla desde hace algunos días en Valparaíso este joven poeta nicaragüense que ha venido a establecerse entre nosotros por instancias del ex ministro residente del Salvador en nuestro país don Juan J. Cañas, fervoroso admirador de Chile.

El joven señor Darío, laureado poeta y brillante escritor en su país, ha venido en calidad de corresponsal del *Diario Nicaragüense*, *El Imparcial* y el *Diario de la Tarde*, de Nicaragua.

Entre los numerosos títulos que como hombre de letras abonan a nuestro huésped, sabemos que es autor de un tomo de poesías; que ha tomado parte en la redacción de los diarios nicaragüenses arriba mencionados y en otros, como la *Ilustración Musical Centro-Americana*, de San Salvador, dirigida por el maestro Aberle, autor del himno a Prat; que ha sido fundador de algunas sociedades literarias, como el Ateneo de León; que ha traducido en verso castellano el último poema de Víctor Hugo titulado *El primer día de Elciis,* traducción elogiada en términos altamente honrosos para su joven autor por el eminente poeta centro-americano don Francisco Antonio Gavidia, miembro correspondiente de la Real Academia Española.

Se nos dice que las producciones del señor Darío han merecido el honor de ser encomiadas de una manera muy lisonjera por el doctor don Antonio Zambrana que estuvo en Chile y dejó fama de gran orador; por el doctor de la Fuente Ruiz, publicista y escritor español; por el doctor Montúfar, autor de la voluminosa *Revista histórica de Centro-América,* y otros.

Compuso el *Himno a Bolívar,* música de Aberle, y fué comisionado para abrir con una oda la gran velada que se dió en San Salvador en el centenario de Bolívar.

Sabemos que se propone en breve dar a luz una obra sobre escritores y poetas centro-americanos, obra que se nos dice irá precedida de un prólogo, debido a la pluma de un esclarecido poeta y escritor chileno.

En nuestras mismas columnas hemos reproducido hace pocos meses un brillante artículo necrológico sobre nuestro ilustre Vicuña Mackenna, debido a la pluma y bajo la firma de don Rubén Darío.

Se halla hospedado en casa de nuestro amigo don Eduardo Poirier, a quien ha sido recomendado por el general salvadoreño don Juan José Cañas, a que ya hemos hecho referencia.

Deseamos al señor Darío grata permanencia en este país, del cual dice hallarse encantado. (13 de julio de 1886.)

Aquella novelita, *Emelina,* que no obtuvo recompensa en el certamen de *La Unión,* fué escrita "en diez días", "como la suerte ayudaba", según se lee en el prólogo con que se la dió a luz en 1887. Si recordamos que hubo de ser presentada (con seudónimo *Pílade y Orestes*) a más tardar el 1.º de agosto, día de término del plazo, como puede verse en las listas que publicaron los diarios del 8, podemos precisar muy aproximadamente entre qué fechas intervino la colaboración de Darío. El jurado a quien se encargó distribuir las recompensas del certamen se compuso de los siguientes escritores: Ramón Sotomayor Valdés, Carlos Walker Martínez, Guillermo Blest Gana, Zorobabel Rodríguez y Miguel Luis Amunátegui, este último en reemplazo de Vicuña Mackenna, fallecido a poco de anunciarse el certamen. La novela premiada, *Dos hermanos,* era obra de Enrique del Solar, cuyo nombre se lee en *La Época* de Santiago en 13 de enero de 1887.

Emelina, aunque destituída de casi toda importancia literaria, nos ofrece un problema que no es baladí estudiar siquiera ligeramente: ¿qué participación cupo en ella al poeta forastero, ya que la mayor parte de las páginas que la forman no revela que él interviniese en la redacción?

Cuando fué publicada, la novela aparecía encabezada por una dedicatoria en la cual se reduce la participación de Darío a papel muy secundario.

> Al señor don Agustín R. Edwards.
>
> Señor:
>
> Traduciendo para *El Mercurio,* cuyo ilustrado editor es usted, muchas de las interesantes novelas que llenan sus folletines, he adquirido verdadero gusto por este género de literatura.
>
> No extrañe, pues, que al dar a la publicidad, ayudado por inteligente colaborador, este primer libro original, el nombre de usted haya sido también el primero que ha venido a mi mente.
>
> Dígnese aceptar en consecuencia la dedicatoria de esta modesta obra y las seguridades de la distinguida consideración con que tengo el honor de suscribirme de usted
>
> M. A. S. S.
> *Eduardo Poirier.*

Es curioso además que Darío haga de crítico de *Emelina* en la carta dirigida a Eduardo Poirier que se publica en el prólogo: "En cuanto a la gran debilidad de esta obra, es aquella misma que Goncourt señala refiriéndose a su bellísimo e incomparable primigenio *En 18*... Nosotros no hemos tenido la visión directa de lo humano, sino recuerdos y reminiscencias de cosas vistas en los libros." Y como para explicar el extraordinario ambiente de la intriga, el lenguaje de los protagonistas, la truculencia de las situaciones, el poeta agrega: "Sí, amigo mío, los personajes de *Emelina* hablan a las veces, sin notarlo nosotros, el mismo lenguaje de las novelas que usted tan plausiblemente ha traducido para *El Mercurio*, y el de las que yo he leído, desde que a escondidas y en el colegio, me embebía con Stendhal y Jorge Sand."

Aquí Darío habla con demasiada perspectiva, casi con independencia, para que no sufra su posición de co-autor de esta novelita. Parece que su participación fué muy pequeña, lo que concuerda con la sospecha de que la obra estuviese casi totalmente escrita cuando llegó a Chile, y de que su autor, único hasta entonces, el señor Poirier, pidiera a su nuevo amigo una ayuda sólo para acelerar el trabajo y darle cabida en el plazo fijado por el certamen de *La Unión*. Si es posible hacer un análisis de estilo para distinguir la cuota de cada autor en una obra literaria escrita en colaboración, se puede afirmar que en la primera parte de esta novela no se halla indicio alguno de la pluma de Rubén Darío[2]. El estilo de esas páginas es algo so-

---

[2] Ghiraldo creyó (*Archivo de R. D.*, Buenos Aires, p. 153 y 286) que *Emelina* fué "un trabajo que primitivamente se llamó *Carne* y que, perdido en la balumba editorial de América y proscrito y repudiado por su autor principal, fué resucitado en los últimos años por una empresa de París", haciendo alusión a la edición de 1927, autorizada con un estudio preliminar de Francisco Contreras. La verdad es que *La Carne* fué anunciada "en preparación" por Darío en *Azul*... en 1888, y por ello no puede ser *Emelina*, que con su nombre había sido publicada el año anterior.

lemne; las frases se agrupan en períodos y párrafos extensos; el autor ha tomado muy en serio su asunto y no se permite libertad alguna con él o con los personajes que lo sostienen. Otro tanto puede decirse de los ocho primeros capítulos de la segunda parte. Pero de pronto, en el capítulo IX de ésta, titulado *Tito Matthei,* descripción espiritual y fantástica de París, como trazada por quienes lo soñaban y no lo habían visto aún sino en artículos y, sin duda, al través de Víctor Hugo, una nueva mano aligera el curso de la narración. Darío ha llegado. Escribe una lengua rápida, nerviosa, abigarrada, llena de ex abruptos y esmaltada de palabras exóticas. En la tercera parte, si se atiende a las mismas indicaciones, corresponderían a Darío los capítulos I, II, V, VIII y XI, por lo menos. En los demás la colaboración de ambos autores parece compaginarse estrechamente, y al leerlos se llega a creer que fueron escritos en compañía. No será dato perdido recordar que se llamaba Emelina Rosario Murillo una joven a quien Darío conoció mucho en los años de su adolescencia, los de la precoz iniciación literaria, y con quien contrajo matrimonio en 1892 [3].

La publicación de *Emelina* se demoró, ya que sólo en noviembre del siguiente año encontramos en la Prensa un juicio sobre ella. José Gregorio Ossa (1860-97) escribía en *La Época* con su seudónimo *Gil Pérez* un artículo en el cual, después de dar cuenta de otros libros, decía sobre *Emelina* lo siguiente: "De *Emelina* no conozco ningún juicio crítico, aunque es verdad que en el prólogo de esa novela sus autores se han encargado de darnos una ligera apreciación de su mérito. Darío nos dice en una carta a su colaborador que *Emelina* es una novela del género de las de la escritora inglesa que se firma Ouida, del género espeluznante. Poirier nos hace saber en su contestación

---

[3]   Véase *Rubén Darío criollo,* por D. M. Sequeira, p. 167.

a su colaborador Darío que *Emelina* es una novela honrada y pulcra, que a ninguna niña que la lea hará asomar el carmín a las mejillas. Poirier, cuya afición por las novelas inglesas nadie que conozca sus traducciones de varias de ellas pondrá en duda, prefiere ese género. Darío, por el contrario, gran admirador de los hermanos Goncourt y Daudet, se inclina preferentemente a la moderna escuela realista, y es, sin duda, por esto que el aplaudido poeta se lava las manos en el prólogo de *Emelina*. Ambos autores tienen razón al apreciar como lo hacen a aquella hija de su ingenio. *Emelina* es una novelita de lectura entretenida que nada enseñará al lector, pero que en nada puede dañarlo" [4].

No es posible insistir en este trivial pecado de juventud. Darío probó varias veces en su vida que había nacido gran poeta y periodista pasable, pero nunca logró probar que hubiese recibido de la naturaleza don alguno de los que hacen al novelista. *Emelina* es la primera demostración de esta ineptitud del autor, que trató de vencer más de una vez, con resultados siempre parecidos al que obtuvo en 1886. Para Contreras (*Estudio preliminar,* edición de París, 1927), *Emelina* posee, sin embargo, cierto valor literario y documental; de este último carácter serían algunas descripciones de costumbres chilenas. Respecto de la participación de Darío en *Emelina,* el señor Contreras da algunos plausibles detalles que es interesante retener: "Pero Darío también —dice— debió colaborar en esto, como lo prueban el apellido del protagonista, Gavidia, apellido desconocido en Chile y que era el del mejor amigo centroamericano del poeta: Francisco Gavidia; la figura de Guzmán Blanco, que Poirier no había de conocer con los detalles con que apa-

---

[4] *La Época,* Santiago, 22 de noviembre de 1887.

rece; la intromisión, en fin, de un secretario de la Legación de Nicaragua en Bélgica." (P. XXII.)

En su artículo sobre *Asonantes,* Darío dice que entonces conoció a Eduardo de la Barra (1839-1900), seguramente por intermedio de Poirier. El señor De la Barra era rector del Liceo de Valparaíso y tenía una excelente situación literaria, aunque estuvieran ya olvidados de las nuevas generaciones los primeros cantos de su juventud.

"Al pasar por Valparaíso había tenido oportunidad de ser presentado a Eduardo de la Barra; le había visto, blanca la cabeza, los ojos brillantes y dominadores, el cuerpo un tanto pequeño y regordete como el del Bonaparte de Meissonier, la palabra alada y franca, incisiva como una flecha a veces, y a veces sedosa y aterciopelada; le había visto en dos ocasiones, una en su casa, frente al Parque Municipal, casa modesta para poeta tan aristocrático en gustos, y amigo del refinamiento y las hermosas opulencias; otra en su oficina de rector del Liceo porteño. Había comprendido la fuerza espiritual de aquel hombre. En su salón, donde se veían en primer lugar dos grandes retratos antiguos de los fundadores de la familia, hablaban silenciosos, con sus labios de bronce, dos bustos soberbios y triunfales sobre sus columnas de ébano, los de Shakespeare y Schiller. Allí De la Barra me habló largo rato de literatura americana y me dió noticia de los poetas chilenos que yo deseaba conocer. Matta estaba de Ministro en Montevideo; Irisarri, enfermo, vecino a la muerte en Santiago; Lillo y Valderrama, dados a la política; Rodríguez Velasco, a los negocios, poeta rico. ¿Y Blest Gana?, pregunté. "Si quiere usted ver a Guillermo, vaya al Palacio de Justicia, suba las escaleras de la izquierda, llegue a la oficina de Registro Civil y ahí está un hombre de bigotes canos: ése es." Fuí y le vi. El cantor de las rosas,

el de los versos llenos de perfumes primaverales y delicados,
el de

> *¡Pasad, pasad,*
> *recuerdos de aquella edad!*

era jefe de oficina; trataba allí de nacimientos y defunciones.
También tenía un desquite poético: casaba al joven novio y
a la niña sonrosada, como quien rima dos octosílabos sonoros."
(*Obras Desconocidas*, p. 278-9.)

Darío dice que fué también Eduardo de la Barra quien le
llevó a conocer a don José Victorino Lastarria, que era su suegro. Esta versión aparece en la *Autobiografía*, escrita de memoria varios años después, en tanto que en el artículo sobre
Asonantes, de 1889, Darío había dejado dicho que fué Carlos
Toribio Robinet quien le presentó al autor de *La América*. Pre-
fiero esta versión no sólo por ser la más inmediata al hecho
mismo, sino porque es más verosímil. Darío ha debido conocer
a Lastarria (que estaba ya muy anciano) sólo cuando llegó a
Santiago, es decir, en agosto de 1886, y para ello le bastaba con
la buena amistad de Robinet, sin esperar a que Eduardo de la
Barra hiciera un viaje a la capital desde el puerto de Valparaíso en que vivía.

Estando en Valparaíso, Rubén Darío por lo demás colaboró en *El Mercurio* entre los días 16 y 26 de julio, siendo su
último artículo el destinado a lamentar el fallecimiento del mismo Hermógenes de Irisarri a quien se había evocado en la charla con Eduardo de la Barra. "Hace pocos meses —decía allí el
recién llegado— murió José Antonio Soffia, cantor del sentimiento, bizarro y elegante. Murió joven y dejó muchos dulces
versos, que tienen la "diafanidad y frescura de la fuente que
brota de la montaña", como dice Víctor Hugo de los del lírico
de Teos.

"Luego doña Quiteria Varas Marín, que nos dejó pocos, pero que asimismo puede decirse de ellos lo que Asclepíades de los de Erina, la amable abeja lesbiana: "pocos, pero dulces y encantadores".

"Ahora ha bajado al sepulcro el hijo de un centroamericano ilustre, defensor de la independencia de Chile, padre de la República, gobernador "enérgico y activo" de 1814; crítico dicaz y picante como el ají, seudónimo éste suyo, correspondiendo cada letra de la palabra a las primeras de su conocida firma: Antonio José de Irisarri; quien también escribió mucho bajo el anagrama Dionisio Terrasa y Rejón. Caprichos de Arquíloco." (*Obras Desconocidas,* p. 13-4.)

* * *

Pero estar en Chile era una cosa y vivir en Santiago otra: Darío no había realizado sino la primera parte de su programa. Para completarlo, parecía indispensable irse a Santiago, la capital, en donde habría más ambiente que en Valparaíso, así para el periodista como para el poeta.

El diario santiaguino *Los Debates* ya le había dado a conocer al público en una expresiva crónica que apareció en la edición de 11 de julio y a la cual, por contener noticias que no se verán en otra parte, debemos prestar especialísima atención:

Valparaíso, 10 de Julio.

Desde el 23 del mes pasado tenemos entre nosotros al distinguido poeta centro-americano don Rubén Darío, que goza en su patria de una merecida reputación como literato y periodista, habiendo tomado parte en Nicaragua en la redacción de los periódicos *El Imparcial, El Porvenir, El Diario Nicaragüense, El Diario de la Tarde* y *La Gaceta Oficial,* y en El Salvador en la *Ilustración Musical Centro Americana.*

Pertenece, además, a la Academia La Juventud del Salvador. *El Mercurio* hace pocos meses reprodujo un artículo necrológico del señor Darío, en honor de nuestro insigne escritor Vicuña Mackenna. Ha desempeñado en Nicaragua el cargo de segundo secretario del presidente de la república, señor Cárdenas. Viene a establecerse en nuestro país atraído por las descripciones halagüeñas que de él ha hecho el eminente salvadoreño Juan J. Cañas, que en época pasada representó a su patria en la nuestra y que ha recomendado al señor Darío, entre otras personas, a los señores doctor don Adolfo Valderrama y don Adolfo Carrasco Albano.

Hemos tenido, además, ocasión de leer un tomo de poesías del señor Darío, joven de 19 años, poesías que revelan la inspiración y conocimiento de nuestra lengua que posee el fecundo vate.

También ha publicado varios poemas, entre ellos una traducción de *Los cuatro días de Elciis,* último poema de Hugo, traducción que viene precedida de un juicio crítico muy honroso para el autor, emitido por el eminente poeta, también centro americano y miembro correspondiente de la Academia Española, don Francisco Antonio Gavidia.

El señor Darío se propone publicar en breve una obra sobre escritores y poetas centro americanos, que estamos seguros será de interés para nuestros hombres de letras aquí donde tan poco son conocidas las producciones de aquellos países.

Darío contó a lo novelista su llegada a Santiago, en el andén de la Estación Central de los ferrocarriles, con la intención de reproducir el ajetreo de los viajeros, la prisa, el vocerío de las gentes, y la página así lograda es insustituíble: "Ruido de tren que llega, agitación de familias, abrazos y salutaciones, mozos, empleados de hotel, todo el trajín de una estación metropolitana. Pero a todo esto las gentes se van, los coches de los hoteles se llenan y desfilan y la estación va quedando desierta. Mi valijita y yo quedamos a un lado, y ya no había nadie en aquel largo recinto, cuando diviso dos cosas: un carruaje espléndido con dos soberbios caballos, cochero estirado y valet, y un señor todo envuelto en pieles, tipo de financiero o de di-

plomático, que andaba por la estación buscando algo. Yo, a mi
vez, buscaba. De pronto, como ya no había nada que buscar,
nos dirigimos el personaje a mí y yo al personaje. Con un tono
entre dudoso, asombrado y despectivo, me preguntó:

"—¿Sería usted acaso el señor Rubén Darío?

"—¿Sería usted acaso el señor C. A.?

"Entonces vi desplomarse toda una Jericó de ilusiones. Me
envolvió en una mirada. En aquella mirada abarcaba mi pobre
cuerpo de muchacho flaco, mi cabellera larga, mis ojeras, mi
jacquecito de Nicaragua, unos pantaloncitos estrechos que yo
creía elegantísimos, mis problemáticos zapatos y sobre todo mi
valija. Una valija indescriptible actualmente, en donde por no
sé qué prodigio de compresión, cabían dos o tres camisas, otro
pantalón, otras cuantas cosas de indumentaria, muy pocas, y
una cantidad inimaginable de rollos de papel, periódicos, que lu-
chaban apretados por caber en aquel reducidísimo espacio. El
personaje miró hacia su coche. Había allí un secretario. Lo
llamó. Se dirigió a mí.

"—Tengo —me dijo— mucho placer en conocerle. Le había
hecho preparar habitación en un hotel de que le hablé a su amigo Poirier. No le conviene.

"Y en un instante aquella equivocación tomó ante mí el
aspecto de la fatalidad y ya no existía, por los justos y tristes
detalles de la vida práctica, la ilusión que aquel político opulento tenía respecto al poeta que llegaba de Centroamérica. Y no
había, en resumidas cuentas, más que el inexperto adolescente
que se encontraba allí a caza de sueños y sintiendo los rumores
de las abejas de esperanza que se prendían a su larga cabellera."

En todo caso, el señor que había ido a esperar a Darío en
la estación de los ferrocarriles le presentó en la redacción de
La Época, diario santiaguino, que era propiedad del mismo em-
presario, don Agustín Edwards Ross, que publicaba en Val-

paraíso *El Mercurio*. Y entonces ocurrió que se franqueara
al poeta la oportunidad de vivir en el propio edificio del diario,
que se hallaba ubicado en pleno centro comercial y que disponía
de instalaciones muy amplias y algo refinadas, en contraste con
el ambiente general de los periódicos de ese tiempo.

Darío parece haber comprendido, a poco de estar en Santiago, que la desmedrada acogida que se le había tributado en la
estación ferroviaria no escondía ningún agravio a su persona,
porque hizo llegar a su patria buenas noticias sobre Chile. Así
se hizo constar en *El Imparcial* de Managua en la información
publicada el 28 de agosto, sin duda sobre cartas del propio Darío que suponemos escritas desde Santiago, por la concordan-
cia de las fechas. He aquí las palabras de *El Imparcial*:

"Periódicos importantes le han saludado y han hecho de
nuestro poeta menciones muy honrosas. Se halla en buen camino. Ha sido bien acogido, y puede elevarse a la altura a que
le llaman sus dotes intelectuales mediante el enérgico estímulo
de aquella sociedad culta y severa. Nos alegramos de veras por
el buen éxito del viaje de nuestro joven amigo."

Samuel Ossa Borne, que por el relato que veremos en seguida parece haberse encontrado en el diario cuando hizo su
entrada Rubén Darío, describe aquella escena con gran vivacidad.

"Una noche —dice— Manuel Rodríguez Mendoza se apareció acompañado de un personaje extraño, flaco, moreno, mar-
cadamente moreno, de facciones niponas, de cabello lacio, negro,
sin brillo; que vestía ropas que gritaban al recién salido de la tienda y en las que parecía sentirse cohibido; enredado para andar, amarrado para saludar, desconfiado, retraído, de escasa
palabra, lenta y sin animación; pero con una gran vida en los
ojos pardos, un tanto recogidos, faltos de franqueza, inquisido-
res. Era Rubén Darío.

3

"Había llegado con recomendación para el señor Mac-Clure, director de *La Época,* y no había producido en él una impresión grata. El administrador del diario, Maquieira, recibió instrucciones de hacerse cargo del recién llegado y empezó por conducirlo a la Casa Francesa a que cambiase la exótica levita presbiteriana.

"Después de las presentaciones de estilo, y cuando solamente quedaron los dos visitantes, Laroche y Ossa, éste pidió al poeta sus impresiones. Las dió vagas, breve y diplomáticamente, como sin voluntad para largar prenda. Quedaba el recurso de lanzarse en expediciones callejeras, y así se hizo cuando Laroche se retiró. Como por encanto cambiaron varios factores: se produjo la vivacidad, se animaron los ojos, hubo arranques de buen humor."

Alfredo Irarrázaval, abonado testigo, recordaba el ambiente de aquel diario respondiendo a las preguntas de un periodista:

"Debió ser en 1886... El diario *La Época* era, por aquel entonces, una empresa periodística extraordinaria y que, a primera vista, desconcertaba. Un caso único, que no volverá a repetirse en la historia del diarismo criollo. En su régimen comercial, en su orientación política, variable y agresiva, y en la composición de su personal, ese diario representaba las más sorprendentes, las más pintorescas contradicciones: desde el director hasta el portero. Era un diario "monttino" y, sin embargo, a veces, no parecía un diario "serio"; es decir, que no encuadraba, como quería don Pedro Montt, dentro de los moldes que hacían de *El Ferrocarril* el órgano modelo de la Prensa tradicional chilena.

"Pero, hay más: los gastos, según entiendo, superaban, con mucho, a las entradas. Esta empresa nunca aportó utilidades comerciales. Pero ese detalle, que suele ser fundamental, no parecía tener importancia para sus directores, ni impedía que *La Época* viviera envuelta en el manto de la opulencia, que —por lo demás— no llegaba hasta los sueldos del personal secundario.

"Ocupaba nuestra imprenta un local espléndido y central, en la calle del Estado, entre Huérfanos y Agustinas, acera del naciente... Sus salones, de estilo oriental imaginativo, con amplios divanes de rica seda y cortinajes que filtraban discretamente la luz del día, guardaban un vago perfume de misterio y de aventura galante, que la curiosidad y la maledicencia timorata aspiraban ávidamente desde lejos.

"Dirigía aquel diario el hombre más simpático, más singular y más alegre que en cualquier tiempo se haya visto en Chile: don Eduardo Mac Clure. Y, a su alrededor, con ese don de atracción que es propio de la juventud y de la simpatía, colaboraban periodistas de raza, poetas de verdad, artistas notables; en una palabra: los espíritus más salientes y más cultivados de aquel tiempo: Augusto Orrego Luco, el más elegante, el más espiritual, el más formidable de los polemistas, gloria del periodismo de mi tierra; Vicente Grez, el inmortal tartamudo, a quien la abundancia de los chistes y el tropel del espíritu embarazaban la lengua; el diputado Pinochet, cuya voz, recia como el trueno, hacía temblar la bóveda de la Cámara y sacudía el polvo de los tapices; Bruno Larraín Barra, Gregorio Ossa y, finalmente, Ladislao Errázuriz.

"Sería larga tarea, difícil de encomendarla a la memoria, la de enumerar a todos aquellos políticos y parlamentarios, escritores y hombres de negocio, que formaban la diaria tertulia de *La Época*. He nombrado a aquellos que tienen vida más perdurable en mis recuerdos y, especialmente, a Ladislao Errázuriz Echaurren, a quien yo miraba, en mi primera juventud, como el adalid más brillante de su tiempo, por su inteligencia, por su lealtad para los amigos, por el desprecio soberbio que le inspiraban la intriga política y sus menudos manejos por debajo del manto.

"Como la batuta estaba en manos del director del diario, el conjunto del personal marchaba siempre al mismo compás de buen humor y de cordialidad." (*La Nación*, 14 de abril de 1933.)

El poeta recordó haber conocido en el diario a don Pedro Montt (futuro presidente de la República), a don Agustín Edwards (olvida decirnos que era el propietario), a don Augusto Orrego, a don Federico Puga Borne, y agrega: "La falange nueva la componía un grupo de muchachos brillantes que han tenido figuración, y algunos la tienen, no solamente en las letras, sino también en puestos de gobierno. Eran habituales a nuestras reuniones Luis Orrego Luco; el hijo del presidente de la República, Pedro Balmaceda; Manuel Rodríguez Mendoza; Jorge Huneeus Gana; su hermano Roberto; Alfredo y Galo Irarrázaval; Narciso Tondreau; el pobre Alberto Blest, ido tan pronto; Carlos Luis Hübner y otros que animaban nuestros entusiasmos con la autoridad que ya tenían; por ejemplo: el sutil ingenio de Vicente Grez o la romántica y caballeresca figura de Pedro Nolasco Préndez." Dice también: "Mac Clure solía aparecer a avivar nuestras discusiones con su rostro sonriente y su inseparable habano. Era lo que en España se llama un hidalgo y en Inglaterra un *gentleman*."

A partir de los primeros días de agosto de 1886 y por algunos meses, Rubén Darío tuvo alojamiento en el propio local de *La Época,* según dejó dicho, como reminiscencia de los años vividos en Chile, en páginas de *A. de Gilbert,* libro dedicado a glorificar el nombre literario y la obra de Pedro Balmaceda Toro. He aquí sus palabras:

"En días de gran trabajo y no pocas tristezas, vivíamos Rodríguez Mendoza y yo en dos departamentos del edificio de *La Época.* Él bregaba con su pluma de escritor brillante y fuerte por las ideas políticas del diario, que era, como es, el prin-

cipal órgano de los monttvaristas. Por el escabroso terreno de
esas luchas apasionadas, empezaba a descender al valle de los
desengaños. Yo pensaba en mi lejano país, en todas las dulces
cosas de la tierra en que se nace, los amigos de la primera edad,
las ilusiones en flor, el trópico vibrante y cálido, la cosecha de
tristezas en plena primavera de la vida; hasta en las torpezas,
cegueras o infamias que más de una vez llevan a los hombres
al destierro voluntario.

"Juntos, Manuel y yo, comunicábamosnos nuestras penas y
nos consolábamos con la visión del sol alegre, de la grata esperanza; con la alentadora, serena e ingenua vanidad del que
para no caer en la brega, se ase a su alma, y cuenta, en la noche, con el porvenir." (*A. de Gilbert,* p. 17-8.)

Allí le conoció Luis Orrego Luco, que ha evocado la pobreza de esos comienzos y que no ha podido menos que dejar
transparentar en sus notas el complejo carácter de su nuevo
amigo. "Salí junto con Daniel Caldera, atravesamos un corredor oscuro, el patiecito del motor del diario, y penetramos en
un cuarto un poco más estrecho que esos en que se guardan
los perros bravos en las haciendas: era la habitación de Darío.
Después de las presentaciones de estilo, nos sentamos, ellos en
la cama del poeta y yo en una maleta vieja, remendada y con
clavos de cobre. No había sillas en el cuarto, pero en cambio
había un lavatorio de hierro y un paño de manos que en esas
circunstancias desastrosas debían de tener un valor infinito."

El mismo Orrego Luco, queriendo caracterizar a Darío por
sus hábitos y aptitudes, le señalaba como tímido y hacía notar
el silencio en que solía caer, dentro de la tertulia de *La Época,*
ante sujetos largamente habituados a la charla súbita, que exige
dones de improvisación nada comunes.

"Era Rubén Darío un joven de aspecto adusto y taciturno-
no, miraba vagamente hacia dentro como si quisiera hacer vida

interior. Hablaba poco y raras veces decía cosas dignas de nota. Era tímido y orgulloso. Sabía que no era hombre de charlas ni de salón; encontrábase en presencia de los más brillantes *causeurs* que haya habido en Chile, con Carlos Luis Hübner, Alberto Blest, Gregorio Ossa, el tío de la brillante escritora *Roxane*. Y todos ellos se distinguían especialmente como admirables y finos charladores, sin contar a uno de los más brillantes ingenios que haya tenido este país, Alfredo Irarrázaval, poeta satírico de inmenso éxito y de gracia chispeante. Al ver un grupo tan escogido y selecto enmudecía el poeta centroamericano entre receloso y tímido. Todos le acogimos con los brazos abiertos. Allí le visitaron en *La Época,* periódico de importancia entonces, los jóvenes que por aquel tiempo comenzábamos a iniciarnos en las tareas literarias." (*Pacífico Magazine,* enero de 1921, p. 76-7.)

Y es significativo tomar nota de que, como dice Orrego Luco, los escritores chilenos buscaron la amistad de Rubén Darío desde que tuvieron noticia de que éste se hallaba en Santiago.

Su trabajo consiste en hacer la crónica de los sucesos del día, pero, al mismo tiempo, escribe en *La Época* versos y artículos literarios, de entre los cuales los primeros son, en algunos casos, anteriores a su llegada a Chile. Así ocurre, por ejemplo, con *Zoilo* [5], que el poeta anuncia como desprendido "del poema *Los Cauterios*" (8 de agosto); con *Ondas y Nubes,* escrita en el *Uarda,* como ya se ha dicho, y posiblemente con *Caso cierto,* al parecer compuesto bajo la impresión directa de la lectura reciente de poesías clásicas españolas. Igual influencia se ve en *La Plegaria* (31 de agosto), raro poema ascético de un

---

[5] Según Sequeira, o. c., p. 263, este poema había sido publicado en *El Imparcial* de Managua, 4 de abril de 1886.

poeta pagano por excelencia y que no temía confesarse así [6]. Muchos años antes de escribir que "entre la catedral y las ruinas paganas" volaba su alma, su psique inmortal, el poeta se confesó pagano en Chile. En su *Carta del País Azul (La Época,* 3 de febrero de 1888) nos informa: "El asceta había desaparecido en mí: quedaba el pagano. ... Amo la belleza, gusto del desnudo; de las ninfas de los bosques, blancas y gallardas; de Venus en su concha y de Diana, la virgen cazadora de carne divina, que va entre una tropa de galgos, con el arco en comba, a la pista de un ciervo y de un jabalí. Sí, soy pagano." Y pocos días antes, en verso, había escrito (*Bouquet, La Época,* 29 de enero; reproducido en *Obras Desconocidas,* p. 108-11):

> *¡Y yo! Yo soy pagano.*
> *Soy sacerdote del amor humano*
> *en el altar de la mujer hermosa*

Al llegar a Santiago le llaman la atención las mujeres, rebozadas con un manto de seda que cubre la cabeza y deja ver sólo la cara, que cae, además, en pliegues sobre los hombros y el busto y que sin disimular del todo las líneas del cuerpo, lo vela y sumerge en una como sombra de misterio. Y para hacer su entrada en la sociedad nueva que procura conocer, elogia aquella prenda con frases galanas:

> *Vela el cuerpo la hermosura*
> *y va enseñando la cara:*
> *tal parece una escultura*
> *hecha en mármol de Carrara*
> *y con negra vestidura.*

---

[6] El mismo Sequeira, p. 271, lo señala como publicado en *El Imparcial* de Managua, 14 de marzo de 1886.

En contraste con el negro de la espumilla suelen notarse los ojos, ojos ardientes, generalmente de morenas, ojos verdes, ojos castaños, dignos, sea cual fuere su color, de enamorar al voluble poeta:

> *¡Qué par de ojos! Son luceros.*
> *¡Qué luceros! Fuegos puros...*

Y describe él mismo su turbación ante aquellas apariciones que han logrado sacarle, siquiera transitoriamente, de su habitual distracción callejera. Los versos son frívolos, y desentonan tal vez en la poesía de Darío, movida generalmente hacia metas más altas; pero sonaban bien para el ambiente y estaban destinados al público femenino, que los galantes editores de *La Época* no podían dejar de acariciar.

Algún tiempo después, en fecha que no podemos precisar, el poeta abandonó el rinconcillo que se le había dado en el diario, y se fué a vivir a una casa de pensión, si sabemos interpretar rectamente lo que nos dice en la *Autobiografía:* "La impresión que guardo de Santiago, en aquel tiempo, se reduciría a lo siguiente: vivir de arenques y cerveza en una casa alemana para poder vestirme elegantemente, como correspondía a mis amistades aristocráticas." Y también a sus gustos, es de equidad decirlo. En los artículos que al poeta dedicó don Luis Orrego Luco (febrero de 1889), se hace hincapié más de una vez en el carácter bohemio de Darío, en su deseo de vivir bien unos días, aun a cambio de pasar estrecheces muchos otros, empleando sin discernimiento el poco dinero que cobraba en su trabajo, raleado tal vez por la informalidad.

Aun cuando lo escribiera mucho más tarde, ¿no se le podrá aplicar ya en estos años iniciales lo que dijo para definirse en Buenos Aires, ante el terrible Paul Groussac?: "Amo la hermosura, el poder, la gracia, el dinero, el lujo, los besos y la música. No soy más que un hombre de arte. No sirvo para otra cosa. Creo en Dios, me atrae el misterio, me abisman el ensueño y la muerte, he leído muchos filósofos y no sé una palabra de filosofía. Tengo, sí, un epicureísmo a mi manera: gocen todo lo posible el alma y el cuerpo sobre la tierra, y hágase lo posible para seguir gozando en la otra vida" [1]. Y, al parecer, en Chile halló por vez primera lo necesario para satisfacer aquellos apetitos de que nunca se sació completamente. Algún día vistió el sayal del cartujo y creyó, de buena fe, que había encontrado en el ascetismo de la vida monacal la paz del alma. Era una ilusión más. Tornó de nuevo al mundo que había dejado pocas horas, para ser otra vez un hombre descarriado, seguir viviendo de poesía y dar a sus imaginaciones *una magnificencia salomónica,* como dice en ese mismo artículo, que constituye la más cabal definición de sí propio que dejara el poeta.

La oscura existencia de Rubén Darío en la capital no nos permite ser más expresivos para indicar el empleo que de sus horas pudo hacer en ese tiempo. Es de suponer que trabajaba hasta tarde en el diario, que iría de cuando en cuando al teatro, sobre todo a escuchar a Sarah Bernhardt, y hasta que sus visitas a Pedro Balmaceda Toro en el lindo salón-escritorio que éste ocupaba en la Moneda, fueran regulares y aun cotidianas. No hay huellas de su presencia en el Ateneo ni en las muchas reuniones literarias y sociales de que dan cuenta las crónicas periodísticas. Taciturno y poco expansivo en la conversación corriente era entonces y fué hasta el fin de sus días. Todos cuantos le conocieron están contestes en asegurar que para verle sonreír, para oírle contar algo de su "reino interior", era pre-

---

[1] *Los colores del estandarte,* artículo reproducido por *Nosotros,* Buenos Aires, febrero de 1916, p. 162.

ciso que el poeta se encontrara muy *à son aise* en rueda de
amigos probados, que no le consideraran como repentista excelente y siempre pronto a estallar, ni como genio sin segundo.

A cambio de estas veladas y reuniones, el poeta vagó entonces mucho por los paseos de Santiago, de que llegó a ser
conocedor eximio. Le deleitó el Parque Cousiño, y en la Quinta Normal sorprendió idilios y admiró, a lo lejos, la mole andi-
na besada por la luz del sol poniente.

"Hay allá, en la orilla de la laguna de la Quinta —escribía—,
un sauce melancólico que moja de continuo su cabellera verde en
el agua que refleja el cielo y los ramajes, como si tuviese en su
fondo un país encantado.

"Al viejo sauce llegan aparejados los pájaros y los amantes. Allí es donde escuché una tarde —cuando del sol quedaba
apenas en el cielo un tinte violeta que se esfumaba por ondas,
y sobre el gran Andes nevado un decreciente color de rosa que
era como una tímida caricia de la luz enamorada— un rumor
de besos cerca del tronco agobiado y un aleteo en la cumbre.

"Estaban los dos, la amada y el amado, en un banco rústi-
co, bajo el toldo del sauce. Al frente, se extendía la laguna tran-
quila, con su puente enarcado y los árboles temblorosos de la
ribera; y más allá se alzaba entre el verdor de las hojas la fachada del palacio de la Exposición, con sus cóndores de bronce
en actitud de volar.

"La dama era hermosa; él un gentil muchacho, que le aca-
riciaba con los dedos y los labios los cabellos negros y las manos gráciles de ninfa.

"Y sobre las dos almas ardientes y sobre los dos cuerpos
juntos cuchicheaban en lengua rítmica y alada las dos aves.
Y arriba, el cielo con su inmensidad y con su fiesta de nubes, plumas de oro, alas de fuego, vellones de púrpura, fondos

azules flordelisados de ópalo, derramaba la magnificencia de
su pompa, la soberbia de su grandeza augusta." *(Paisaje,* en
Azul...)

En la mujer chilena admiró tanto el rostro palidecido por el
contraste violento de los mantos negros como el atuendo, en el
cual le sorprendía el uso de las pieles, obligado por el frío intenso de los inviernos santiaguinos. "La dama santiaguina es
garbosa, blanca y de mirada real. Cuando habla parece que concede una merced. A pie anda poco. Va a misa vestida de negro
envuelta en un manto que hace por el contraste más bello y
atrayente el alabastro de los rostros, en que resalta, sangre
viva, la rosa roja de los labios. Santiago es fría, y esto hace que
en el invierno los hombros delicados se cubran de finas pieles.
En el verano es un tanto ardiente, lo que produce las alegres
y derrochadoras emigraciones a las ciudades balnearias. Santiago sabe de todo y anda al galope." *(Obras Desconocidas,* página 282.)

Y como Darío llegó a Santiago en pleno invierno, no dejó
de insistir en la impresión de frío, a la cual supo abrir paso
inclusive en las más esmeradas y espirituales de sus producciones de entonces, cual la historia de un picaflor: "Hacía frío.
La cordillera estaba de novia, con su inmensa corona blanca y
su velo de bruma; soplaba un airecillo que calaba hasta los
huesos; en las calles se oía ruido de caballos piafando, de coches, de pitos, de rapaces pregoneros que venden periódicos,
de transeúntes; ruido de gran ciudad; y pasaban haciendo re-
sonar los adoquines y las aceras, con los trabajadores de toscos
zapatones, que venían del taller, los caballeritos enfundados en
luengos *paletots,* y las damas envueltas en sus abrigos, en sus
mantos, con las manos metidas en hirsutos cilindros de pieles
para calentarse. Porque hacía frío, mi amable señorita." *(La Época,* 21 de agosto de 1886.)

Y muchos años después, al encontrarse en Europa con una santiaguina a quien él no había conocido cuando estaba en Chile, la elogiaba, y al elogiarla hacía la rememoración global de los años de Santiago, en cuatro toques de luz y de sombra, siempre encantadores.

D A M A

A una chilena.

¡Cómo son las cosas de cariño
y de visión y de ilusión,
recordar el parque Cousiño
como una divina visión;

recordar las frondas espesas,
la opulencia de los carruajes,
y aquellas damas con sus trajes,
que eran a mí todas marquesas!

¡Y no haberte visto, señora,
encarnación de poesía!
¡Saludarte en nombre del Día
y besarte en nombre de la Aurora!

¡Brindarte, por el sol y el agua
y por el granito y el trueno,
una chispa de sol chileno
en un verso de Nicaragua!

Tú eres la luz y eres el templo
cuando, con tu manto chileno,
sabes hacer al hijo bueno
y brindas belleza y ejemplo.

Perla pura entre perlas buenas,
dulce belleza hecha de bien:
tu beldad nos viene de Atenas,
tu bondad de Jerusalén.

> *En ti veo paloma y honda,*
> *todo misterio y poesía,*
> *la sonrisa de la Yoconda*
> *hecha por la Virgen María.*

> *Si hay alguien que te llama bella*
> *buscando de adularte, dile:*
> *"¡Yo soy la más hermosa estrella*
> *sobre la bandera de Chile!"*

Por la Alameda de las Delicias vagaba tanto de día como de noche, en busca de aire libre, prendida la vista a las montañas del Oriente. "Salí a respirar el aire dulce —escribía en *Carta del país azul*—, a sentir su halago alegre, entre los álamos erguidos, bañados de plata por la luna llena que irradiaba en el firmamento, tal como una moneda argentina sobre una ancha pizarra azulada llena de clavos de oro." Y también allí descubría cuadros sentimentales, que hablaban a su alma. "Pues bien, en un banco de la Alameda me senté a respirar la brisa fresca, saturada de vida y de salud, cuando vi pasar una mujer pálida, como si fuera hecha de rayos de luna. Iba recatada con manto negro. La seguí. Me miró fija cuando estuve cerca, y ¡oh amigo mío!, he visto realizado mi ideal, mi sueño, la mujer intangible, becqueriana, la que puede inspirar rimas con sólo sonreír, aquella que cuando dormimos se nos aparece vestida de blanco, y nos hace sentir una palpitación honda que estremece corazón y cerebro a un propio tiempo. Pasó, pasó huyente, rápida, misteriosa. No me queda de ella sino un recuerdo; mas no te miento si te digo que estuve en aquel instante enamorado; y que cuando bajó sobre mí el soplo de la media noche, me sentí con deseos de escribirte esta carta, del divino país azul por donde vago, carta que parece estar impregnada de aroma de ilusión; loca e ingenua, alegre y triste, doliente y brumosa; y con sabor a ajenjo, licor que como tú sabes tiene en su verde cristal el ópalo y el sueño." *(La Época,* 3 de febrero de 1888.)

Es muy posible que la fama local que Darío había atesorado en su patria y en las demás naciones centroamericanas no llegara todavía a conocimiento del director de *La Época* de Santiago, o que de serle conocida no le impresionase demasiado; pero Darío tenía ya en el mismo Chile valedores que le iban a franquear el paso hasta la redacción del diario mejor escrito en 1886. Corresponsal de *La Época* en Valparaíso era el propio Poirier que había acogido con los brazos abiertos al poeta adolescente, le invitó a colaborar en su novelita *Emelina* y le había presentado en la redacción de *El Mercurio* porteño, donde era traductor de obras extranjeras y colaborador ocasional[8].

El carácter de Darío no era apropiado para abrirle un paso más rápido a la holgura, ya que no a la gloria, que logró sin dilaciones; pero hizo amigos sinceros, entusiastas de su talento y que creyeron a pies juntillas en su espléndido porvenir, y amigos de corazón tan abierto y franco como podía desearlos el joven expatriado a deshora, "descocado, antimetódico", como se llamó en un instante de sinceridad. Entre ellos figuraba precisamente Manuel Rodríguez Mendoza, a quien están dirigidos aquellos versos de los cuales hemos tomado la última definición y que comienzan diciendo:

> *Tu noble y leal corazón,*
> *tu cariño, me alentaba*
> *cuando entre los dos mediaba*
> *la mesa de redacción.*

Y junto a Manuel Rodríguez Mendoza, que olvidaría más

---

[8]   Estando Darío en Chile, Poirier fué nombrado cónsul de Nicaragua, como se contará más adelante.

tarde en ajetreos políticos y administrativos estos inicios literarios de la juventud, otros escritores brillantes ya por su talento y por sus frutos. ¿Cómo no recordar a ese cáustico e in-
cisivo Alberto Blest Bascuñán, que paseaba por los salones y
por la redacción de su diario preferido, *La Época,* el *spleen*
de una bohemia aprendida en París, no corregida en Santiago? [9].
¿Y a Pedro Balmaceda Toro, que aunque hijo del Presidente
de la República consumía las horas al lado de sus amigos bohemios, porque una inclinación precoz al arte le hacía preferir
esa sociedad a la más estirada y convencional que frecuentaba
la Moneda? Y con él otros, mayores y menores en méritos y en
años, como Daniel Caldera, Daniel Riquelme, Augusto Orrego
Luco, Arturo M. Edwards, hermano del propietario de *La Época;* Luis A. Navarrete, Narciso Tondreau, Pedro N. Préndez,
José Gregorio Ossa, Alcibíades Roldán, Samuel Ossa Borne,
Ricardo Fernández Montalva, Roberto Alonso, Salvador Soto,
Vicente Rojas y Rojas, y los hermanos Jorge y Roberto Huneeus Gana, hijos del Rector de la Universidad y escritores los
dos de varia fortuna. Formaban un grupo juvenil y entusiasta,
dinámico y exaltado por el arte y por la gloria, combatían la pa-
sividad de la sociedad de Santiago, eran Quijotes, en fin, de una
cruzada que sólo iría a producir sus frutos más adelante. El final sangriento de la administración Balmaceda no permitió que
muchas de esas amistades continuaran siempre, y la muerte se
encargó en poco tiempo de ralear las filas.

Antes de que Rubén Darío saliera de Chile había muerto ya
Alberto Blest, y a poco de salir moría en plena juventud el
buen Pedro Balmaceda, sobre cuya tumba, prematuramente
abierta, el poeta depositaría en calidad de ofrenda un libro cariñoso y cordial, como escrito con sangre de su corazón. Darío,

---

[9]   Hijo del novelista Alberto Blest Gana. Falleció en 1888.

precisa recordarlo, no intervino para nada en la política interna
de Chile, primeramente porque no le interesó nunca y en seguida, y sobre todo, porque comprendió que su deber de caballero
era considerar siempre a los chilenos una familia sola, por hon-
das que fueran sus íntimas diferencias; y cuando le era preciso
comprobarlas, vedle empeñado en echar aceite a las olas em-
bravecidas: "...Desgraciadamente, letras, artes, ciencias, todo
va a caer entre nosotros, en ese tremendo hervidero de la pasión política. Cruz y Concha Castillo sólo tienen aplausos entre
los muros del Círculo Católico, y en el juicio de los imparcia-
les; lo propio que Vicente Grez, Préndez, Pedro Balmaceda,
Irarrázaval, que solamente son elogiados en el círculo del partido a que pertenecen. Feliz el día en que las letras sean víncu-
lo de unión entre todos y se juzgue sin pasión, y el aplauso
o la censura merecidos se den por parte igual a unos y a otros."
(*Obras Desconocidas,* p. 261-2.)

Quien así habla es el mismo que sin perjuicio de colaborar
en *La Época,* diario moderno donde las ideas más audaces en-
contraban cabida, a condición de presentarse en formas plausibles, toma parte en la colaboración de la *Revista de Artes y Letras,* fundada por dos católicos declarados, los hermanos don
Manuel y don Claudio Barros, y que cuenta, además, con el apoyo de don Rafael Errázuriz Urmeneta y de los mismos Cruz y
Concha Castillo, a quienes recuerda el poeta en el fragmento que
se acaba de citar.

* * *

Después de dar esos primeros pasos en *La Época,* es decir,
de publicar algunos artículos y algunos versos, el poeta llegó a
ser cronista, o jefe de informaciones. Por diversos indicios pué-
dese también aseverar que su intención era seguir cuanto pu-

Ramón de Campoamor, retrato litográfico de Luis Fernando Rojas, publicado en "La Época", Santiago de Chile, el 24 de octubre de 1886.

diera al servicio de ese diario. Así, por ejemplo, se revela por este suelto de *La Época,* publicado cuando no contaba mucho más de una quincena de vida en la capital:

> Don Rubén Darío.—El corresponsal en Valparaíso de *El Callao,* diario que se redacta en el puerto del mismo nombre, dirigió, entre otros, el siguiente cablegrama: "Don Rubén Darío, notable escritor y poeta de Nicaragua, que se halla actualmente aquí, se propone establecer un periódico en conexión con su país." Podemos asegurar que el señor Darío no tiene el propósito indicado, pues dicho señor actualmente forma parte de la redacción de *La Época.* (19 de Agosto de 1886.)

La Época, como todos los periódicos chilenos de entonces, posee dos y hasta tres columnas de noticias breves, tanto del orden administrativo y social como judicial y policíaco, y junto a ellas se ponen párrafos curiosos traducidos de publicaciones extranjeras o recortados de periódicos nacionales. Con todo esto, y con las variaciones del cambio internacional y alguna indicación sobre el tiempo del día anterior, se llena la sección de *Crónica,* que redacta un jefe ayudado de algunos menudos reporteros. Al recordar a Balmaceda en su libro *A. de Gilbert,* Rubén decía: "En la sala de redacción, iluminada por la claridad dorada del gas, nos encontrábamos el director, señor Mac Clure, Rodríguez Mendoza, segundo redactor del diario, y yo, que escribía la crónica del mismo."

En ese ambiente transcurren las más de las veinticuatro horas del día, porque una vez terminada la tarea, salvo que el poeta haga una excursión galante de las que ha evocado con tanta gracia como discreción el señor Ossa Borne, pasa a su gélido cuartucho y duerme acunado por el ruido monótono de las máquinas que imprimen la sábana de papel. Entonces, desvelado acaso por las inquietudes juveniles, es cuando el poeta

4

sueña en su "lejano país, en todas las dulces cosas de la tierra en que se nace, los amigos de la primera edad, las ilusiones en flor, el trópico vibrante y cálido"...

Los amigos chilenos del poeta evocaron más tarde, cuando la gloria del fundador del Modernismo deslumbraba todos los ojos, estas horas de tristeza, y agravaron, acaso con alguna base de verdad, las amarguras que el poeta debió beber en Chile. Según Ossa Borne, de ordinario cuerdo en sus apreciaciones, "había crueldad" en el trato que se le daba en el diario santiaguino. "Rubén Darío llevaba en la imprenta una vida difícil. Su ingenio no encuadraba en el régimen. Necesitaba libertad, poder volar libremente. Era triste darle una orden: "Rubén, haga usted este párrafo." El párrafo no salía. Allí se estaba un hombre amarrado, mordiendo el lápiz. ¡Incomprensibles dificultades! Un dios de la pluma se mostraba incapaz de redactar el suelto más sencillo... Desgraciadamente, no había benevolencia para Rubén Darío. Había crueldad. Excepto en Manuel Rodríguez y en Vicente Grez, la compasión no existía en el personal de redacción. Todos eran crueles, y mayormente el director del diario. Y Rubén Darío no les perdía pisada, veía muy bien, admirablemente; sus ojos profundamente observadores no desperdiciaban detalle. Después su pluma trazaba cuadros magistrales, inmortalizaba un personaje. El director de *La Época* es inmortal desde que se escribió *El Rey Burgués*."

¿Podremos creerlo? He aquí algunos antecedentes. *El Rey Burgués* fué publicado en *La Época* el día 4 de noviembre de 1887, con el título de *Cuento Alegre*, y el poeta sigue escribiendo en el mismo diario; cuando Arturo M. Edwards muere en plena juventud, el cordial artículo que Darío le dedica es reproducido por *La Época* (22 de agosto de 1889) como si nada hubiera pasado. Y es que en realidad no había ocurrido nada: El Rey Burgués no es Mac Clure, como, en general, los seres ridículos

y execrables de la obra primigenia de Darío no se ve por qué
han de ser exclusivamente chilenos. El poeta dejaría después, en
varias ocasiones, su impresión de Chile en forma más directa,
más franca, y no parece razonable que hubiera de agraviar con
una burla sangrienta a los hombres que le dieron acogida y audiencia. Y si esta audiencia fué estrecha y esa acogida precaria,
no olvidemos que el poeta era ún jovenzuelo cuando llegó a
Chile y que en Chile, como en Jaén, nadie triunfa al primer
embate. En fin, y para ser justos, consignemos que Darío probó
sus fuerzas suficientemente, y con sucesión de pocos días, dando a luz en *La Época* los mejores fragmentos de su pluma, algunos de los *Abrojos* desde luego, y todos los cuentos y los versos de la primera edición de *Azul...*, y muchos otros trabajillos
que no recordó el autor mismo cuando, más tarde, llenó volúmenes con ellos.

* * *

La existencia de Darío en Santiago en los primeros meses
de su trabajo en *La Época* puede haber sido más halagüeña de
lo que nos parece ahora, porque el recuerdo que tenía de ella el
poeta en 1912 no era desagradable. Véase un ejemplo característico. Uno de los más importantes trabajos de Darío publicados
en ese tiempo (inserto en *La Época* el 24 de octubre de 1886)
es la popular décima a Campoamor, que aparece a continuación
de un artículo del poeta peninsular, publicado con gran desplie-
gue de titulares: el autor de las Doloras iniciaba con este artículo su colaboración en el diario santiaguino. Cuando ya habían
pasado muchos años de este hecho, he aquí cómo se le cuenta
en la Autobiografía caprichosa y legendaria:

    Una noche apareció nuestro director en la tertulia, y nos dijo
lo siguiente:

—Vamos a dedicar un número a Campoamor, que nos acaba de enviar una colaboración. Doscientos pesos al que escriba la mejor cosa sobre Campoamor.

Nos encontramos ante una invención descabellada, pero ella acredita que Darío conserva de esos años un recuerdo grato; Chile entero aparece al través de este rasgo como un pueblo que estimula la creación intelectual, aun cuando el poeta se haya quejado alguna vez de que en Santiago se paga mejor a los palafreneros que a los escritores. La verdad es que doscientos pesos por un poemita menudo, de circunstancias, aun cuando fuera él tan hermoso como el que escribió Darío, era recompensa sobrada, y una de dos: o *La Época* pagaba poco, como el mismo Darío ha dicho en diversas ocasiones, o pagaba ocasionalmente cantidades demasiado altas. El hecho, tal como ha sido contado por Samuel Ossa Borne [10], es mucho más simple: no hubo certamen, ni doscientos pesos, ni nada parecido. Se hablaba en la tertulia del diario acerca de Campoamor, sin duda a propósito del artículo que se publicaría al día siguiente, y Darío, silencioso siempre, meditaba. De pronto, después de trazar líneas en un papel, sin que le distrajera el bullicio de la charla de sus amigos, leyó lo que había escrito:

> *Este del cabello cano*
> *como la piel del armiño*
> *juntó su candor de niño*
> *con su experiencia de anciano.*
> *Cuando se tiene en la mano*
> *un libro de tal varón,*
> *abeja es cada expresión,*
> *que, volando del papel,*

[10]   *Un autógrafo de Rubén Darío,* artículo publicado en *Pacífico Magazine,* Santiago, mayo de 1917.

> *deja en los labios la miel*
> *y pica en el corazón.*

La correspondencia de Ramón de Campoamor con que se inauguró su colaboración en *La Época* tenía forma de carta al director, y comenzaba diciendo: "Madrid, 1 de septiembre de 1886. Señor Director de *La Época,* en Santiago de Chile: Tengo el honor de acceder a su invitación para que de vez en cuando le transmita mis impresiones sobre los acontecimientos de la vieja Europa." Las líneas finales de la correspondencia, que son bellísimas, fueron reproducidas litográficamente al pie del retrato que Rojas había dibujado del ilustre colaborador.

El día 12 de febrero de 1886 se publicó en *La Unión* de Valparaíso (el mismo diario del certamen de *Emelina)* un artículo sobre las *Humoradas* de Campoamor, suscrito por L. A., que terminaba diciendo: "Por mi parte, si hubiera de calificar de un solo rasgo, de una humorada, las de este libro, original y característico como todos los del propio autor, diría que tiene la propiedad de la abeja: pica para dejar miel." Simple coincidencia, tal vez [11]. Si Darío había leído este artículo y lo tuvo presente en la subconsciencia al trazar su preciosa décima, no cabe duda de que en ésta mejoró la expresión del periodista y la vistió con ropaje seductor.

Los versos que Darío dedicó a Campoamor fueron comunicados a éste. El señor Poirier lo dijo en su artículo sobre *Abro-*

---

[11]   Es verosímil también que Darío, así como L. A., tuviese presente, al escribir esas palabras, los versos del propio Campoamor:

> *Aquello que es dulce al labio*
> *es amargo al corazón,*

que si no dicen lo mismo, se acercan mucho al concepto desenvuelto por Darío en el final de su décima.

jos: "En una hermosa carta que aquél (Campoamor) ha escrito a encumbrado personaje de la capital, encaminada a manifestar su agradecimiento a los directores de *La Época* por haberle dedicado un número especial de ese diario, ocúpase de Rubén Darío, a quien sólo conoce por una décima que de él leyera, publicada en el número consabido, y acerca de la cual se expresa, en la buena compañía de otros ilustres escritores españoles, en conceptos altamente lisonjeros para el que, hoy joven luchador, será mañana, no vacilamos en afirmarlo, un poderoso atleta."

Incorporado a la vida periodística santiaguina, el poeta no dejará de ser alguna vez aludido en términos desapacibles por los colegas competidores; y es en una de las rectificaciones que se ve obligado a hacer, en donde encontraremos revelado el nombre de Carrasco Albano a que antes nos referíamos:

Señores Directores de *La Libertad Electoral.*
Me refiero al número de ayer del diario de ustedes.
Creo que mi deber me obliga a declarar que fuí yo quien hizo la transcripción de una parte de la correspondencia publicada en *La Tribuna Nacional* de Buenos Aires. Si en ello ha habido un error, él debe caer sobre mi poca versación en la política de este país, y en el cargo que hace poco desempeño, gracias a la confianza que han depositado en mí los directores de *La Época.*
El puesto que ocupo en este diario, débolo principalmente a los esfuerzos del señor don Adolfo Carrasco Albano, quien, conocedor de mis antecedentes, me ha dispensado benévola amistad.
No quiero concluir sin dar a ustedes las gracias por los conceptos injuriosos que contiene la crónica de la *Libertad* de ayer relativos a mi persona.
Si los escritos que me atribuyen son cursis, zonzos, semi-pedestres, semi-poéticos, lo lamento por el diario que los acoge, por los señores directores, y por el verdadero autor del artículo en cuestión, cuya pluma brillante y conocida pertenece a la redacción de *El Orden,* de Buenos Aires.

Me hallo por fin en el caso de declarar que creí que no habría diarios en Chile donde no se dispensase la consideración debida a los escritores extranjeros, que, como yo, viven honradamente de su trabajo, sin ofender ni difamar reputación alguna.

Rubén Darío
De la Redacción de *La Época.*

La Época, Santiago, 25 de Setiembre de 1886 [12].

Santiago reservaba a Darío emociones más gratas que las que hasta ahora hemos podido reflejar, después del helado recibimiento que le había hecho en la estación de los ferrocarriles el personaje que fué a esperarle en nombre del director de *La Época.* Por los primeros días de octubre llegaba a Santiago, a coronar una publicidad mantenida por meses, la trágica francesa Sarah Bernhardt. La precedía una fama que arrebató a todos los públicos de Europa, y sobre todo trompeteaba su nombre una serie ininterrumpida de excentricidades y de ocurrencias peregrinas que en muchas ocasiones hicieron formular sobre sus costumbres los juicios más severos. En el "Teatro Santiago" desarrolló para el público de la capital de Chile una temporada breve, que alcanzó por cierto el éxito más hala-

---

[12] Los ataques de *La Libertad Electoral* no iban dirigidos principalmente a Darío, sino al diario en que éste trabajaba, y nacían de la diferente actitud política de ambos periódicos. En la edición referida por Darío, *La Libertad* había publicado tres notas contra la redacción de *La Época,* y sólo la última contenía alusiones personales al escritor nicaragüense. "El mismo diario!... —se leía— trae un artículo, o quisicosa, escrito en estilo abigarrado, cursi, churrigueresco, semi-pedestre y semi-poético, de esos que no se estilan por estas tierras, y que, a las claras, acusan que el autor de él es una pluma forastera. Prescribe en ese *factum* la manera de describir un baile. Los que quieran aprovechar esas lecciones descriptivas del género zonzo y cursi, busquen *La Época* de hoy... Si esta noche no tienen sueño, les servirá de floripondio..., que es la más eficaz y barata de las adormideras."

güeño. Los diarios registraban todos los días alguna curiosidad acerca de la actriz: el menú de sus comidas, las visitas que había recibido, o extasiaban al lector con las sumas fabulosas que arrojaba la taquilla en cada una de las funciones. El día 17 de octubre de 1886 *La Época* dedicó a Sarah Bernhardt la primera página de su edición, con lindo grabado al lápiz debido a don Luis F. Rojas, y en esta página aparecen, como material literario, un artículo sin firma y un breve poema de Rubén Darío, ambos en elogio de la artista. El poema es curioso y merece que se le reproduzca:

SARAH

Bajo el gran palio de lumbre
del arte, una encantadora
a quien admira y adora
y aplaude la muchedumbre;

una voz de blando tono,
un cuerpo de sensitiva;
algo como un arpa viva
que da el sonido temblando;

y luego una sombra; y luego
un alma y un corazón,
y una inmensa inspiración
que baja en lenguas de fuego;

amor hondo y subitáneo,
odio profundo y deshecho,
las tempestades del pecho
con las tormentas del cráneo;

la pasión terrible y fiera
que por el rostro se asoma;

un arrullo de paloma
y un rugido de pantera;

 la pálida faz de muerta
por donde el lloro resbala,
y el suspiro que se exhala
por una boca entreabierta;

 algo humano, algo divino,
algo rudo, algo sereno;
con una palabra el trueno,
con otra palabra el trino;

 ¡eso es Sarah! Y gloria a ella,
que con su ingenio fecundo,
brilla a los ojos del mundo
con resplandores de estrella.

Esta poesía no es el único tributo a la gran actriz francesa
que se puede atribuir a Darío en su paso por Chile. *La Época*
debió dar cuenta de las representaciones de Sarah Bernhardt
en Santiago, y en la serie de artículos que con este motivo
publicó parece hallarse la huella del estilo de Rubén Darío. En
alguna ocasión, el diario santiaguino despachó su compromiso
de dar cuenta de las representaciones de Sarah Bernhardt reproduciendo artículos que poco antes *La Nación* de Buenos Aires
le había dedicado. Y tocaba la coincidencia de que esos artículos eran escritos por Paul Groussac, a quien no vacilaba más
tarde Darío en confesarle como maestro suyo en la prosa: "*La
Nación,* en la primera temporada de Sarah Bernhardt, fué quien
me enseñó a escribir, mal o bien, como hoy escribo" —decía el
poeta al responder en *Los colores del estandarte* a las censuras
de Groussac. Y, en fin, ¿no bastará esta última indicación expresa del poeta para señalar que fueron suyos algunos de los

artículos dedicados a Sarah Bernhardt en la temporada chilena, directamente inspirados en los que poco antes le había dedicado el crítico de *La Nación* de Buenos Aires? [18].

* * *

Ya que se ha mencionado en estas páginas el nombre de Eduardo Poirier, vecino de Valparaíso, a quien Darío fué presentado por su amigo Cañas, no estará fuera de camino decir que antes de terminar ese año Poirier quedaba designado Cónsul de Nicaragua. ¿Hubo gestión de Darío para este nombramiento? Es punto que habrán de esclarecer los investigadores nicaragüenses, ya que en Chile no hay más antecedentes para pronunciarse. La noticia de este nombramiento fué dada por el diario santiaguino *La Época,* el 16 de diciembre de 1886, en los términos siguientes:

> Leemos en una correspondencia dirigida desde Santiago a un diario argentino, lo siguiente respecto al cónsul de Nicaragua en Chile.
>
> "Uno de los jóvenes más inteligentes de la presente generación, don Eduardo Poirier, actual jefe del Telégrafo Nacional, ha sido nombrado cónsul de la república de Nicaragua en Valparaíso.
>
> El señor Poirier ha ilustrado su nombre en la literatura.
>
> En 1876 redactó el periódico literario *La Estrella del Progreso* y en 1877 *La Semana.*

---

[18] Algunos, decimos, en el sentido de que no se le pueden atribuir los que salieron firmados con el seudónimo *Radamés,* que por diversos testimonios consta que fué empleado por Manuel Rodríguez Mendoza. Don Julio Saavedra Molina en su monografía sobre aquella fracción de la obra de Darío extendió demasiado ampliamente, a nuestro juicio, las fronteras al sugerir que todos los artículos que en *La Época* comentaron las representaciones de Sarah Bernhardt eran del poeta nicaragüense.

Los folletines del viejo *Mercurio* han registrado en diversas épocas, traducciones del inglés y del francés que ha hecho con propiedad y esmero.

No ha podido ser más acertada la designación que en su persona ha hecho el gobierno de Nicaragua, para cónsul, en la persona del distinguido señor Poirier."

CAPÍTULO II

RUBÉN DARÍO Y SUS AMIGOS

Estar en Santiago, vivir en *La Época* y ganar inmediatamente amigos en todas partes, era una misma cosa. Por la redacción, una especie de colmena, se colaban a todas horas las noticias de la ciudad encarnadas en personas que las repetían, exigían en cambio otras novedades y se iban a continuar su peregrinación de diario en diario. Uno de estos correveidiles de Santiago era Carlos Toribio Robinet, *el chino Robinet,* simpático amigo de todos, que si tomaba a Darío con simpatía podría abrirle las puertas de no pocos hogares.

"El nombre de Robinet debe ser conocido y aplaudido. ¡Persona rara Robinet! Es el amigo de todos los escritores, de todos los artistas extranjeros que llegan a Chile. Y si éstos llegan necesitando apoyo, lo es más. ¡Hermoso espíritu, caballero de las brillantes almas náufragas! Escritor él mismo, es un excelente *croniqueur,* y hace buenos versos si le viene en deseo. Dígalo si no Manuel del Palacio. Un día ambos se cambiaron dos sonetos como quien lo hace con dos tarjetas.

"Cuando Augusto Ferrán, el de los *Cantares,* el amigo de Bécquer, llegó a Santiago a dedicarse al comercio de libros, Robinet fué su más cordial queredor. Así del trágico Rossi, de Jorge Isaacs, de Valdés, de Ricardo Palma, de Arnaldo Márquez, de Hostos, de Cañas, el salvadoreño, y de otros tantos. Carácter admirable y vivo, Robinet comprende a los artistas,

los pensadores y los soñadores. Al propio tiempo es hombre de
negocios y representante de una fuerte casa de seguros en Santiago, donde todos le quieren. Le llaman El chino como a Gor-
don, porque nació, en efecto, en el país de los tibores ventrudos,
de los inmóviles dragones formidables y del *mightly, subtil opium,*
propicio a los sueños." (*Obras Desconocidas,* p. 279-80.)

Robinet no era periodista titular, pero conocía a todo el
mundo en las redacciones y contaba amigos por todas partes.
El ambiente de *La Época,* según consta de los testimonios contemporáneos se vivificaba con la asistencia de personajes de su
índole, que tomaron a tarea, por decir así, el abrir a Darío las
puertas de Santiago. Al forastero le interesaron desde el principio más los escritores jóvenes que los ya maduros, puesto
que entre aquellos creía posible encontrar los pares de su inquieto
amor a las novedades literarias, y eran los jóvenes quienes de
preferencia cruzaban la puerta de *La Época* para enhebrar
conversación con el muchacho nicaragüense. Más sólida y cordial sería aquella amistad si se fraguaba en la lucha misma del
diario, compartiendo la prisa y la zozobra que parecen insepa-
rables de la vida periodística.

*   *   *

Todas estas definiciones calzaban muy bien con Alfredo
Irarrázaval Zañartu (1864-1934), redactor de *La Época* cuando en Agosto de 1886 entró Rubén Darío, quien siguió en ese
mismo cargo varios meses hasta finalizar el año.

A Irarrázaval, que en *La Época* escribió *Abrojos* (1887),
a imitación de Darío, le alentó éste con suma cordialidad cuando intentó publicar sus *Renglones Cortos,* y aun cuando su
cuerda no fuese precisamente la del humor alegre, que con
juvenil entusiasmo pulsaba el chileno, la página en que Darío

prologa el libro está escrita con interés de artista y de crítico.
"He leído todos tus versos, y te aseguro que van con buen
viento. Sí, va tu musa por el vasto mar del mundo, en barca
ligera, tendida al aire la bandera alegre, cantando como una
muchacha de quince abriles, que tiene el alma sana, la me-
jilla encendida, el ojo pícaro y argentina la carcajada. Si tú
fueras francés, pertenecerías al grupo de rabelesianos que hoy
encabeza Armand Silvestre, y que tiene por primer pontífice
al creador de Gargantúa, y por uno de los padres de su igle-
sia al buen Brantôme. Sostienen con su doctrina la sal gala,
verdadero Santo Grial de esos caballeros de la risa; y es in-
dudable que la escuela es vigorosa, y los frutos lozanos y nada
dañinos."

Lamenta allí el que la poesía chilena se estuviera llenando
de "un falso neurotismo, de una literatura hinchada y preten-
ciosamente filosófica"; pero sobre todo condena "una grafomanía
poética que es harto peligrosa". Lamenta, asimismo, que el autor "escriba en chileno y no en castellano", y de paso defiende a la rima española. "¡Ah, la rima española, nuestra bella
campana de oro, debe ser uno de tus grandes cuidados!" Pide
la unión para que la literatura renazca, y dice: "Yo tengo fe
ciega en un renacimiento de las letras en Chile; fe en la juventud, en una pequeña parte de la juventud que tiene aliento,
constancia, nobleza, el fuego sagrado; apoyada, eso sí, indis-
pensablemente por las pocas columnas que nos quedan de los
buenos tiempos que pasaron."

Pero en la obra de Irarrázaval, incorrecta y frívola, hay una
salvedad que hacer, y el poeta la hace con franqueza y lealtad.
Ya había dicho al autor: "tienes una fecundidad peligrosa",
y en seguida agrega: "Hay un pero... Tienes muchas incorrecciones, como la mayor parte de los que, como tú, escriben co-
rriendo, de prisa, ¡hop! a la diabla."

El nombre de Rubén Darío en la obra de Irarrázaval queda acreditado, además, en otros dos sitios de *Renglones cortos:* le está dedicada la composición *Más allá,* poesía seria y no bufa, y aparece finalmente en *Mi entierro,* como veremos en seguida. *Más allá* fué dedicada por el autor "a mi amigo, el inspirado poeta de Nicaragua señor Rubén Darío", así en la publicación original de *La Época,* 27 de febrero de 1887, como en el libro, y se veía autorizada en uno de los abrojos de Darío, que se cita como epígrafe:

> *Tendrás que ir con tu ilusión*
> *de la vida en el camino,*
> *como pasa el peregrino*
> *apoyado en su bordón.*

La filosofía misma de aquella breve composición conviene en mucho al espíritu de Darío, manifiesto no sólo en sus producciones del período chileno, sino también en las de años ulteriores.

> *Cae el pincel, la pluma*
> *de la mano del hombre, al ser lanzado*
> *de la Nada otra vez entre la bruma...*
> *Despedazada así, cae la arista*
> *rodando al infinito,*
> *mas sobrevive el alma del artista*
> *en la imagen, la estatua o el escrito.*
>
> *Y el que abandona por la muerte el mundo*
> *alcanza una victoria,*
> *si puede, entre los hombres que le siguen:*
> *otra vida vivir, ¡la de la gloria!*

El carácter general de los *Renglones cortos* no es, sin embargo, el que hemos visto en aquella composición; el autor vivía entonces más dominado por la risa que por los pensamientos trascendentales acerca de la supervivencia de la obra de arte. Todo ello aparece muy bien caracterizado en *Mi entierro.*

El autor supone aquí que ha muerto, haciendo uso para el caso del socorrido expediente de soñarlo a continuación de haber leído el número del día de *El Estandarte Católico,* a quien atribuye la virtud soporífera; y copia las noticias de la prensa sobre su deceso y los discursos que debieron pronunciarse en torno a su tumba. Entre aquéllas aparece la consiguiente noticia fúnebre de *El Ferrocarril,* que con mucha prolijidad reproduce los títulos de libros de actualidad que debieron estamparse en la corona de flores con que los amigos de letras despedían al difunto, títulos entre los cuales figura el de los *Abrojos* de Rubén Darío. Finalmente, el propio Darío pronuncia un breve discurso ante el féretro, en donde el autor subraya las palabras y giros que le parecen característicos de su amigo nicaragüense:

> ¡*Ah!, cómo* enarca *la muerte*
> *a los seres de la tierra*
> *cómo* zahareña *se aferra*
> *del achacoso y del fuerte!*

> ¡*Ah las almas siempre francas!*
> ¡*Eh las ilusiones ciegas!...*
> ¡*Uh las dulces* Hebes griegas!
> ¡*Oh las* tenues ninfas blancas!

> ¡*La diosa, la* diosa hebrea!...
> *Sueño envuelto en su capuz,*
> *delirio de* flor de luz...;
> ánfora de miel hiblea.

El fauno, la verde parra,
y la copa y el cincel,
y el sacro verde laurel,
cinegética y cigarra.

Este centón posee el mérito de señalar cuáles eran las expresiones literarias de Darío que más llamaban la atención en Chile en esas horas, y si tenemos la paciencia de comparar los versos dados a conocer por el huésped al público chileno con las locuciones que Irarrázaval subraya, tal como las hemos copiado, fácil nos es concluir que el estilo de Darío despertaba atención por lo novedoso, ya que algunas imágenes *(flor de luz,* por ejemplo) habrían sido absolutamente imprevisibles hasta esos años. Hay mucha parodia en el fragmento, pero toda es útil, puesto que voces como cinegética, verde laurel, el fauno y las ninfas *(tenues* como quería Irarrázaval o no) se verán comparecer en el estilo de Darío hasta los versos de sus postrimerías.

* * *

Nicanor Plaza (1844-1918) le lleva a su taller; el poeta, en pago, le dedica *El Arte,* poema notable dentro de la primitiva forma de la poesía dariana [1]. Darío lo publicó en *La Época* de Santiago el 6 de diciembre de 1887, precedido de una introducción en verso que luego fué suprimida, y dedicado entonces *A Nicanor Plaza, estatuario.* La introducción dice así:

---

[1] Pedro Balmaceda Toro intentó varias artes, y entre ellas la escultura, de la cual le dió clases Nicanor Plaza. No es forzado imaginar que fué Balmaceda quien llevó a Darío hasta el taller de Plaza, aludido por lo demás en multitud de escritos del período chileno de éste, a que se pasará revista en este libro.

> *Corred, gallardos versos acorazados de oro,*
> *chocad las armaduras en el tropel sonoro,*
> *lucid cascos de plata en brillante escuadrón,*
> *id en caballos blancos, libres de espuela y freno,*
> *que hinchando las narices sacudan al sol pleno*
> *la rica pedrería de su caparazón.*

> *¡Id! y llevad aqueste tributo de mi parte*
> *a quien guardando en su alma la santa luz del arte*
> *lleva en su mente un mundo de inspiración y afán;*
> *tendedle vuestros mantos purpúreos y soberbios*
> *a quien con sus escoplos dió sangre y vida y nervios*
> *y el bronce de sus carnes al gran Caupolicán.*

En algunos artículos de Darío escritos en Chile aparecen también referencias y alusiones a las obras de Plaza, cuyo taller fué uno de los sitios a los cuales iba el poeta con mayor frecuencia mientras vivió en Santiago. Conviene retener la nota XVI de la segunda edición de *Azul*...: "Nicanor Plaza, chileno, el primero de los escultores americanos, cuyas obras se han expuesto con gran éxito en el Salón de París. Entre sus obras las más conocidas y de mayor mérito están una Susana y Caupolicán, esta última magnífica de fuerza y de audacia. La industria europea se aprovechó de esta creación de Plaza —sin consultar con él para nada, por supuesto, y sin darle un centavo— y la multiplicó en el bronce y en la terracota. ¡El Caupolicán de Plaza se vende en los almacenes de *bric-à-brac* de Europa y América, con el nombre de *The Last of the Mohicans!* Un grabado que representa esa obra maestra de Plaza, fué publicado en *Ilustración Española y Americana*. La gloria no ha sido esquiva con el amigo Plaza; pero no así la fortuna..."

Pedro Balmaceda "era muy amigo del escultor Plaza", como recordó Darío a la muerte de A. de Gilbert, "y aun creo que hizo su medallón", agregaba. Y de esas reminiscencias se desprende que los dos escritores le visitaban en su taller. Pedro "sentía placer en ir a ver al artista, que encontraba con su delantal y sus manos llenas de greda, su aire modesto; entre mármoles y yesos, terracotas y bronces, barros húmedos aún, cubiertos de paños; aquí una copia polvosa de la Victoria Áptera, un friso, una máscara, desnudeces venusinas; no lejos, montes de metal para las fundiciones, un andamio y algún mutilado perro de arcilla pintada, u otra de esas bestias al vivo que la industria pone al frente de las obras de arte, que los salones burgueses adquieren, y que a Plaza quizá habrían mandado para que lo remendase... ¡A él, por Dios, que hizo con sus manos los senos de su Susana, y repujó con su cincel audaz la carne de metal y los músculos hinchados de su gran Toqui araucano! Pedro admiraba al trabajador plástico, se fijaba en sus gestos, sus posturas, en el juego de zarpas de león de aquellos dedos creadores. Se extasiaba en ver aparecer la forma preconcebida, la redondez, la angulosidad, y se complacía especialmente en los golpes osados, en los toques rápidos, que cuando son obra de las impaciencias del genio, del paso del "dios", producen las maravillas y los efectos que causan admiración. O ya le veía con los hierros en las manos, desbastando los bloques, dando esos golpes que resuenan metálicos y armoniosos como los versos, y de la piedra bronca recién llegada de la cantera, haciendo brotar la esplendidez de las formas, toda una generación marmórea, de héroes, de dioses y de hombres. Entonces soñaba ya Pedro en buscarse un buen trozo de mármol, y sin sujetarse, por supuesto, a estudios, a lecciones preparatorias, crear una cabeza bella de mujer, o la faz de un Abraham o de un Homero."

Varios álbumes conservan rastros de sus versos. Las iniciales y los nombres que aparecen en *Bouquet* (29 de enero de 1888) atestiguan las excelentes amistades del poeta. A Elisa Balmaceda, hermana de Pedro (y después esposa de don Emilio Bello Codecido), la estampa en su cuaderno íntimo *Las siete cuerdas de la lira;* y en el de Ruperto Murillo, escritor aficionado de entonces, deja también unos versos con los cuales celebra el nacimiento de su hijo del mismo nombre. Otras poesías quedan en los álbumes de Pedro Nolasco Préndez, de Manuel Rodríguez Mendoza, de la señorita E. R.; y los cuentos de *Azul...* están dedicados a compañeros de la bohemia santiaguina de 1886 a 88: *El fardo* a Luis Orrego Luco, *El palacio del sol,* a Carlos A. Eguíluz, *Un cuento alegre (El Rey burgués)* a Alcibíades Roldán[2]. Cuando muere doña Rosa Lazcano de Errázuriz, el poeta escribe un soneto dedicado a su viudo, Ladislao Errázuriz (29 de diciembre de 1887), ya recordado por Irarrázaval como uno de los más brillantes periodistas de entonces. A él, en fin, sobrino de don Crescente, debe atribuirse el conocimiento que Darío logró de éste y que le llevó a escribir —años más tarde, sobre la base de las reminiscencias de 1886— una de las mejores *Cabezas* de la serie[3]. Y otro día nace un hijo

---

[2] La dedicatoria de este cuento no es, por lo demás, lo único que aparece allí destinado a Roldán. Al final se lee: "¡Oh, mi amigo! El cielo está opaco, el aire frío, el día triste. Flotan brumosas y grises melancolías... Pero, ¡cuánto calienta el alma una frase, un apretón de manos a tiempo! Hasta la vista". Estas palabras íntimas calzan sin duda a la dedicatoria, ya que con el cuento nada tienen de común, y deben suponerse nacidas de la amistad que unió a Darío y a Roldán desde las salas de redacción de *La Época.*

[3] Como prueba de que Darío conoció a don Crescente Errázuriz deben tenerse las líneas iniciales de aquella vigorosa estampa: "Esta cabeza religiosa está llena de cordura, de ciencia, de erudición y de sutileza. Es una de las más fuertes de Chile. Si estáis ante él, sus miradas agudas penetrarán hasta lo más hondo de vuestras intenciones. Si os enseña, tendréis que aprender mucho en saberes humanos y divinos. Si queréis

de Carlos Luis Hübner, y el nicaragüense escribe su risueño
Soneto para Bebé en homenaje a este niño que alegra el hogar
del joven escritor. Por su parte, los amigos también le toman
en cuenta. Narciso Tondreau, a quien Darío oyó mucho y por
quien muestra honrada admiración literaria, le dedica su poesía
Mis amores, publicada en *La Época* el 5 de junio de 1887. Balmaceda y Poirier escriben sobre él con elogio; el venerable Lastarria es reemplazado por Eduardo de la Barra en la tarea de
prologar el *Azul...;* y Rodríguez Mendoza le defiende en la
acre polémica con la cual comenzó en Chile la combatida existencia del Modernismo.

*   *   *

Otro de los buenos amigos con que en Santiago contó Rubén Darío fué Pedro Nolasco Préndez (1853-1906), autor de
las *Siluetas de la Historia,* libro sobre el cual escribió el nicaragüense un buen artículo a pocos días de estar en la capital.
Las *Siluetas* salieron a la circulación alrededor del 20 de
agosto de 1886, y ya el día 22 las comentaba para *La Época,*
en su sección de novedades del día, M. R. M., esto es, Manuel
Rodríguez Mendoza. El poeta Préndez había emprendido en
este libro la versificación de grandes episodios históricos, para
hacer elogios de hombres célebres y destacar ideales de progreso que constituían su personal doctrina. Este aspecto do-
cente de la poesía de Préndez no dejó de chocar a Darío: "Unir
la ciencia a la literatura —escribía—, adunar las matemáticas

---

ser su contrincante, tendréis que prepararos a la derrota. No solamente
se ha ejercitado en disciplinas teológicas y de religión, conforme con su
vocación y estado, sino que se ha nutrido de letras profanas, de acuerdo
con San Buenaventura o San Gregorio Nacianceno, San Juan Damas-
ceno u Orígenes."

con la estética, pintar un cuadro con tendencias de tratado cien-
tífico... ¡Válgame Dios!... ¿A dónde se quiere conducir a las
apacibles hermanas del Helicón?" Para él la fórmula viable
es la del arte por el arte, y por eso agrega: "Malhadada revolución la que quiere llenar el Parnaso de laboratorios y mu-
seos, sin curar si el fuego que calienta las retortas es dañoso
a los lindos vergeles de las Gracias, y si los amorcillos se es-
pantan asustados al ver los esqueletos de iguanodontes que
se pretenden colocar en el sagrado recinto donde Apolo impera como músico divino."

Hizo revista entonces de escritores de la hora, de Richepin, por ejemplo, de Sully Prudhomme, de Zola, de Claretie,
para volver en seguida "al amigo Préndez", cuyos poemas de
las *Siluetas* estudia uno por uno, con erudición y con gracia;
y ya al finalizar exclama: "Tengo un parecer..., que creo bastante firme, puesto que el mundo entero autoriza sus funda-
mentos como verdad harto conocida. Creo que la alta poesía
moderna es cristiana por excelencia; creo que el cristianismo
es clara fuente de inspiración artística; y que es mejor a ojos
puros la contemplación de la belleza suprema que la del sím-
bolo de un materialismo espantoso, que destruye todo elevado
ideal: me refiero al sujeto de las buenas ocurrencias del señor
Darwin. La poesía cristiana cobra mucho terreno; los grandes poetas de muchas naciones siguen ahora ese camino y teniendo como principios los de la gran escuela clásica, ya se ve
si estarán basados en sólidos cimientos."

Sobre el libro mismo se pronunció Darío con despierto interés, que llegaba por momentos al entusiasmo. "Sus *Siluetas*
están pintadas con un bello desorden cronológico que conduce
al espíritu observador de una época a otra, como sobre alas,
de oriente a poniente y de norte a sur. Es una excursión magnífica; un inmenso campo, el de todas las edades; allá arriba,

una cumbre desde donde el poeta hace ver al que le sigue los sucesos pasados, a través de los prismas hermoseadores que acostumbran los hombres de lira; cristales encantados que adornan el palacio de las musas, en donde este sol, el ideal, derrama todos sus iris y todas sus magnificencias. En este género, por decir así, de poesía histórica, Préndez sigue a Olegario Andrade, quien a su vez caminaba muy cerca del maestro Hugo."

Y en la obra de Préndez creía ver, en fin, un nuevo estilo, estilo robusto, escultórico, en reacción con la neurosis de oropel.

"Bienvenido en estos tiempos dichosos, en que la literatura de confitería ha ganado mucho terreno. ¿Quién no ha hecho un verso a Dorila, a Clori, a Filis; siquiera a Tirsi o a Filomena? Cunde la manía poética de las décimas melosas, de las quintillas acarameladas, de los versos en pastillas, envueltos en alcorza, llenos de consonantes en *on,* en *ores* o en *ares,* y dignos de ser metidos en cucuruchos y puestos a vender en el escaparate del dulcero, para golosina de nenes llorones y deleite de niñas románticas y espirituales.

"Vengan, pues, vigorosos y viriles, estos poemas de Préndez, estas estancias inspiradoras, relucientes como metal empavonado, sonoras y vibrantes como cuerdas de bronce.

"Antes de analizar aunque sea someramente las ideas de los poemas, haré, a modo de advertencia, una apuntación respecto a la forma. Están todos escritos en silva, en silva sonora y bien encadenada, como una relumbrante sucesión de áureos eslabones engarzados por procedimiento de rica orfebrería.

"A vuelta de unos pocos versos flojos o prosaicos, y de algunas rimas viciosas, no se hallan en la obra mayores defectos.

"El de confundir en la consonancia de las palabras, letras como la zeta y la ese, lo tienen muchos poetas sudamericanos. Aunque esas pequeñeces desaparecen en el brillo que derraman las hermosuras del resto del libro, sería muy plausible que el

autor quitase de sus creaciones las ligeras manchas, que vienen
a ser como esas briznas o granos de arena que se pegan a los
lienzos acabados. Yo me atrevo a pedir a mi laureado amigo,
un tanto de cariño a los preceptos clásicos que adunándolos a
los vuelos de su rica fantasía, darán por resultado un eclecticis-
mo literario puro y soberano. Núñez de Arce ha subido a su trono de esa manera."

Pasó el tiempo. En 1888 el poeta chileno fué acusado de
plagio por Luis A. Navarrete, "a quien conozco desde sus primeros vuelos literarios", como decía Rubén Darío. La publicidad del ataque, lanzado desde la tribuna del Ateneo, dió bastante prensa a Préndez, quien no vaciló en defenderse con un extenso trabajo que vió la luz en *La Época* los días 18, 20, 21 y 22
de noviembre de 1888. Este ensayo, titulado *Siluetas de la Historia* y cuyo subtítulo, *Escrito presentado al juzgado de la opinión pública,* indica su forma, después de aducir muchos ejemplos de imitación, copia el fragmento *¿Qué es el plagio?* de
Campoamor, y pasa luego a examinar detenidamente la acusación hecha por Navarrete. Préndez se detiene sobre todo en
Hipatia, la composición más censurada, para mostrar cómo si
él seguía a Pelletan, Pelletan a su vez tuvo a la vista el capítulo
dedicado a Hipatia en las *Vidas de los sabios ilustres,* de Fi-
guier. Otras intervenciones de Navarrete en la discusión reafir-
maron los puntos de vista del censor, que empleaba *La Tribuna*
para la publicación de sus artículos. En *La Época* escribió también Rubén Darío su artículo *El Triunfo de Préndez,* que revela
profundo estudio de la cuestión y que es una defensa ardorosa,
aunque ilustrada, del poeta chileno. Ocurría que Pelletan en su
Profesión de fe del siglo XIX dedicó a Hipatia un estudio en
prosa que tenía curiosas similitudes con el poema del mismo
título que Préndez insertó en sus *Siluetas.* La cuestión versaba,
entonces, más sobre si puede hablarse de plagio cuando se imita

de prosa a verso, o al revés, que sobre el concepto mismo de
plagio. La *Poética* de Campoamor dió los argumentos esenciales, todos por cierto favorables a Préndez, que había tenido ya
el cuidado de aducirlos en su defensa. A ellos agregó Darío algunos otros que muestran su buen conocimiento de las letras. Herrera, el autor de la oda a la batalla de Lepanto, ¿no había acaso
calcado —la expresión es de Darío— algunos versículos del
cántico V del Éxodo? Caro y Rioja, Shakespeare, Zorrilla, Tirso de Molina siguiendo a Boccaccio, y muchos otros ejemplos
de imitación sirven al poeta forastero para probar, de una parte,
que unas mismas ideas pueden vestirse con palabras diferentes
sin que haya de hablarse de plagio, y para insistir, sobre todo,
en que —como ha dicho Campoamor— "un poeta puede imitar
a otro poeta, pero no puede ni plagiar ni imitar a un prosista,
aunque copie las mismas ideas con las mismas palabras"[4].

Esta defensa de Pedro Nolasco Préndez es uno de los buenos artículos que por ese entonces redactó el poeta. "¿Quién fué
el que dijo —exclamaba Darío— que la selva enorme y sagrada es propiedad de un solo leñador?" Y agregaba, para dar
mayor amplitud a su idea: "A cada cual le toca su tarea, quién
desgaja, quién labra, quién parte. Y cada cual tiene su gloria,
y su corona de laurel fragante. En la misma arcilla en que ayer
formó el alfarero un cacharro tosco y duro, puede hoy la mano
del artífice modelar una jarra de Sajonia o una taza de Sèvres.
Y otro más hábil pondrá sirenas o cuellos de cigüeñas en las
asas de la primera, o fingirá coronas de rosas diminutas en el
borde de la segunda. El material es el propio para todos. ¿No
es de una misma mina extraído el hierro de la lanza de Hugo y
el de la flecha de Campoamor? ¿Y qué de raro entonces que la

---

[4] *El triunfo de Préndez*, artículo publicado en *La Época*, 29 de noviembre de 1888, y reproducido en *Obras Desconocidas*, p. 254-64.

cadenciosa frase de Pelletan sea del mismo metal que el sonoro y opulento silabizar de Préndez?" (*Obras Desconocidas*, p. 262.)

La intención de Darío fué, sin embargo, escribir dos artículos sobre la cuestión, y no uno, o redactar un estudio más amplio, para el cual Préndez debía pedir la hospitalidad de la *Revista del Progreso*. Tal se dice en esta carta que por la fecha en que fué escrita (12 de noviembre) ha debido proporcionar al poeta chileno algunos de los argumentos empleados en su *Escrito*.

"Ya que esta maldita enfermedad me tiene postrado, y yo no puedo ir ni tú puedes venir, te daré por esta carta idea clara de la base de mis artículos, pues son dos los que pienso escribir.

"Ante todo, ¿qué es plagio? Campoamor lo ha definido mejor que nadie en su estudio titulado *Mis plagios*. Debes de saber que el gran poeta fué acusado, por varios escritores madrileños, como plagiario. Él se defendió y triunfó.

"¿Quién es dueño exclusivo de ideas originales actualmente? Si en el gran Hugo se ven ideas enteras de poetas antiguos; si en Shakespeare se ven figurar idénticas y expresadas, en ocasiones, con los mismos epítetos de Teócrito —por ejemplo, en Venus y Adonis—, en Campoamor se notan afinidades, figuras y modos de Víctor Hugo, sin que en ello haya pecado alguno ante la alta y severa crítica.

"Tú tienes una ventaja, por cuanto Pelletan "jamás escribió en verso", y has escrito tus primeras siluetas inspiradas en la "prosa" del escritor francés. Y, si tienes culpa, contigo sufra la pena el divino Herrera, quien ha sido famoso con su

> Cantemos al Señor que en la llanura
> venció del ancho mar al trace fiero.
> ¡Oh Dios de las batallas! Tú eres *diestra*,
> salud y gloria nuestra...

pues todo esto es verso castellano sacado a ojos vistas de la "prosa" de la Biblia.

"Ahora bien, en cuanto al asunto de la obra literaria, ¿no están acusando los diarios a Daudet por su nuevo Inmortal? ¿Y a Sardou? ¿Y a Ohnet? ¿Y a Echegaray?

"Navarrete ha creído conseguir un triunfo. Y realmente lo ha conseguido entre los novedosos y los gacetilleros de ciertos diarios. Aquí mi opinión ha conseguido ser igual a la de algunas personas de juicio y de ilustración. Todos estamos de acuerdo en que los versos que se hacen prosa pierden; como toda prosa que se pone en verso, tomando gallardías y alientos nuevos y propios, gana. ¡Si yo pudiera poner en verso las grandezas luminosas de José Martí! O ¡si José Martí pudiera escribir su prosa en verso! [5].

"Cada cual puede embellecer una idea, creada anteriormente, si tiene bellezas para ello. Y luego, el ritmo y la rima son creación también. Caso grave: Molière. Y, no obstante, el *Convidade de Piedra* es suyo y es de Tirso. Pueden compararse escenas enteras de ese drama, en la obra de ambos, y se notarán las semejanzas. Otro punto: el de Shakespeare y Bacon. Pero éste es asunto de charlatanes literarios, de mentirosos.

"Y así hay muchos puntos de estudio bastante interesantes. Yo tengo algunas páginas ya en limpio. Si fuese posible y llegaras aquí, sería bueno, porque las discutiríamos juntos. No podría ir a encontrarte a la estación, pero vendrías a mi posada. O si no, escríbeme respecto a las ideas que tengo sobre la cuestión, que así los dos nos ayudaremos.

---

[5] En *La Época* hay correspondencias de José Martí dirigidas desde Nueva York en los meses finales de 1886, es decir, cuando Darío estaba en el diario y llenaba la sección de crónica y hechos del día; pero no eran directas, sino que se reproducían de otro diario, al parecer de *La Nación*, de Buenos Aires.

"Busca en las librerías *Mis plagios,* de Campoamor, última edición. En la colección de *Los Lunes,* existente en la imprenta de *La Época,* hay un estudio, que no sería malo leer, sobre Sardou y sus plagios.

"Si vienes, avísame por el (Telégrafo) Nacional. Si no, contéstame lo más pronto para dar a luz todo, en cuanto esté listo, y después de ver tu opinión. ¿Lo admitiría la *Revista del Progreso?*"

Y en noviembre de 1888, habiendo necesitado informar al director de la Biblioteca Nacional de Nicaragua, el poeta Antonino Aragón, sobre Préndez, puso a éste a la cabeza de los escritores chilenos dignos de estudio, en una página de vibrante estilo y repleta de intenciones renovadoras y de afán justiciero.

"Entre todos los que en Chile sostienen el amable comercio con las musas, él tiene lugar notable que ha sabido conquistarse en breve tiempo. Sus versos han agradado al público, su nombre se ha hecho conocido y él procura no dormir sobre sus laureles, y siempre escribe, mejorando siempre. El poeta argentino Olegario Andrade ha tenido gran influencia en nuestro autor, quien ha seguido sus huellas, y como aquí Andrade no ha tenido más imitadores, Préndez no se parece a ninguno de los que hoy forman el parnaso de Chile. Matta es caótico, brusco, bellamente grande, con frecuencia un discípulo de Víctor Hugo en español, lleno de arranques espléndidos y a veces de incorrecciones que irritan a los críticos. De la Barra es de tendencias indefinibles, porque dotado de una flexibilidad y potencia de ingenio muy raras, imita todos los estilos, sigue a todos los poetas que quiere, y así puede engañar al más lince, haciéndole pasar por obras del clásico Menéndez Pelayo, del romántico Zorrilla, o del originalísimo Bécquer, versos que son sólo suyos. Por eso se encuentran en sus producciones, desde el alto poema hasta la ligera rima. Concha Castillo escribe como don

Gaspar Núñez de Arce, con la diferencia de que no duda, porque es un ferviente católico apostólico romano. Lillo, Rodríguez Velasco, tan conocido en esos países, y Blest Gana, ya no escriben sino en raras ocasiones. Son poetas retirados. En la juventud que se levanta los hay que dan mucho que esperar y algunos han dado ya pruebas dignas de su claro talento. Se nota en ellos ante todo una tendencia plausible a lo fundamental, a dejar las superficialidades y a conocer y apreciar el arte verdadero. Se escriben poemas y dramas, se llevan en mira ideas grandes, se ha declarado guerra al mal gusto y a las insulseces de sentimentalismo cursi, y ya se están acabando los poemas arreglados para piano. Los jóvenes han encendido la revolución actual." (*Obras Desconocidas,* p. 248.)

Y que Préndez fué amigo íntimo, capaz de recibir confidencias, se prueba además con una carta que se ha dado hasta ahora (Ghiraldo, *Archivo,* p. 312) sin fecha, pero que es fácil datar con las nociones que tenemos ya adquiridas: es de noviembre de 1888. En ella el poeta dice: "Recibí tu carta y tu libro. Me hallo en una situación que si quieres saberla no tienes más que hablar con Rodríguez Mendoza, y si quieres y puedes ayudar a remediarla, habla con Carlos T. Robinet. Yo no me extiendo más por el motivo de no tener espíritu tranquilo ni palabras a propósito." Y agrega una buena nueva literaria: "He escrito un artículo largo sobre las nuevas siluetas; se publicará en *La Libertad Electoral.* Hago ciertas apreciaciones y estoy contento de él. Quedaré más si quedas tú lo mismo." Como *post scriptum,* añade: "Estoy declaradamente enfermo de tisis, y con una complicación de neurosis horrible. Y esto es lo de menos."

* * *

De otros de los tertulios cotidianos de *La Época* esboza siluetas más globales, en años siguientes.

La Revolución de 1891 dió gran notoriedad política a Julio Bañados Espinosa (1859-99), crítico literario e historiador, a quien Darío había tratado algo en la redacción del diario santiaguino, cuando Bañados figuraba sólo como periodista especializado en el comentario político. Darío prefirió evocarle en el ambiente del diario.

"Julio Bañados Espinosa es el nombre del ministro fiel y decidido que acompañó a Balmaceda en el triunfo y en la desgracia —escribía en Costa Rica—. Cuando lo conocí, al verle, no me impresionó muy bien que digamos. Me pareció frívolo, y es que es franco; me pareció vanidoso, y es que es de esa clase de hombres que bien pueden llamarse explosivos. Una palabra suya estalla casi siempre; una carcajada alegra un salón. Que de lo que me parece defecto en Julio saquen sus enemigos armas y ataques en su contra, no me importa; yo veo en todo el lado generoso y entusiasta. Piensa apasionadamente; habla fogoso; trabaja vivo y rápido.

"Como yo le conozco más es como diarista. Trabajé junto con él en *La Época,* de Santiago. El iba rara vez a la redacción; era redactor político; pero sus editoriales los escribía en su bufete y llegaban a la imprenta por la estafeta. Cuando se aparecía en nuestra casa de la calle del Estado, sus visitas eran más a la imperial oficina de nuestro director Mac Clure que a las mesas llenas de papeles en que trabajábamos Rodríguez Mendoza, Lucho Orrego, Alberto Blest, Pedro Balmaceda y yo. Pero cuando le veíamos aparecer, anunciado por su franca risa o su voz vibrante, la nota alegre triunfaba en nuestro taller. Se hablaba de política, de arte, de teatros, de *sport.* ¿Quién me hubiera dicho que aquel joven caballero habría de ser, pocos años después, una de las más notables figuras del

Gobierno dictatorial, que concluyó, tras la sangrienta guerra, con uno de los más trágicos suicidios de la historia?"

* * *

Otro de los buenos amigos de entonces, Ramón Vial Bello, nieto de don Andrés, falleció estando Darío en Chile, y el poeta se apresuró a despedirle en un artículo cordial como pocos, que ostenta además el mérito de que nos diseña, a la pasada, el cuadro de los días de labor de *La Época,* tal vez los más interesantes en la existencia chilena del futuro autor de *Prosas profanas.*

Al escribir sobre él confiesa que le "creía propenso a llegar a luengos años por su vigor corporal y su tranquilo y bello carácter", y le define diciendo que era "excelente hombre, corazón franco, pecho leal".

"Era él muy amigo mío y su muerte me ha entristecido de veras.

"Su temperamento artístico, su sensibilidad exquisita, su ilustración seria y aristocrática me hicieron quererle mucho.

"Estos recuerdos personales me los perdonarán mis lectores, mas son de aquellos que brotan por la pluma sin pensarlo el que escribe; brotan porque son raras las personas que tocan de tal manera el alma, y cuando ellas se van, se siente una verdadera y honda desolación en el espíritu.

"Ramón —¡me parece que fuera ahora!— llegaba a acompañarme en mis noches de trabajo de *La Época.* Ahí, solos o con algún otro amigo aficionado a las letras, departíamos de esos asuntos agradables y hermosos.

"Hablábamos mucho de su abuelo el gran don Andrés Bello, de sus obras, de todo lo que a él se refería; y él, Ramón, gozaba de veras cuando yo le decía que en mi tierra el nombre del cantor de la agricultura de la zona tórrida era veneradísimo y tenido, como en todo lugar donde se habla lengua española, en alto aprecio.

"Era Ramón ingenuo, y lo que decía lo sentía, y gozaba con el bien y gloria ajenos, y aborrecía a los envidiosos y a los malévolos, y gustaba de halagar a todo el mundo, cortés y caballeroso, con tanta nobleza como galantería.

"Amaba la poesía —¡y qué alma delicada no gusta de ella!— y tenía, cosa muy rara ahora, un gusto depurado y exquisito.

"En los lugares y en las reuniones de amigos, literatos, periodistas o aficionados, él se distinguía por sus acertados juicios, y era erudito sin fanfarronería, y citaba con modestia, y corregía a veces con la suavidad y quietud del que sabe y tiene la justicia.

"¡Pues recitar! Ramón nos ganaba a todos. Hablaba con sentimiento, declamaba con arte, y era de oírle con su voz sonora y vibrante, fijos en nosotros sus soñolientos y grandes ojos oscuros.

"El era melancólico y alegre, cosa rara. Pasaba del reír chispeante de una conversación cualquiera, a ciertas meditaciones y tristezas que indicaban en él un pensar excepcional, y una levadura de poeta en quien, nieto de uno muy grande, era queredor de muchos de nosotros, los mínimos trabajadores del país azul.

"¡Pobre amigo mío, con un luminoso porvenir, irse tan pronto!" (*Obras Desconocidas,* p. 296-7.)

* * *

El nombre de Narciso Tondreau quedará fijo en la historia literaria de América cuanto dure en ella el de Darío, principalmente por haberle inspirado el que iba a ser prólogo de

6

Asonantes, libro anunciado por el poeta chileno y que jamás
se publicó. Darío le trató como periodista, tuvieron innumerables amigos comunes (entre ellos los hermanos Jorge y Roberto Huneeus Gana), se cambiaron dedicatorias en poemas y, en
fin, se cruzaron interesantes cartas. Tondreau fué amante de la
música, lo que era un título más para conquistar la curiosidad del huésped de Nicaragua. "Tondreau vivía en una calle
cercana a la Alameda. Muchas veces acontecía que al ir a bus-
carle, me detuviese en las escaleras, por no interrumpirle en
alguna sonata que bajo sus dedos, cantaba lentamente, lentamente al piano. Luego le encontraba en su cuarto, chico y elegante, lleno de papeles y de libros de lujo apanopliados en las
paredes, entre una que otra japonería que unas cuantas pesetas
de la mensualidad del diario habían sacado de la Ville de Paris." (*Obras Desconocidas,* p. 288.)

A raíz de haberle dedicado Tondreau la poesía *Mis amores,* el 5 de junio de 1887, Darío se la agradeció en una carta
muy breve pero llena de importantes definiciones literarias y de
juicios sobre escritores chilenos que no hallaremos en otras
partes. He aquí el texto completo de esa linda epístola:

> Señor Narciso Tondreau.
> Mi querido amigo:
> Mil y mil gracias por sus preciosos versos. Ha hecho usted
> muy bien en dedicármelos. Si los hubiese visto sin mi nombre
> me habría disgustado, sépalo usted. Así, así, esos son los versos
> que debemos escribir; ese es, a mi modo de pensar, el gran
> secreto, el "modo".
> La suya, esa, es hermana de mi *Invernal* [que se había publi-
> cado en *La Época* el mismo día que *Mis amores*]; y yo cambia-
> ría, seguro de salir con ventajas. Es un arte exquisito el que usted
> ha empleado en esas estrofas. Ese arte, ese procedimiento que
> yo adoro, es visto con ojos turbios por los poetas de cierta es-
> pecie, devotos de San Hermosilla, amigos de los ovillejos de cir-

cunstancias, y hacedores de alejandrinos a lo Mármol, de aquellos
del invariable tamboreo. Mejor. Quien mire a Lillo como a un
dios lírico, a Rodríguez Velasco como el *summum* de cuanto a poesía se refiere, a Valderrama como poeta, y a Matta como un
simple versero, no podrá gustar de esos lindos versos de usted,
y hallará mil defectos al vigoroso don Guillermo. Éste, para mí, es
el único de los "viejos" que presintió un renacimiento, un arte
nuevo.

No hay sino seguir adelante. Yo lo espero todo de los jóvenes, de todos nosotros.

Le saluda su afectísimo amigo

Rubén Darío.

Hay otra carta de Darío a Tondreau, escrita en Valparaíso
el 7 de marzo de 1888, en la cual proporciona al amigo algunas informaciones sobre su trabajo en *El Heraldo.* "Le agra-
decería —escribe— que todo diario centroamericano, hasta los
oficiales, que son inservibles ahí, me los empaquetase dulce-
mente y me los remitiese a la redacción del *Heraldo,* donde
estoy de croniquero y semanero, para servir y estimar a usted,
mi querido poeta don Narciso Tondreau." Quéjase de que no
escribe versos "hace tiempo", pero en cambio consigna que
gana algo: "¡Un alguito!" Y para conformar a uno de sus
más molestos acreedores, agrega: "Dígamele usted al señor sastre de Santiago que tenga a bien esperarse un poquito para
darle dinero. Pero que le daré, eso sí. Es cierto que no me ha cobrado aún una hermosa levita, que luzco los Domingos, seria-
mente, en mi paseo matinal por las calles." Tondreau había
traducido para *La Época* (4 de marzo de 1888) tres fragmentos de Richepin, y Darío elogiaba aquel trabajo: "Usted sabe
que Richepin es hermoso y lo ha traducido hermosamente. De
lo cual yo me alegro y gozo por ello una voluptuosidad literaria muy especial." Y parece que el libro de que traducía
Tondreau *(La Mer)* era propiedad de Darío, porque éste aña-

de: "Mire usted: cuando se canse de Richepin me lo envuelve y lo despacha acá, junto con el libraco egipcio. Digo, si no es molestia, y si no le quito el deseo de tener alguna de las dos cosas." La carta es, salvas ligeras fugas, toda literaria y muestra muy bien el grado de estimación que había logrado establecerse entre los dos escritores.

Algún tiempo después llegaron a Darío noticias de que su amigo Tondreau andaba empeñado en la fundación de un diario nuevo, *La Tribuna,* y poco antes de la fecha de la aparición le dirigió una carta para recomendarle los servicios de un hermano de Poirier. La carta, publicada por Ghiraldo, merece ser reproducida.

> Mi estimado poeta y amigo:
>
> Si no le he escrito, desde hace algún tiempo, no es porque haya dejado de estimarle y quererle, sino porque soy así, un tanto mal educado, a ese respecto, como se lo puede decir, mejor que yo, nuestro excelente Jorge Huneeus. Hoy, antes de partir, voy a pedirle un favor. El joven Ruperto Cepeda, hermano del amigo Poirier y quien ha ayudado a éste en la correspondencia telegráfica de *La Época,* desde hace tiempo, desea servir la misma de *La Tribuna.*
>
> Como sabe que usted será segundo redactor de ese diario, me pide que me dirija a usted recomendándole. Creo que hará el servicio a pedir de boca. Es muy a propósito para el trabajo ese, y creo que les agradará.
>
> Mucho le agradecería pusiese toda su influencia a este respecto.
>
> ¿Cómo va de *Asonantes?* ¿Alcanzaré a llevarme un ejemplar?
>
> Con recuerdos para Tomás, Jorge y Roberto, le saluda con cariño su amigo
>
> Darío
> Valparaíso, 18 de Junio de 1888.

La partida de que habla aquí el poeta es su viaje de regreso a Nicaragua; y es significativo que se mencione el libro *Asonantes* como próximo a la publicación, ya que el prólogo que efectivamente escribió Darío para esa obra de Tondreau jamás publicada, fué escrito cuando Darío, un año después, se encontraba fuera de Chile.

En los duros días del invierno de 1888, uno de los más terribles que se han conocido en Chile, Tondreau había sido llamado a La Serena, su ciudad natal, con motivo de la muerte de su madre. Para hacer el viaje hubo de trasladarse a Valparaíso con la esperanza de tomar un vapor, pero el temporal [6] difirió su viaje. Entonces le encontró Rubén Darío, y le dijo:

"—¡Tú aquí!

—Sí, mi madre ha muerto; estoy muy triste. Ven al hotel.

Fuimos.

Estaba con el corazón dolorido por el terrible golpe.

—Mira, me dijo, he distraído el dolor escribiendo esto.

Y me leyó un artículo, una conversación que había tenido aquella mañana con nuestro conocido el trágico italiano Emanuel que a la sazón trabajaba con su compañía espléndida en el teatro Victoria. Es un hecho reconocido que todo poeta escribe buena prosa, y aquí el artículo es de lo mejor que de Tondreau prosista he leído."

---

[6] La catástrofe de Valparaíso de 11 de agosto de 1888 consistió en la ruptura del Tranque llamado de Mena, formado en la parte alta de la quebrada de Bellavista con el objeto de obtener agua para la fábrica de licores de don Nicolás Mena. Con las lluvias de los días anteriores, el tranque se rompió a las ocho de la mañana del 11, y una masa de miles de toneladas de agua, engrosada por piedras desprendidas de los cerros, arrasó la parte plana de la población. Por varias horas quedaron inundadas las calles principales de Valparaíso. En su trayecto, la masa desbordada descuajó casas y ranchos y ocasionó la muerte de cerca de cuarenta personas.

En el artículo que evoca Darío, Tondreau comenzaba diciendo:

"Hace cuatro días que me encuentro en Valparaíso esperando la salida del vapor *Ilo* que ha de conducirme al norte, y que ha sido postergada cuatro veces ya, a causa del mal tiempo.

"Parece que todas las cataratas del cielo se hubieran roto como se rompieron en los bíblicos tiempos de Noé. El viento, mientras escribo, brama y se retuerce como una gigantesca sierpe herida; el mar está poseído de una cólera tal que azota el malecón y los muelles con escandalosa y tremenda fiereza, rompe lanchas, vuelca y despedaza botes, arrastra goletas a la playa y juega con los buques como si fueran irrisorias cáscaras de nueces.

"Para mí no puede haber habido temporal más extemporáneo.

"Salí de Santiago el Viernes, enlutado el corazón por una funestísima desgracia: el Jueves, en la noche, el teléfono me había anunciado la muerte de mi madre!...

"El Sábado, por la tarde, el vapor *Ilo* debía conducirme a Coquimbo, para de allí dirigirme al seno de mi familia y recibir de labios de mi única hermana el último beso y las últimas palabras de la que nos dió el ser. Y el *Ilo* no salió el sábado, ni el domingo, ni el lunes, ni ha salido hoy, ni saldrá, tal vez, mañana, pues el mar sigue agitadísimo y tremendo, el viento implacable, la lluvia torrencial.

"Mientras escribo, el agua azota la ventana de mi alojamiento y penetra por las junturas. Siento el ruido tumultuoso del mar, y casi veo pasar al viento, al intangible de Richepin.

"Tempestad horrible afuera; adentro, luto y pesar." (*Una visita a Emanuel, La Tribuna*, 14 de agosto de 1888.)

Al mismo Tondreau tuvo todavía ocasión de dirigirle otra carta, también desde Valparaíso, que en el epistolario de Darío publicado por Ghiraldo en Buenos Aires aparece sólo con la fecha de agosto. Es en todo caso posterior al día 20 de ese mes, en que *La Tribuna,* por intercesión de Tondreau, comenzó la publicación del prólogo de *Azul* escrito por Eduardo de la Barra. He aquí el texto completo de esta simpática misiva:

> Mi querido Tondreau:
> El señor Jesús Leiva es mi compatriota y deseo que usted lo atienda y estime como a mí.
> Él es comerciante; nosotros somos poetas; pero Apolo y Mercurio son dioses en la hermandad del Olimpo. Sobre todo, él es un caballero cumplido y miembro de una distinguidísima familia salvadoreña; y un buen caballero.
> Y, más que sobre todo, su amigo Darío se lo recomienda, para que en los días que esté ahí, que serán muy pocos, procure ser el Tondreau más dulce y, al mismo tiempo, que el Tondreau más gentil.
> Suyo
>
> Darío.
>
> P. S. Gracias por la reproducción en *La Tribuna* del prólogo de don Eduardo.
>
> Vale
> Valparaíso, 1888.

* * *

Con estos camaradas emprendió Rubén Darío la conquista de Santiago. Parapetado en las columnas de *La Época,* logró acogida en un público abierto a las novedades, pero exigente y serio. "Santiago en la América Latina es la ciudad soberbia. Si Lima es la gracia, Santiago es la fuerza. El pueblo chileno es orgulloso y Santiago es aristocrática." ¿Podrían hacer mella en estas gentes las palabras gráciles y sutiles del poeta, al cual pronto se apellidó decadente? "Santiago es rica, su lujo es cegador. Toda dama santiaguina tiene algo de princesa. Santiago juega a la Bolsa, come y bebe bien, monta a la alta escuela, y a veces suele hacer versos en sus horas perdidas." No, éste no es su mundo; el ritmo de la vida es aquí duro, agresivo casi; la lucha por la existencia adquiere cierta impiedad. "Las empresas periodísticas son ricas, pero algunas demasiado económicas." En fin, suprema queja del poeta: "Santiago paga poco a sus escritores y mucho a sus palafreneros."

Pero en medio de aquella aridez hay el oasis, la mesa alegre donde se discute y se ríe entre gente de tono, de fortuna y de ideas: *La Época.* "Ahí departíamos de asuntos de letras y artes, de un último libro, de un triunfo o de un fracaso, y ahí se escribía, se hablaba en voz alta hasta muy entrada la noche, hasta la hora del té, a riesgo de alterar la paciencia de mi estimado director don Eduardo Mac Clure."

Las tertulias de *La Época,* como las han evocado algunos de sus partícipes en años siguientes, se hacían de noche y cuando el trabajo del diario estaba terminado o pronto a finalizar. Se distribuían tazas de té entre los asistentes, y todos ellos, como es de uso entre gente de prensa, hablaban a gritos o pensaban en voz alta, sin respeto a ninguna conveniencia. Mac Clure asistía también de vez en cuando a la charla, al volver del teatro o de las comidas de etiqueta o de las reuniones políticas a que se veía obligado a concurrir por su calidad de diputado.

"La conversación de Rubén Darío era agradable y amena —recordaba Ossa Borne—. *"Non semper!"*... Solía tener sus días sombríos. En ocasiones, "callado como un muerto", brotaba una chispa de su cerebro, y tornábase alegre, decidor, pasmoso de inagotables recuerdos de poesías enteras, de largos trozos de los autores que admiraba. Pero su compañía, por lo general, en la intimidad, grata, era también a menudo costosa, porque Rubén gustaba de buenos platos y caros licores, y no sabía apreciar su relación con los inmediatos medios de sus amigos que solían verse en amarillos aprietos, calificados por él de "celestiales" por ser celeste el imperio de los amarillos.

"Los que recibían el título de amigos eran bien pocos, reducidos por las exclusivistas simpatías del poeta. La llegada de algún extraño al círculo, y sobre todo de quien no fuera grato a Rubén, daba a su ceño

> *en un punto mismo*
> *de cólera y esplín los fruncimientos.*

"Y si notaba en sus compañeros que participasen de la antipatía hacia el intruso, cumplíase aquello de

> *... charlo como un necio*
> *salpicando el discurso*
> *de burlas, carcajadas y dicterios.*
> *¿Que me miran? Agravio.*
> *¿Me han hablado? Zahiero.*

"Por cierto que, así, las cosas no podían terminar invariablemente en santa paz. Una vez estuvo al producirse un altercado, pero lo evitó la ingeniosa y salvadora intervención de Vicente Grez, que se llevó al de la "gresca" en uno de los carruajes estacionados frente a Gage, hasta la puerta de una casa amiga que se hizo abrir para entrar resueltamente, dejando al pendenciero abandonado a su propia suerte y al auriga. Vicente me refería poco más tarde, a través de los barrotes de una ventana a la calle de Nataniel, la graciosa aventura... Darío era aficionado a los cuentos picarescos, de los que poseía buen caudal, y los refería con sal y pimienta, "con mostaza" decía él. Las risotadas con que eran celebrados le causaban visible placer. Pero, ¡ay! del chascarrillo y de la verba si la mampara del gabi-

nete reservado se abría para algún visitante no deseado!..."
(Pacífico Magazine, abril de 1918.)

Esto en la vida afectiva que llevaba Darío con sus amigos;
en las letras, jamás pudo dar paso a esos rasgos de humor, aun
cuando, a veces, su estilo parezca irónico y hasta se preste
para acoger la gracia zumbona y, con mayor frecuencia, el sarcasmo.

* * *

El carácter de Darío no está formado todavía en ese tiempo, aun cuando muestra muchos de los rasgos que iba a con-
servar hasta el fin de sus días. Él mismo se reprocha las brus-
quedades que le hacen o "callar como un mudo" o "charlar
como un necio", y confiesa sentirse mejor entre gentes irregu-
lares y descentradas, bohemias, para decirlo en una sola palabra, que en los salones elegantes. Orrego Luco le recordaba
"alto de cuerpo, de color avellanado, de ojos pequeños y brillantes, nariz aplastada, barba escasa, y era flaco. Cualquiera hubiera dicho un indio sentado en el *wig wam* al verlo con su aspecto indolente, su fisonomía inmutable y cobriza". Y otro buen
amigo de las primeras horas de Santiago, Irarrázaval, en 1933
le evocaba así: "No era muy alto, pero lo parecía, a causa de
la flacura y la flexibilidad de su cuerpo y de la estrechez de las
ropas y de lo corto de las mangas. El cuerpo era flexible en las
piernas, flexible en el talle, flexible en el cuello, y daba, al andar, la impresión de esas cañas que crecen al borde de los arro-
yos cristalinos y reflejan su sombra en el agua que corre. La
frente era ancha y pálida, el cabello ligeramente rizado, los ojos
pequeños, casi oblicuos, encapotados con párpados gruesos y
perezosos, los labios abultados y sensuales, la boca distraída.

Cuando Rubén bebía, su semblante se bañaba en una tenue luz verdosa y lívida." (*La Nación,* 14 de abril de 1933.)

Samuel Ossa Borne le conoció en *La Época;* no perteneció a la redacción, pero en la tertulia fué asiduo gracias a la amistad que le unía con Rodríguez Mendoza. A la muerte del poeta le diseñaba así:

"El joven nicaragüense era enjuto de rostro, muy moreno, de amplia y despejada frente pensadora, coronada por muy negros cabellos lisos, invariablemente peinados, engomados sobre el casco y partidos al lado izquierdo. Fulgurante el mirar de sus ojos pardos, antes pequeños que grandes. Ancha y corta, la nariz muy apartada del delgado labio superior, distancia que atenuaba la sombra del escaso bozo. El labio inferior grueso y sensual. Resaltaba la boca grande, ancha, y que encerraba una hermosa, blanca y pareja dentadura. El conjunto correspondía tal vez a la pregunta que él mismo se hace en *Prosas Profanas:* "¿Hay en mi sangre alguna gota de sangre de África o de indio chorotego o neograndano?" Cambiemos el África por Asia, para conformarme a mis recuerdos que no admiten rasgos africanos y sí bien nipones en aquel rostro. Su estatura era mediana. Poco provisto de carnes, deprimido de pecho, angosto de hombros. Reposado el andar, de cuando en cuando interrumpido para atender mejor algún concepto del interlocutor, o para acentuar mayormente el propio discurso. Suave y agradable su voz, de timbre medio; pausado el hablar; moderado y simpático el reír; abundante el ademán, como si subrayara la frase, y que tenía tendencias a señalar la frente o a cubrir con la mano ahuecada la parte posterior de la cabeza. Por lo general, taciturno." (*Un manojo de recuerdos rubenianos, Pacífico Magazine,* abril de 1918.)

Estos retratos físicos que se han hecho de Darío corresponden tal vez a la realidad, puesto que, rasgos más o menos, convienen a lo que de él vieron otros testigos de más tarde. Escojamos uno especialmente caracterizado: Amado Nervo. El poeta mexicano dijo de él: "Alto[7], robusto, inexpresivo, ojos oscuros, pequeños, vivos, nariz ancha, de alas sensualmente abiertas, barba y cabellos ligeramente rizados, manos de marqués. Parsimonioso y zurdo continente, hablar pausado y un sí es no es tartamudeante, pero siempre ático y fino." (*El éxodo y las flores del camino*, ed. Reyes, p. 173.) Conviene recordar que entonces (1891) Darío usaba la barba, que en Chile se rasuró siempre.

La fisonomía se anima si la amistad reemplaza al estiramiento, y cuando no hay espectadores en quienes el poeta no tenga perfecta confianza. En esa primera ocasión en que le vió Ossa Borne, después de retirarse algunos visitantes, se salió de juerga y entonces el poeta se transfiguró. Mientras no se reunieran esas circunstancias, callaba y prefería oír a conversar: "Si lo invitáis a una tertulia de hombres —escribió Rodríguez Mendoza, su amigo de estos días—, a una velada literaria, le veréis reclinado negligentemente sobre una butaca, fumando un cigarrillo de papel o panetelas de Upmann; hablando poco pero siempre con cierta sonrisa, mezcla de orgullo y de ironía; ojeando cinco libros a la vez si los cinco son novedades literarias llegadas de Francia o de España; quedándose dormido cuando se habla de política o de grandes negociaciones comerciales; dispuesto en cualquier momento a libertarse del velo de tristeza que le envuelve y a ponerse en pie y hablar con entusiasmo, si se trata de discutir la hermosura de una dama o de hablar de

---

[7] Puede llamar la atención que Nervo señale como alto a Darío, cuando sus amigos chilenos le describen de mediana estatura. Se trata de medidas relativas. Ossa Borne medía más de un metro ochenta de alto, y bien pudo parecerle pequeño el poeta centroamericano. Amado Nervo, en cambio, era muy bajito.

los caprichos de la misma; esperando impasible la hora de cenar para darse el placer de improvisar unas cuantas estrofas o
de beber una copa a la salud de las hadas que lo conducen hasta la región donde todo es aurora."

* * *

Como apéndice de la tertulia de *La Época,* la había también
en la casa de Rodríguez Mendoza, ubicada en la calle Nataniel
Cox, a la cual asistían regularmente Domingo Amunátegui Solar, Alcibíades Roldán, Pedro Balmaceda Toro, Vicente Grez,
el doctor Puga Borne, Narciso Tondreau, Samuel Ossa Borne,
Manuel del Campo, Jorge Huneeus Gana y, naturalmente, Rubén Darío desde que por su presencia en *La Época* le fué dada a
éste la oportunidad de ligar amistades santiaguinas. Emilio Rodríguez Mendoza, que por ser hermano menor de Manuel no
lograba acceso a la tertulia, alcanzó a divisar a Darío, siempre
silencioso, en aquel cenáculo, y conservó la impresión de lo entrevisto en su libro de recuerdos *¡Como si fuera ayer!* (p. 49 y
siguientes). Cuando Darío dejó el albergue de *La Época,* había
tomado alojamiento como pensionista en una casa de la misma
calle Nataniel Cox, en que vivían los hermanos Rodríguez Mendoza, y entonces "Rubén menudeó a toda hora sus visitas a mi
casa, que para él era camino hacia el centro de la ciudad. Llegaba, entraba, se instalaba a esperar a Manuel y se sumergía en
una butaca color bronce, apreciablemente cómoda, que le permi-
tía echar atrás la cabeza, cerrar los ojos y juntar las manos, es-
trechándose suavemente las puntas de sus dedos de violoncelis-
ta" (ibidem, p. 57). Los habitantes de aquella casa ponían generalmente a sus alcances una taza de té con galletas. Y una noche, después de haber hecho Rodríguez Mendoza y Darío una vi-

sita al cementerio, ocurrió que el poeta, amedrentado, no quiso
seguir a su refugio, sino que pidió albergue a su amigo:

"—No puedo marcharme solo, y tú, que eres bueno, tendrás
que alojarme, porque me siento aterrorizado... ¡Los muertos, los
cráneos... Hamlet, Yorik..., las sombras..., el más allá..., el más
allá!... Soñar, dormir acaso... ¿Oyes cómo suenan esas palabras? Me muero de terror y no tengo vergüenza de confesarlo
a mi amigo, a mi hermano... Dame *cognac*..." (Ibidem, p. 61.)

Esta escena de terror nocturno que obliga a Darío a solicitar
albergue en la casa de Rodríguez Mendoza, tenía un motivo preciso: la visita al cementerio; pero hay testimonio de otra, en los
recuerdos de Alfredo Irarrázaval. Contaba éste en 1933 que
cuando llegó el cólera a Santiago, su hermano Galo y él pusieron
casa aparte a fin de no llevar el contagio a su hogar, y se llevaron
a vivir en ella a su amigo Rubén. Debe ser éste el tercer hogar
de Darío en Santiago, posterior a la casa de pensión de la calle
Nataniel Cox que evocaba Rodríguez Mendoza. He aquí las expresiones de Irarrázaval sobre el tema que nos interesa.

Miguel Felipe Fierro —un santo laico—, con la cabeza blanca
de canas y el corazón tierno y afectuoso como el de un niño, tomó
la dirección del Lazareto del Sur, en el Camino de Cintura. Yo le
acompañé. Y con este motivo, Galo y yo, separados de la familia
por el temor de un contagio, pusimos campamento aparte en la calle
de la Catedral, en los altos de la casa de la bondadosa señora Mena
de Mira.

Rubén Darío se vino a vivir con nosotros, y ahí escribió el lindo
prólogo de mis *Renglones Cortos*. Una noche mi hermano y yo,
llegamos a nuestra casa entre 11 y 12. Había luz en el cuarto de
Rubén. Cuando nos aprontábamos para introducir la llave en la
cerradura, la puerta de calle se abrió desde adentro y apareció a
nuestros ojos el poeta, que había bajado la escalera. El cuerpo le
temblaba y la voz traicionaba una emoción profunda.

—¿Qué tienes? —preguntó Galo.

—Miedo —contestó Darío

—¿Miedo? ¿A quién?

—No sé; no me doy cuenta —replicó el poeta—. Pero he sentido pasos... Venían y se alejaban... Un fantasma invisible me echaba el hálito helado sobre la frente y se alejaba después en puntillas. ¡Qué horrible angustia! ¡No vuelvan a dejarme solo! Ahora que han llegado... ya podré dormir.

Y, efectivamente, 10 minutos después, dormía como un niño. *(La Nación,* 14 de Abril de 1933.)[8].

Y ligadas a estas impresiones de terror nocturno, a veces inmotivado, aparecen las de la bohemia pura y simple, amor a las mujeres fáciles, largas veladas báquicas y curiosidad nunca saciada de probar los *nepentes* que se prodigan en copas y vasos. Alguna alusión se transparenta en lo que sobre él se escribió para evocar sus años de Chile; sus trabajos literarios de entonces, especialmente los cuentos *La Canción del oro, El rubí* y *La ninfa* en *Azul...* y *El humo de la pipa* en *Obras Desconocidas,* muestran la delectación del poeta en los licores, a los que recuerda allí, como esteta, por su color, su perfume y su similitud con flores y piedras preciosas, no sin que se eche de ver, por eso mismo, el amor goloso que a ellos le une. Léase, por ejemplo, en *La Ninfa:*

Era la hora del *chartreuse.* Se veía en los cristales de la mesa como una disolución de piedras preciosas, y la luz de los candelabros se descomponía en las copas medio vacías, donde quedaba algo de la púrpura del borgoña, del oro hirviente del champaña, de las líquidas esmeraldas de la menta.

---

[8] Con el título de *El gran lírico Rubén Darío y su permanencia en Chile* publicó Remac en ese diario una larga entrevista a Alfredo Irarrázaval Zañartu. En ella, además de fragmentos que hemos copiado, se ofrece una nueva versión del nacimiento del abrojo *Cuando la vió pasar el pobre mozo,* la cual nada nuevo añade a las versiones que más adelante señalaremos.

Lo grave es que los éxtasis alcohólicos se rebajan pronto de nivel, y de esas mesas bien abastecidas y adornadas, a cuyas márgenes trataba con jóvenes elegantes y damas seductoras, iba cayendo a otras menos agradables, de donde era preciso hacerle salir para proceder a la convalecencia. Don Emilio Rodríguez Mendoza, hermano de Manuel, que de éste recibió no pocas informaciones de peso, registra en globo aquellas historias. "Supe después, cuando los años y la carne me pusieron en situación jurídica de imponerme de cosas tan trascendentales para las letras y la historia moral de aquella época deliciosamente bohemia, que más de una vez, y cuando ya se daba a Darío por definitivamente descarriado, por lo menos extraviado, se le encontraba redimiendo flaquezas en alguna calleja del Santiago negro, rodeado de un auditorio mixto y nada tranquilizador, al cual recitaba, cerrando los ojos al armonioso son de alguna arpa más babilónica que bíblica, el Cantar de los cantares o algunas de las estrofas destinadas a quedar retenidas entre las espinas de *Abrojos,* su primer libro, es decir, la primera aparición de una gloria desnuda y sollozante." *(¡Como si fuera ayer!,* p. 54.)

Otra nota útil para configurar también bajo la luz equívoca la existencia de Darío en Chile nos la dará Federico Gana, como reminiscencia de conversaciones con Manuel Rodríguez Mendoza.

"—Como usted comprende —agregaba Manuel—, con este sistema de gastos, el dinero, y no era mucho el que Darío ganaba en *La Época,* su situación era siempre precaria. Pedro Balmaceda y yo éramos sus confidentes, sus amigos íntimos; escuchábamosle continuamente lamentarse de su pobreza, de las dificultades que solía tener con la dueña de casa de pensión donde se hospedaba. En cierta ocasión, Darío hacía cinco o seis días que no iba a la imprenta y nadie habíale visto por el centro. Temimos con Pedro que estuviese enfermo y juntos fuimos a visitarle. La patrona de la casa nos dijo que estaba bien porque no le ha-

*Don Carlos de Borbón y Este, pretendiente del trono de España, según
retrato litográfico de Luis Fernando Rojas, publicado en "La Época",
Santiago de Chile, 10 de julio de 1887.*

bía oído quejarse de mal alguno, pero que hacía seis días que estaba en cama y no se levantaba, y agregó:

"—Es muy raro este caballero. Ahí se lo pasa acostado, rodeado de libros y de papeles, hablando solo a ratos. No me llama sino para pedirme de comer.

"Pedro Balmaceda interrogó a la señora sobre cuánto pagaba el poeta por la pensión y si debía algo. La señora contestó que, efectivamente, ese día vencía el mes y expresó la cantidad. Entonces, Pedro, con una rápida mirada, echó mano a la cartera. La señora, al observar el ademán, agregó:

"—Aún debe más, caballeros, porque todos estos días he tenido que darle algunos extras que aumentan la cuenta, y estos son muchos pichones que se ha comido, que he tenido que mandarlos buscar afuera, porque desde que está en cama, éste ha sido su único alimento.

"Usted comprende nuestra hilaridad. Naturalmente, entre Pedro y yo tuvimos el placer de pagar el mes de pensión y los famosos pichones." (*Zig-Zag,* 2 de diciembre de 1916.)

El abandono era, sin embargo, más constante, y afectaba a todas las relaciones de la existencia. Si del poeta dice el vulgo, por lo general, que vive en la luna, de éste, en concreto, podía afirmarse que no se bajaba jamás voluntariamente de ella, y que era preciso apearle por la fuerza, sea para que cumpliera algún trabajo interrumpido o sólo para evitar el evidente suicidio. Irarrázaval Zañartu, testigo tanto de la vida pública como de la vida oculta de Darío, en 1933 lo decía en esta forma:

"Lo que más nos sorprendió en Rubén eran sus ausencias de espíritu; su absoluta incomprensión de las cosas prácticas, banales y corrientes de la vida; contestar los saludos, acudir a las citas, escobillar la ropa, desplegar la servilleta, pagar las cuentas, etc. Parecía vivir en otro plano, en constante comunicación, interna y misteriosa, con los espíritus. Solamente cuando el vate comenza-

ba a llenar carillas, se desplegaba, en lo invisible, la escala de
Jacob y descendían por ella los espíritus y las Musas, trayendo
en sus manos los joyeles incomparables de su inspiración tropi-
cal."

La bohemia, a la cual se asomaba Darío en esas horas, estaba
formada de los más rudos contrastes de ambiente. Ossa Borne,
que le acompañó no pocas veces en nocturnas correrías, ha dejado mención de la pobre mujer de vida fácil a quien identifica con
el nombre de Domitila, que adquirió transitoria prominencia ante el poeta, quien solía dejarla estupefacta con sus audacias de expresión y sus delirios. "En casa de Thais —escribe Ossa Borne—, Rubén Darío cayó en éxtasis, exageró la mudez ante sus
compañeros y solamente tuvo palabras en la intimidad de ella, de
ella a quien fué necesario prevenir antes a solas. Más tarde aquella Domitila reconocía no haber comprendido desde el primer instante lo que había en ese hombre, cuánto encerraba de talento el
joven poeta, cómo en la intimidad le resultaba encantadora su palabra, extraña, única; cómo era un mundo su cerebro, y fué su
grande amiga a quien dedicó recuerdos de que, desgraciadamente,
no se han encontrado los apuntes."

Y entonces sobreviene el contraste. Domitila, ruda y acaso
ignorante de todo, le debe haber parecido al poeta más apreciable
que la diva de buena voz, bella sonrisa y refinada coquetería, a
quien solían frecuentar sus amigos para divertirse con su charla
exótica.

"Visitaban Rubén Darío y algunos amigos a una bella extranjera que cantaba con donaire. El poeta estaba mudo, insoportable, terco, contestando a medias y con visible mala gana. Vió
en un bolsillo de Pedrito Balmaceda algo como un libro y se
apoderó de él. Se juzgó grande la impertinencia. No era, ciertamente, aquel sitio para ir a leer. Así se le hizo presente, una vez
en la calle. Pero la réplica fué rápida. El no había ido a leer ni

había leído. El había escrito. El libro que sacó del bolsillo de Pedro le dió papel para escribir impresiones:

> ....
> ....
> *Porque para oír su voz*
> *Que nada tiene de rara,*
> *Oler* cold cream *en su cara*
> *Y besar polvos de arroz,*
> *Treinta millones de veces*
> *Prefiero a la Domitila."*
> ....

Capítulo III

PEDRO BALMACEDA TORO, *A. DE GILBERT*

De los muchos amigos que encontró Rubén Darío en Chile, la mayoría no fueron más que tertulios de redacción que suelen alternar cuatro palabras con el escritor nuevo y exótico que ha venido a plantar su tienda en Santiago; pero otros ahondaron más en el poeta y supieron advertir en sus tristezas, en sus desencantos, en sus melancolías, la escondida perla de un raro talento poético. Mas ninguno alcanzó hasta donde Pedro Balmaceda, porque ninguno poseía los mismos ideales artísticos ni aceptaba tan ampliamente como Balmaceda la visión que el nicaragüense tenía formada del mundo. Por su prematura muerte, Balmaceda no ha dejado una obra caudalosa que permita establecer con amplitud el registro de que le había dotado la naturaleza; pero en sus rasgos de estilo, en sus curiosidades artísticas, era fácil discernir ya la personalidad literaria sin duda egregia. Cuando llegó Darío a Santiago, acababa de llevarse a cabo la elección presidencial, y se sabía que los votos de la mayoría de los electores favorecerían la postulación de don José Manuel Balmaceda, quien fué proclamado Presidente electo por el Congreso Nacional el día 30 de agosto. Asumió la Presidencia el 18 de septiembre, con el siguiente ministerio: Eusebio Lillo, Ministro del Interior; Joaquín Godoy, de Relaciones Exteriores; Agustín Edwards, de Hacienda; Pedro Montt, de Justicia e Instrucción Pública, y Evaristo Sánchez, de Guerra y Marina. Pedro Balmaceda

Toro era el hijo mayor del Presidente, y en la Moneda, palacio de gobierno, quedó instalado su hogar.

Es el propio Darío quien ha contado las circunstancias que rodearon su primer encuentro con Balmaceda, en un relato que debemos respetar hasta la última letra, dado el valor de confesión personal que posee.

"A Balmaceda lo conocí recién llegado a Chile, y fué de los primeros corazones que me hicieron endulzar la ausencia de la patria nativa.

"Yo trabajaba en *La Época*.

"Al hojear un día los diarios de la tarde, encontré en *Los Debates* un artículo firmado con un pseudónimo que no recuerdo, artículo cuyo estilo nada tenía de común con el de todos los otros escritores de entonces[1]. Era sobre la muerte de un romancero popular, uno de estos poetas broncos e ingenuos que florecen como los árboles salvajes, al sol de Dios y al viento que les acaricia. No pude saber por de pronto quién era el autor de aquellas líneas deliciosas en las que la frase sonreía y chispeaba, llena de la alegría franca del corazón joven.

"Al poco tiempo, Manuel Rodríguez Mendoza llegó a la redacción con Pedro Balmaceda. Presentaciones. Charla. Hablando de asuntos de letras, le comuniqué mis impresiones respecto al artículo aquel.

"—¡Soy yo!—me dijo, con una expresión de vanidad infantil, esa que excluye el orgullo necio y es límpida como el agua de una fuente montañesa." (*A. de Gilbert*, pp. 5-7.)

Estaban conversando en el diario cuando sonaron las campanas de alarma bomberil, y Darío creyó conveniente disculparse

---

[1] El artículo de Balmaceda sobre Guajardo salió publicado en *Los Debates* el día 5 de diciembre de 1886, pero, contrariamente a lo que dice Darío, sin ninguna firma.

con su amigo por dejarle solo: su deber le llevaba al incendio para
dar cuenta de él en la crónica de *La Época.* Balmaceda no aceptó
esta separación repentina, y se propuso acompañarle; Darío
aceptó, y echaron a caminar, tomados ya del brazo, como viejos
camaradas.

"Conversamos largamente camino del lugar del incendio y ya
estábamos cerca, en medio de la aglomeración de las gentes, frente a las llamaradas que se extendían sobresaliendo por las techumbres encendidas; y la cuestión literatura era el objeto de
nuestra plática. Apenas si sentíamos los estrujamientos, el hablar
confuso de la muchedumbre acompasado por la cadenciosa palpitación de las bombas, el estallido de los cristales en el fuego, el
golpe de las hachas, la voz de las bocinas y clarines." *(A. de Gilbert,* p. 10.) Y entonces, ¡cosas de la juventud!, mientras una
casa ardía, los muchachos, que discutían sobre los Goncourt y
sobre Zola, comunicándose su amor por Francia, disertaban a
más y mejor sobre sus destinos, y terminaron —horas después—
dándose las buenas noches frente al palacio de la Moneda, morada
del escritor chileno. El día de este encuentro ha sido precisado
por don Julio Saavedra Molina: 10 de diciembre de 1886.

* * *

El joven escritor chileno a quien Darío había distinguido, como experto catador de esencias literarias, al través de un artículo que bien pudo pasarle inadvertido, se había rodeado de un ambiente de arte que complacía a sus amigos. Manuel Rodríguez
Mendoza, que recibió del Presidente Balmaceda el encargo de
editar y prologar las obras de su hijo, recordó algunos adornos
de las habitaciones de Pedro que acreditan las aficiones del joven
artista, ansioso de abarcar a todas las horas del día la inspiración
de su pequeño museo.

"En su gabinete de estudio había también un testimonio elocuente de sus aficiones artísticas. Arreglado con gusto y originalidad, llamaba de preferencia la atención por su escogida librería de autores contemporáneos, la más valiosa que haya visto a ningún joven dedicado al cultivo de las letras.

"Tenía la pasión de los cuadros y las porcelanas; de las acuarelas y de las tierras cocidas; de las aguas fuertes y de los grabados; de los tapices antiguos y de las curiosidades pompeyanas.

"Para él, un autógrafo de los Goncourt, un busto de Carpeaux, un retrato de Carolus Duran, un botón de rosa, en el cual hubiese puesto sus labios una mujer hermosa y de ingenio, valían, por sí solos, mil veces más que todos los efectos que se ocultan en los sótanos helados de los bancos."

Darío describió por lo demás, con todos los pormenores deseables, el ambiente en que se desarrollaban sus veladas de la Moneda en la dulce compañía de Pedro Balmaceda.

"Entrando por la puerta principal al Palacio de la Moneda, se subía una escalera, a la izquierda —al pie de la cual se paseaba un granadero, el arma al brazo—, se iba rectamente pasando frente a la puerta del despacho del Presidente de la República, se torcía a la derecha, y se encontraba entre varias, tras una crujía de piezas, a unos cinco pasos, una puerta con vidrios deslustrados. Era la del gabinete de Pedro; el que tenía antes de la última refacción de esa parte del palacio.

"¡Un pequeño y bonito cuarto de joven y de artista, por mi fé!; pero que no satisfacía a su dueño. El era apasionado por los *bibelots* curiosos y finos, por las buenas y verdaderas japonerías, por los bronces, las miniaturas, los platos y medallones, todas esas cosas que dan a conocer en un recinto quién es el poseedor y cuál su gusto. Paréceme ver aún a la entrada, un viejo pastel, retrato de una de las bisabuelas de Pedro, dama hermosísima en sus tiempos, con su cabellera recogida, su tez rosada y su perfil de

duquesa. Más allá, acuarelas y sepias, regalos de amigos pinto-
res. Fija tengo en la mente una reproducción de un asunto que
inmortalizó Doré: allá en el fondo de la noche, la silueta negra
de un castillo; la barca que lleva un mudo y triste remador; y en
la barca tendido el cuerpo de la mujer pálida. Cerca de este pequeño cuadro, un retrato de Pedro, pintado en una valva, en
traje de los tiempos de Buckingham, de Pedro cuando niño, con
su suave aire infantil y su hermoso rostro sobre la gorguera de
encajes ondulados. En panoplia, los retratos de la familia, de
amigos, y entre éstos, llamando la vista, el de don Carlos de Borbón, vestido de huaso chileno; retrato que le obsequió el príncipe
cuando Pedro fué a pagarle la visita que aquél hizo al señor don
José Manuel Balmaceda, a su paso por Santiago[2].

"En todas partes libros, muchos libros, libros clásicos y las
últimas novedades de la producción universal, en especial la
francesa. Sobre una mesa diarios, las pilas azules y rojizas de la
Nouvelle Revue y la *Revue des Deux Mondes*. Un ibis de bronce, con su color acardenillado y viejo, estiraba su cuello inmóvil,
hieráticamente. Era una figura pompeyana auténtica, como un césar romano que le acompañaba, de labor vigorosa y admirable.

"Cortaban el espacio de la habitación, pequeños biombos chinos bordados de grullas de oro y de azules campos de arroz, espigas y eflorescencias de seda.

"Había una puerta que daba a las salas de la familia, y otra
opuesta que llevaba a una pequeña alcoba.

---

[2]   Por esta referencia al retrato de don **Carlos** de Borbón, que estuvo
en Chile en los meses de junio y julio de 1887, puede desprenderse que Darío reunió en la memoria las diversas visitas que hizo en la Moneda a las
habitaciones de Pedro Balmaceda, y que concretamente no ha podido ver
ese retrato sino entre setiembre y noviembre de 1887, fecha de su segundo viaje a Santiago.

"Junto a esta última, no lejos del piano, se veía colgado un cuadrito de madera y en el centro, un pedazo de seda con los colores de la bandera francesa, opacos y descoloridos por el tiempo. En letras viejas se leía en él *Liberté, Egalité, Fraternité.* Era un pasaporte del tiempo del Terror. Sobre una repisa, entre varios *bibelots,* sobresalía una quimera de porcelana antiquísima, de un tono dorado, con las fauces abiertas." *(A. de Gilbert,* pp. 27-32.)

Por estas noticias vemos que no era la literatura el solo objeto de las ocupaciones de Pedro Balmaceda. Otras artes le interesaron hasta el punto de haber pretendido abarcarlas más como ejecutante que como amateur. Según los recuerdos de Rodríguez Mendoza, Ernesto Molina, el gran pintor chileno, le enseñó a dibujar con lápiz y pluma "y le dió algunas lecciones para la combinación de los colores que se emplean en la pintura al óleo". Balmaceda solía llevar paleta de pintor a sus excursiones en Viña del Mar y en Lota, y en las vacaciones de 1888 pintó algunos pequeños cuadros con motivos marinos y de paisaje campestre. "En el taller de Nicanor Plaza —agrega el mismo Rodríguez Mendoza— aprendió a modelar en greda... Dibujaba, pintaba y esculpía como un aficionado de talento y de esperanza." De las artes plásticas pasaba también a la música, inquieto aún en su vibrante juventud, indeciso acerca de lo que en definitiva sería la ruta del futuro. "Todos sus amigos le oyeron entonar con una voz afinadísima, aunque de poco volumen y extensión, y tocar en el piano, con refinado gusto, trozos de Carmen, Mignon, Gioconda, Hebrea, Aída y otras partituras", informaba Manuel Rodríguez, después de Darío el más autorizado de los testigos de esa vida tronchada.

El refugio que se había dado en la Moneda, palacio presidencial, al hijo primogénito del Presidente de la República, no conservaba sólo vestigios de las artes a las cuales dedicaba su atención Pedro Balmaceda, sino también los instrumentos adecuados para ejecutarlas, como un piano, que era el predilecto de ciertas horas de reposo y ensueño.

En aquel rincón encantador, caluroso de hogar, los dos jóvenes artistas se fugaban del mundo: el chileno de su asma inquietante, de su tuberculosis, de su cuerpo frágil señalado a la muerte prematura, y el nicaragüense, de la estrechez de su miseria, para evocar el cuadro de sus futuras hazañas. "Iríamos a París, seríamos amigos de Armand Silvestre, de Daudet, de Catulle Mendès; le preguntaríamos a éste por qué se deja sobre la frente un mechón de su rubia cabellera; oiríamos a Renan en la Sorbona y trataríamos de ser asiduos contertulios de madama Adam; y escribiríamos libros franceses, eso sí. Haríamos un libro entre los dos, y trabajaríamos porque llevase ilustraciones de Emilio Bayard, o del ex chileno Santiago Arcos..." Como este cuadro ya está visto, vamos a otro en el lomo del incansable Pegaso: "Y luego, ¿por qué no?, un viaje al bello Oriente, a la China, Japón, a la India, a ver las raras pagodas, los templos llenos de dragones y las pintorescas casitas de papel, como aquélla en que vivió Pierre Loti; y vestidos de seda, más allá, pasaríamos por bosques de desconocidas vegetaciones, sobre un gran elefante."

La risa sacudía los hombros hundidos del rubio adolescente chileno, una mueca se dibujaba en el rostro del centroamericano. Sabía éste que su compañero estaba condenado a pronta muerte, y presentía que el suyo sí era camino de triunfador.

"No olvidaré en toda mi vida —porque si de la memoria se me borrasen las tendría presentes en el corazón— las noches que en ese habitáculo del cariño y del ingenio pasé, cuando el cólera en 1887 (1886) vertía en la gallarda Santiago, sus venenosas urnas negras —escribió Darío—. El té humeaba fragante; en el plaqué argentado chispeaba el azúcar cristalina; la buena musa juventud nos cubría con sus alas rosadas; la charla desbordante hacía tintinabular campanillas de oro en el recinto; pasaba afuera

el soplo de la noche fría; dentro estaba el confort, la atmósfera
cálida y ondas áureas con que nos inundaba la girándula del gas;
y una ilusión viene y otra ilusión va; un recuerdo, un verso, un
chisporroteo; a veces casi hasta la media noche, hasta que un re-
cado maternal llegaba: "Ya es hora de que te duermas." Entonces aplazábamos el tema comenzado, nos despedíamos, y más de
una vez, a eso de la media noche, rechinaron los pesados cerro-
jos de las enormes puertas del Palacio de la Moneda, dando paso
a dos personas. ¡El fiel y viejo servidor de la casa iba a acompañarme, allá lejos adonde yo vivía, a la calle de Nataniel!"

* * *

Mozos muy jóvenes, con sólo un año de diferencia en la
edad [1], los dos estaban enamorados del arte y de lo bello, del azul,
como empezaron a decir siguiendo a Víctor Hugo, que para ambos era maestro; y deben haberse creído un tanto aislados en ese
ambiente, dentro del cual estaban sumidos. La deformidad física
de Balmaceda, que era jorobado, le alejaba de trasnochadas; pero
en desquite, y porque las horas del día no fuesen siempre las más
propicias para que estos dos espíritus se comunicaran sus ensueños, el menudo habitante del palacio de gobierno llevaba a su amigo a su propia casa. Eran dos adolescentes, rubio el uno y moreno el otro, que habían comenzado la vida en muy diferente forma.
El nicaragüense no había recibido calor de hogar, y vagaba en
edad prematura por las repúblicas de la América Central, cono-
ciendo intrigas sucias y oliendo la pólvora de los motines. "Desterrado voluntario", afrontaba en Chile la lucha cruel de la vida sin

---

[1] Darío había nacido en 1867, y Pedro Balmaceda Toro el 23 de
abril de 1868, según consta de la partida bautismal que tenemos a la
vista.

otro escudo que su talento y su sed de arte. El mismo lo dijo en la página final de *A. de Gilbert*: "Llevado por el viento como un pájaro; sin afecciones, sin familia, sin hogar; teniendo desde casi niño sobre mis hombros el peso de mi vida; fatigado desde temprano por verdaderas tristezas, guardo en lo profundo de mi ser bondad, mucho cariño, mucho amor: no seáis injustos. Yo tengo por únicos sostenes mis esperanzas, mis sueños de gloria. Esto me libra de ser escéptico, de ser ingrato, del vahído siniestro del abismo del mal. Yo creo en Dios. Y así voy por el mundo, por un camino de peregrinación, viendo siempre mi miraje, en busca de mi ciudad sagrada, donde está la princesa triste, en su torre de marfil..."

Mientras tanto, Pedro Balmaceda, que nació en la opulencia, había recibido una educación esmerada. La endeblez de su cuerpo, que iluminaban con fuego apasionado sus ojos, atrajo hacia él los cuidados del padre, que se reservaba tiempo en sus ajetreos políticos para condescender a estimular sus aficiones literarias, y los mimos de la madre, que sin duda presentía la corta existencia del niño cuyo cuerpo estaba roto.

Estas distancias, por paradójica ley, les acercaron.

Pedro Balmaceda, por lo demás, abrió a su amistad todo lo que podía corresponderle en las comodidades de que estaba rodeada la vida de su padre, el Presidente de la República. Uno de los coches de gobierno solía conducir a los dos mancebos a dar paseos por los parques públicos, lo que permitió a Darío formarse una idea espléndida del Santiago que estaba recorriendo. Así, por lo menos, se ve en las líneas siguientes, tomadas de *A. de Gilbert*, irremplazable testimonio autobiográfico.

"En las tardes de primavera, cuando aún el otoño con sus melancolías grises no acaba de desaparecer, y los árboles hojosos de la Alameda, con traje nuevo, se enfloraban, acostumbrábamos ir al parque Cousiño, a proseguir nuestra incorregible tarea de soñar y divagar. Ibamos en uno de esos coches que allá nombran "americanos", cerrados, mas con vidrios, que dejan campo a la vista por todos sus cuatro puntos. Se le ordenaba al cochero ir paso a paso. Cada vez en el viaje teníamos cuadros e impresiones nuevas, ya en los lados de la Alameda, donde se estacionan los carruajes, transeuntes, vendedores de frutas con sus cestos, los de helados con sus botes de hojalata en la cabeza, cada cual canturreando su melopea especial; un fraile, *rara avis,* los brazos cruzados y la cara limpia al rape; una desgraciada, envuelta en su manto, dejando ver la faz llena de afeites; un florero que ofrece sus ramos frescos; o allá, siguiendo por la calle del Ejército Libertador, la fachada de las casas ricas; los carruajes particulares a las puertas; las lindas damas apenas entrevistas en las rejas, o en los peristilos y entradas de los palacetes. Y entre todos éstos, la morada de la millonaria señora de Cousiño, opulenta y envidiable, con su entrada elegante, sus alrededores floridos, sus *panneaux* pintados por Clairin, sus retretes, que nada tienen que envidiar a un interior parisiense, su comedor entallado y valiosísimo, y sus obras de arte, entre las que impera un Guido Reni, soberbio desnudo inestimable. Y así, yendo a lo largo de la extensa calle, y tras dar vuelta a una plaza, torcer y pasar por la Artillería, llegábamos a las puertas del parque.

"A lo lejos, veíamos la cordillera de los Andes y, más cerca, los cerros que, coronados de nieve, semejaban, según una ocurrencia de Pedro, "una gran mermelada espolvoreada con azúcar". El parque, cuyo nombre viene de haber sido este sitio cedido a la municipalidad por el millonario don Luis Cousiño, es uno de los mejores paseos de la populosa capital. Largas avenidas, calles amplias para la circulación de los carruajes, una extensa "pampa" donde se dan las grandes revistas militares; arboledas variadas, jardines poblados de flores, en que resaltan manchas de prímulas, grupos de rododendros y de ciclamores

carmesíes primaverales, flordelisados cándidos sobre fondo ver-
doso, explosiones rojas de peonías apiñadas, y entre sus cercos
de esmeralda, largas filas de violetas, en sus palacios trémulos
que mueve el aire y recortan las tijeras de los jardineros. Aquí
están las glorietas cubiertas de madreselvas y de campánulas; allá,
frente al café donde se detienen los paseantes para invadir las
mesas y los kioscos, la laguna con sus barcazas, los puentes cur-
vos y rústicos, los sauces de largas barbas verdes como los árboles de aquella floresta de la *Evangelina,* y los móviles peces rojos
que forman remolinos sangrientos en las aguas glaucas.

"Caminábamos, reíamos, pensábamos. En esos paseos fueron
concebidos muchos cuentos, muchos versos. En esos paseos deli-
neó Pedro en su mente, como con el clarión un pintor esboza en
la tela, aquella página diáfana del *Camino del Sol,* y aquel cuento
blando y otoñal en que las palomas vuelan en el templo sobre el
ataúd de la virgen difunta.

"¡Ah, sí!, su espíritu mariposeaba, flotaba; iba poseído de
un anhelo casi místico, a besar estremecido los labios de púrpura
de las centifolias, a sorprender las cópulas misteriosas en los cá-
lices perfumados; visitaba las penumbras y frescores eclógicos;
y así os explicaría cómo en sus páginas se perciben aromas pene-
trantes, estallidos de capullos, tibiezas de nidos. A veces, un simple cuadro común era la oruga de un cuento irisado." *(A. de
Gilbert,* pp. 79-84.)

Algo de lo entrevisto en aquellos paseos quedó, con fresca
impronta, en las páginas de *Azul...,* en cuya prosa puede seguir-
se la vida santiaguina conforme el más bello de los itinerarios.
Los jardines de las mansiones suntuosas y los interiores de las
mismas, aparecen desde luego en *La canción del oro:* "Tras las
rejas se adivinaban extensos jardines, grandes verdores salpica-
dos de rosas y ramas que se balanceaban acompasada y blanda-
mente como bajo la ley de un ritmo. Y allá en los grandes salo-

nes debía estar el tapiz purpurado y lleno de oro, la blanca estatua, el bronce chino, el tibor cubierto de campos azules y de arro-
zales tupidos, la gran cortina recogida como una falda, ornada de
flores opulentas, donde el ocre oriental hace vibrar la luz en la
seda que resplandece. Luego, las luces venecianas, los palisandros
y los cedros, los nácares y los ébanos, y el piano negro y abierto,
que ríe mostrando sus teclas como una linda dentadura; y las
arañas cristalinas, donde alzan las velas profusas la aristocracia
de su blanca cera."

En las veladas de la Moneda no siempre estaban solos aquellos dos amigos, y Darío ha recordado los nombres de algunos
de sus habituales acompañantes, que contribuían a dar a las reuniones el tono íntimo y artístico que les presta relieve en los
recuerdos.

"Eran de su confianza, Carlos Eguíluz, antiguo secretario de
su padre, joven de buen criterio, carácter amable, muy versado
en la literatura francesa, y que, en los escasos momentos que su
ocupación le dejaba libre, iba a la conocida pieza de su amigo a
tener descanso y charla [4]. Manuel Rodríguez Mendoza, nuestro
compañero de *La Época,* que dejaba oír en aquel recinto sus
ocurrencias, sus juicios implacables, sus hipérboles, sus risas
burlescas, y sus frases gráficas como una caricatura de Caran
d'Ache. El poeta Tondreau, que llegaba poco, y tocaba el piano
o leía versos; Luis Orrego Luco, uno de los jeunes de más talento y mejor estilo; un joven pintor, cuyo nombre no recuerdo y
que a la hora en que escribo debe estar en Europa perfeccionán-
dose en su arte; Alfredo Irarrázaval, poeta satírico y mozo de
espíritu alegre, que habla como escribe, con la diferencia de que

---

[4] A este Eguíluz dedicó Darío *El palacio del sol,* que entraría a figurar en seguida en el material de *Azul...,* en la primera publicación que
se hizo en *La Época,* 15 de mayo de 1887.

Pedro Balmaceda Toro, A. de Gilbert, *según retrato litográfico de Luis Fernando Rojas, publicado en "La Tribuna", Santiago de Chile, el 14 de julio de 1889.*

quizá le cuesta más conversar que derramar versos picantes y fáciles; y un poeta que nunca iba a verle, pero que altamente le comprendía y admiraba, Pedro Nolasco Préndez, cantor de vuelo de cóndor, de versos robustos y valientes, cuyo fogoso Pegaso si a veces toca la tierra con sus cascos, siempre tiende hacia las altas cumbres, y tiene líricas crines ondeantes y belfo lleno de espumas épicas." *(A. de Gilbert,* pp. 72-4.)

De un viaje que hizo Pedro Balmaceda al mineral de Lota se han salvado las reminiscencias que el joven escritor chileno confió a su amigo y que éste dió a luz en el libro que dedicó a su muerte. Son fragmentos de cartas, y poseen, por eso mismo, el encanto y la frescura espontánea propios del género epistolar cuando se le practica con abandono. "...Contemplo a un lado la nota verde —escribía Balmaceda—, siento la melodía amplia y sonora de los grandes pinos y de los copudos alerces, el aire suave de los eucaliptus, el cabeceo majestuoso de las araucarias y el remolino pardo-oscuro de los robles. ¡En pleno parque de Lota! Por aquí se entra al cielo."

En otra carta, más extensa, intenta el chileno describir el parque mismo en su interioridad. Diseñado en una colina que se interna hacia el mar, ofrece todas las variantes de la perspectiva, y como se han diseminado estatuas de mármol en sus encrucijadas, las sorpresas se revisten de particular hechizo para los ojos del gentil adolescente artista. Y hay también pájaros que vagan sueltos en la espesura, pájaros que consuenan con el ambiente de la fronda. Derrotado por la empresa, después de haber narrado algunos de aquellos motivos, el joven dice a su amigo: "Si quisiera describirte todo esto, necesitaría ser pintor, haber palpado la naturaleza, conocer los secretos y los horizontes azules del arte, haber luchado en la escultura con las formas abruptas de la roca y los griegos modelados de los jarrones satiríacos." ¡Linda manera de confesarse vencido por aquel paisaje de ensueño!

8

En el cual, por lo demás, sufrió Pedro una de las amenazadoras crisis de salud con que se podía presentir su pronto final. El diario *La Situación* informaba el 5 de diciembre de 1887 en los siguientes términos: "Don Pedro Balmaceda, hijo de S. E. el Presidente de la República, ha vuelto a sufrir el ataque que en Concepción puso en peligro su vida. Temiendo que el estado de su salud se empeore, el distinguido joven, que se encuentra en Lota, regresará a Santiago en un día de esta semana."

Darío, informado hasta sus más menudos pormenores sobre aquella crisis de salud, la refiere así en *A. de Gilbert:* "Hallándose Pedro en Lota, hará como un año, sufrió uno de los más formidables ataques de su dolencia. Estaba en una fiesta. "Sentía —me dice en una carta—, sentía morir lejos de mi casa, de mi familia; y lo que más me martirizaba era morir de frac y corbata blanca." Cayó y le llevaron a un lecho. Le abanicaron, le desciñeron la ropa, le dejaron al fin solo "con las flacas voluptuosidades de mis huesos", dice."

En su piano solía tocar Balmaceda algunos trozos de Chopin, que el poeta nicaragüense escuchaba extasiado; y por el lazo sutil de la música llegó éste a conocer el más íntimo secreto de su joven amigo: estaba enamorado.

"Tenía Pedro una amiga que era como él adoradora del músico polaco —comentaba Darío en *A. de Gilbert* (pp. 47-9)—. Una joven, casi una niña, tal vez un ángel, quizá el espíritu más artístico y delicado de toda la ciudad de los palacios. Él la amaba fraternalmente como a una angelical alma, compañera de la suya. La visitaba todos los días; ella le tocaba de Chopin; y aquella dama de ojos llenos de luz y de enigmas, calmó con sus melodías más de una amarga pena en el pecho de su amigo enfermo.

"Un día, en el precioso chalet que la familia Balmaceda posee en Viña del Mar, Pedro me dijo:

"—Necesito que me hagas un madrigal, cuatro versos, una flor que llevar a mi amiga.

"Ella se llamaba Rosa. Yo no la conocía.

"—Descríbemela—le dije.

"Él me mostró una fotografía de ella y la animó con sus frases, como un dios con su aliento. Yo llené sus deseos escribiendo lo siguiente:

R O S A

> *Mujer, flor. La mejilla*
> *sonrosada es gemela*
> *del pétalo, do brilla*
> *la gota de rocío que se cuela*
> *entre los rayos de la luz. La boca*
> *fresca es el cáliz donde se halla preso*
> *en tibio nido de perfume, el beso.*
> *Alba! la luz adora*
> *esta rosa aromada y sensitiva.*
> *Oh, amor! Tú eres la aurora*
> *que bañará de luz esta flor viva*".

Darío ha recordado también que le encontró un día desilusionado por el logro del estilo. Los ensayos juveniles le parecían ya cortos, y quería algo más: "¡No! No es eso lo que yo deseo. Basta de novelitas de Mendès, de frases coloreadas, de hojarasca de color de rosa! El fondo, la base, Rubén: eso es lo que hay que ver ahora. Leeremos a Taine, ante todo. Nada de naturalismo. Aquí tengo a Buckle. A Macaulay es preciso visitarle con más frecuencia. Caro, el francés, y Valera, el español, servirán de mucho. Déjate de pájaros azules."

Lo más general en el espíritu de Balmaceda era, sin embargo, la búsqueda de lo nuevo en los escritores franceses más recientes, de los cuales había alcanzado a formar una biblioteca no

por incipiente menos rica; y a esos escritores les admiraba antes
que el fondo de ideas y de doctrinas, la riqueza de la elocución,
el chisporroteo del ingenio, el amor de la decoración fastuosa y
elegante, más cosmopolita que nacional. Es verdad que en aras
de la novedad llegaba hasta a señalar la excelencia de la obra de
Zola, ya que sus gustos iban más que por el lado de la *gauloise-*
rie por el de las extremas finuras de la expresión. Y es el propio Darío quien, recordando palabras de su amigo con motivo
de la prematura muerte, le señala en este aspecto de sus predilec-
ciones literarias:

"Él tenía en su conversación mariposeos y transiciones. Había en esto mucho de mujer. A intervalos, la risa vibraba su dia-
pasón:

"—Por mi parte, hombre, yo opino que es suficiente gloria
para los hermanos Goncourt haber sido los introductores del
japonismo en Francia, haber dado la nota del buen gusto en los
muebles y adornos de salón con plausibles resurrecciones de cosas bellas, y haber presentido a Zola y el desarrollo de la escuela. ¿Qué crees tú? Pero, por lo visto, tú no te fijas. ¡Qué...!
Escribiremos un libro hirviente titulado *Champaña*...

" Y nos reíamos."

*   *   *

No sabemos, porque la muerte lo ha vedado, cuánto de est
amistad iba a influir en la obra del malogrado Pedro Balmaced
nos queda en cambio la influencia positiva, irredargüible, q
éste ejerció sobre su amigo. Ya se verá, cuando hablemos e
Azul..., todo lo que el poeta asimiló de las charlas con su amig
chileno, de las lecturas que sin duda hicieron juntos, del ambiente de arte rico y adornado que Balmaceda captaba en los libros que recibía de París y en las revistas que le informaban de

movimiento simbolista de entonces. Este asunto quedó suficientemente explayado en *Obras Desconocidas,* donde ocupa las páginas LI-LXXVI de la Introducción. Los temas del Modernismo
estudiados allí son todos los siguientes: los cisnes, las flores de
lis, la decoración modernista, japonerías y chinerías, el bosque
mitológico, las joyas y pedrerías, los centauros, las palomas, y
ninfas, sátiros y bacantes. Mediante la reproducción, en columnas
paralelas, de fragmentos de obras escritas en Chile y de otras
posteriores, pudo establecerse que Rubén Darío había encontrado en este país, por primera vez, algunos modos de decir y asociaciones de ideas y de imágenes que le iban a servir, años más
tarde, para componer sus poesías modernistas. En suma, dicho
en otra forma, quedó establecido que el Modernismo había nacido en Chile.

Hasta aquí hemos aceptado, examinando textos coincidentes,
que la amistad literaria de Balmaceda y Darío fué tan completa
como pudieran pedir los anhelosos corazones de ambos jóvenes.
Pero un testigo de aquellas horas, Samuel Ossa Borne, que tan
frescos recuerdos conservó de todas ellas, sentía en forma distin-
ta. Poseía por entonces Ossa una biblioteca en formación, com-
puesta casi exclusivamente de autores franceses contemporáneos,
y era amante de la nota nueva y rara. Consta que prestó a Darío
no pocos libros, y que sus conversaciones con él versaban principalmente sobre poesía y artes. Y de aquellas conversaciones ex-
trajo, en fin, como conclusión, que el mentor literario de Darío
en Chile había sido antes Rodríguez Mendoza que Balmaceda.
La página en que cimienta aquel diagnóstico es de insustituíble
precisión y merece la lectura de quien haya seguido hasta ahora
la exploración que hacemos en los años de formación y de lucha de Darío. Hela aquí.

"Rubén Darío entregóse, al parecer, de lleno a la amistad de
Manuel Rodríguez Mendoza y a su afectuosa y sabia dirección,

aunque en la intimidad que entre ambos llegó a existir mantúvose, de parte del poeta, un tono de consideración y deferencia que honraba al uno y al otro y que halagaba a los amigos de Manuel que se apercibían de ello, como yo, no obstante la inconsciencia de mi vagar sin rumbo ni compás, sin otras miras que gozar del vivir, de la juventud, sin tasa ni medida y como infatigable lector. *A la longue la vie va si vite aujourd'hui, l'insoucieuse inconscience est si grande, les distractions si multiples...*, dijo Villiers de l'Isle Adam.

"No fué tan completa la amistad que vinculó al poeta con Pedro Balmaceda Toro, por grande que por él fuese el afecto de Darío, y que a ella se unieron las sorpresas que hubo de producir cuanto encerraba el cerebro de ese genial muchacho. Pero su espíritu irresistiblemente escéptico e inquieto, desconfiado y burlesco, no le hizo apto para todas las intimidades de Darío. Eso sí, en el campo de las letras hubo entre ambos mucha comunidad de ideas. Para las asperezas existía una válvula; Manuel, mentor de Darío y éste, Virgilio de Pedro que era un ingenio maravilloso, enorme talento natural, conjunto de pasmosas condiciones de asimilación, un interés por ilustrarse que en él lo dominaba todo, *"hormis certaines rancunes"* de que alguna vez sintió los efectos Darío y de que hay, sobreviviente, el ejemplo de un general.

"En Rubén Darío se hallaban multiplicadas todas estas condiciones, agregadas al hecho de poseer muy buena base de estudios. El poeta no era, ciertamente, como Minerva, que armada del todo nació del cerebro de Júpiter —para emplear un concepto que Brillat Savarin aplica a la ciencia y que agradaba mucho a Darío."

* * *

En las reminiscencias de Rubén Darío, la figura de Pedro Balmaceda fué elevada a la categoría de tema para la creación literaria: así nació *La muerte de la Emperatriz de la China,* cuento, que no aparece en la primera edición de *Azul,* aunque sí fué incluído por su autor ya en la segunda. Recaredo, el protagonista de aquel relato, no puede ser otro que Pedro Balmaceda, y la pasión que aquél sufre por una estatuilla oriental es parecida a la que de verdad dominó a Balmaceda y que cuenta Darío en *A. de Gilbert:* "No sé si tuvo mi brillante compañero una de esas pasiones dominadoras que consumen, no sé que haya tenido santuario en su corazón ninguna mujer de carne y hueso. Él murió a los veintiún años. Aquella adolescencia parecía tender sus alas a lo desconocido y misterioso. Tuvo, sí, un amor, un amor verdadero, del cual yo fuí su confidente. En la Ville de Paris, en un gabinete en que se apartan las cosas escogidas, lejos de todos los vulgares objetos de *bric-à-brac,* había un adorable busto de tierra cocida que a la vista semejaba un bronce. Era una Bianca Capello, tierna como si estuviese viva, con frente cándida que pedía el nimbo, y labios de donde estaba para emerger un beso apasionado, o femenil arrullo columbino. Se destacaba la cabeza morena sobre el fondo de un cortinaje de brocatel ornado a franjas de plata y seda ocre oriental. Bianca era la amada de Pedro. Allí la íbamos a ver. Él le hacía frases galantes. "Mi novia", me decía. Un día me recibió con estas palabras de gozo: "¡Por fin la tengo!" En efecto, Bianca adornaba ya, en puesto de honor, el salón principal de la familia. Me entristecería ver ahora la faz enigmática y apacible de la viuda de Pigmalión." Dentro del cuento, Pedro se ha transformado en escultor, y la estatuita de Bianca Capello en "un fino busto de porcelana, un admirable busto de mujer sonriente, pálido y encantador". "¿Qué manos de artista asiático —se preguntaba Darío— habían modelado aquellas formas atrayentes de misterio? Era una cabelle-

ra recogida y apretada, una faz enigmática, ojos bajos y extraños, de princesa celeste, sonrisa de esfinge, cuello erguido sobre
los hombros columbinos, cubiertos por una onda de seda bordada
de dragones, todo dando magia a la porcelana blanca, con tonos de seda inmaculada y cándida. ¡La emperatriz de la China!"

En el cuento hay un drama de celos, que según sabemos no
calza a la vida de Balmaceda; pero él permite a Darío hacer una
curiosa enumeración de mujeres, en donde no es forzado ver
sendos retratos de jóvenes chilenas de quienes entonces tuvo noticias muy directas, al través de los relatos de sus amigos. "¿Lo
diría por la rubia Eulogia, a quien un tiempo había dirigido madrigales? Ella movió la cabeza: —No. ¿Por la ricachona Gabrie-
la, de largos cabellos negros, blanca como un alabastro y cuyo
busto había hecho? ¿O por aquella Luisa, la danzarina, que tenía una cintura de avispa, un seno de buena nodriza y unos ojos
incendiarios? ¿O por la viudita Andrea, que al reír sacaba la
punta de la lengua roja y felina entre sus dientes brillantes y
amarfilados?"

Pero lo más singular de todo es que este cuento fué discutido
y comentado, antes de llegar a la pluma, por Balmaceda y por
Darío, y que ambos proyectaron, según parece, escribirlo como
cariñosa emulación. De Darío se conoce el resultado completo y
definitivo; de su amigo chileno sólo el esbozo, trunco o descar-
nado como esqueleto, confiado en carta íntima a Manuel Rodríguez Mendoza. Encargado por el Presidente Balmaceda de recoger las obras de su hijo, abrió esas páginas con un prólogo henchido de afecto al joven escritor malogrado en la mañana de la
vida, y para enriquecer el prólogo con algo emanado del propio
espíritu que estaba evocando, añadió allí fragmentos de cartas de
Pedro Balmaceda, en que éste le confiaba ideales literarios.
"Quiero apurar el color, pero en sus tonos más suaves; quiero

escribir a lo Watteau, si es admisible esta manera de decir." Y sigue explayándole su proyecto:

"La emperatriz del Japón se muere de nostalgia entre sus monstruos de bronce.

"Para divertirse un poco le da de puntapiés a sus mandarines y bonzos y quiebra sus abanicos en las narices de sus damas de honor.

"Está celosa de unas Venus que el emperador ha hecho traer de París; desea parecerse a ellas, tener los mismos perfiles griegos.

"Hace venir a su pintor favorito, un notable artista, que con una pincelada bosqueja un horizonte y con unas cuantas manchas de espátula dibuja un pavo real.

"—¡Que me hagan mi retrato!—dice la emperatriz.

"Segundos después aparecen los acentos circunflejos, los tonos de ámbar quemado, las palideces cerosas de su fisonomía, realzada por el oro y el rubí de sus trajes.

"¡Un verdadero ídolo de marfil!...

"—¡Qué horror —exclama—, ésa no soy yo!

"Y el pintor favorito es azotado con látigos de piel de culebra.

"Al pasar por donde están las Venus parisienses, el pobre artista exclama:

"—Los demonios quieren ser dioses...

"Al día siguiente la emperatriz no siente celos y se entretiene en dar puntapiés a sus mandarines o en jugar con sus babuchas de seda color garganta de paloma atornasolada.

"No se hacen Venus con el marfil de los ídolos.

"Ese es el cuento, que le envío en esqueleto. Cuando esté terminado tendrá su poquillo de intención. ¿Tiene originalidad? Usted contestará por mí."

Quien compare, lado a lado, el esbozo de Balmaceda y el

cuento acabado de Darío, convendrá con nosotros en que ambas
páginas debieron necesariamente ser en algún instante compar-
tidas por los dos artistas. Y luego, en Darío, que la llevó más
lejos, la obra se cargó de elementos propios y el autor se dió
maña para intercalar en el relato puramente imperial y fantástico la imagen de su amigo, a quien disfraza bajo el nombre de
Recaredo y a quien atribuye, en cambio, como clave para el lector de más adelante, la pasión por aquella frágil estatuilla de terracota recordada por el poeta no en el cuento mismo, sino en
sus reminiscencias de *A. de Gilbert*. El paralelo es sorprendente
y configura ya la influencia literal de Balmaceda en Darío que
se podía sospechar al cabo de tanta intimidad artística.

*   *   *

En el verano de 1887, Pedro Balmaceda convidó a su amigo
Rubén a su casa de Viña del Mar, lugar de recreo en el cual se
recogía el Presidente de la República a olvidar un poco el rumo-
roso enjambre de los apetitos y de las inquietudes de Santiago.
Ahí el poeta gozó más detenidamente de la compañía del primer
mandatario, que, libre de muchos de los deberes de su cargo,
pudo concederle una atención que en la capital apenas podía in-
sinuarle. "El señor Balmaceda —escribió Darío al evocar la vida
de su hijo—, persona de rara potencia intelectual, además de las
dotes de gobernante y de político que posee, es un literato y orador distinguido. Sobre todo, en la tribuna es donde ha triunfado
más en su vida pública. Su voz es vibradora y dominante; su
figura llena de distinción; la cabeza erguida, adornada por una
poblada melena, el cuerpo delgado e imponente, su trato irrepro-
chable del hombre de corte y de salón, que indica a la vez al diplomático de tacto y al caballero culto. Es el hombre moderno."

Y recordando más precisamente el encuentro, Darío decía: "Era en su mansión de Viña del Mar, en el precioso chalet donde pasaba las temporadas de verano. Presentado a él por su hijo el brillante y malogrado *A. de Gilbert,* tuve la honra de sentarme a su mesa. Estaban allí su madre, una anciana y venerable dama; su esposa doña Emilia Toro, nieta del señor Toro Zambrano, conde de la Conquista; sus hijos y dos amigos íntimos, el hoy ilustrísimo señor Obispo Fontecilla y el afamado general Cornelio Saavedra, pacificador de los indios araucanos. En la mesa era la voz del Presidente la que se oía sobre todas, en los mil giros de la conversación. Balmaceda poseía ese agradable chisporroteo de los buenos conversadores y cierta delicadeza de percepción y de juicio casi femenil. Al instante se advertía que de continuo está en tensión el cordaje de sus nervios."

Con mucho tino, Rubén Darío no escribió esto en Chile, gozando de la amistad de la familia Balmaceda, sino en El Salvador, cuando la noticia de la muerte de Pedro le hizo derramar lágrimas de una desdicha sincera.

*   *   *

Darío, radicado en Valparaíso en 1887, quiso mantener su colaboración para *La Epoca* de Santiago, y confió en la buena amistad de Pedro Balmaceda, que ocasionalmente escribía allí con el seudónimo *A. de Gilbert.* Así se desprende por lo menos de algunas de esas colaboraciones, que el diario santiaguino insertaba en la sección titulada *Bellas Letras,* exornadas con elogiosos comentarios en que se reconoce la pluma de Balmaceda. Con motivo de la traducción de *Pensamientos de otoño,* sobre un poema original de Armand Silvestre, Balmaceda escribía líneas delicadas y encantadoras:

"Pensamientos de otoño.—En esta sección publicamos una composición inédita que nos ha remitido desde Valparaíso el joven poeta don Rubén Darío.

"Hay ciertas personas para quienes la historia está de más. Darío es una de esas. No tiene biografía, y si la tuviera, nosotros la suprimiríamos, porque ese es el mérito del poeta: vivir ignorado, sin porvenir, sin presente, como las aves de paso, según la expresión de Musset.

"La poesía moderna se acerca día a día al ideal de la amargura, a las tristezas mundanas, a las miserias del hambre, de la oscuridad. Los verdaderos poetas son los que sufren, los que lloran, no los que cantan, porque el arte forma la música, las ideas delicadas, las sensaciones del placer, las voluptuosidades del mármol, y sólo quienes tienen el vino triste, quienes tienen la aspereza verde del ajenjo, pueden soñar en los ideales perdidos...

"Y ¿quién creyera? ¡Para reir hay que llorar! Nuestro amigo, en un libro inédito que ya se encuentra en prensa, y titulado *Abrojos,* nos refiere alegres historias, algo del perfume del jazmín y de las rosas que tienen sus espinas y su poco de sangre.

"La poesía que copiamos en esta sección es hermosa bajo muchos conceptos, y serviría de modelo —si nuestro amigo no fuera tan joven— como intención delicada, soñadora, llena de rasgos exquisitos.

"En ella se sienten todos los perfumes y murmullos que arrastra el otoño, entre torbellinos de hojas secas; algo del recuerdo de un amor inocente que sólo hablaba de los rosales trémulos, algo como una pasión expirante, un crepúsculo del alma.

"No necesitan juicio los versos de nuestro amigo. Dominados por la amistad, sólo queremos hacer notar toda la pálida alegría de esta composición, toda la languidez extenuada de sus versos."

Y algunos días después, la misma pluma anónima comentaba el poema *Autumnal* en términos no menos delicados.

"AUTUMNAL.—El otoño con todas sus grandezas melancólicas, con sus tristezas infinitas, nos produce la impresión de un himno que se apaga lentamente, de una frase de amor que se corta en la mitad. Los árboles abandonan su ropaje verde y se visten de hojas amarillas. Las hojas se desprenden y ruedan: han cumplido su destino. Los días interminables, las eternas lluvias se acercan, pero antes el cielo se cubre con su manto gris de otoño: la tierra antes de llorar suspira.

"En presencia de espectáculo tan sencillo, tan natural, nos sentimos conmovidos involuntariamente. ¿Por qué? ¡Ah! no se analiza el sentimiento.

"Rubén Darío, nuestro querido poeta, ha experimentado profundamente esa emoción y ha cantado el himno del otoño, el excelsior del otoño, su *Autumnal*. Hacía mucho tiempo que no veíamos algo tan poético, algo tan sentido como esta composición, quizá la mejor que nos haya dado.

"Hace poco tiempo, un brillante artículo de *A. de Gilbert* saludaba la aparición de los *Abrojos,* expresando lo que todos sentíamos. No tenemos espacio suficiente para esbozar ni una crítica ni un retrato; hemos querido únicamente lanzar una palabra que guardábamos desde hace largo tiempo, decir en confidencia a todo el mundo que las poesías de Darío son encantadoras." (14 de abril de 1887.) [5]

Balmaceda, siguiendo en su generoso papel de consejero y guía de Darío, creyó necesario instarle para que se presentara al Certamen Varela, y en cuanto aparecieron las bases en los dia-

---

[5] Damos estos fragmentos, que suponemos de la pluma de Pedro Balmaceda, como aporte al conocimiento de la obra de *A. de Gilbert,* que fué recogida a su muerte en un volumen notoriamente incompleto.

rios envióle una carta gentil y persuasiva. "Un consejo, que espero seguirás con entusiasmo —decía en ella—. Es un deseo de amigo. Puede traerte provechos de consideración. El señor Varela ha abierto un nuevo certamen para el mes de septiembre." Y le copiaba los dos temas que a Darío podían interesar: las composiciones al estilo de Bécquer y el canto épico; en seguida agregaba: "Ya ves. Trabaja y obtendrás el premio, un premio en dinero, que es la gran poesía de los pobres." Darío atendió la indicación y escribió las *Otoñales,* a las cuales referíase Balmaceda días después. "Junto con ésta van las *Otoñales.* En una carta de invierno, la poesía de las hojas secas. Sabrás que el plazo fijado para la admisión de composiciones en el Certamen Varela expira el 1 de agosto. Ojalá corrigieses las que te envío y en época oportuna me las remitas todas, que los dos, Manuel (Rodríguez Mendoza) y yo, nos encargaremos de llevarlas a la Universidad." Las composiciones becquerianas fueron, pues, leídas por Balmaceda para obtener su juicio previo, que no está expreso en las cartas, pero sí insinuado en la expresión "ojalá corrigieses".

Sobre el *Canto épico* no aparece mención en esta correspondencia, y debe presumirse que Darío no lo consultó a Balmaceda, sino a Eduardo de la Barra, ya que, como se verá más adelante, de éste recibió informaciones y datos que le sirvieron para redactarlo.

En 1888 Pedro Balmaceda proyectaba ya libros y se avanzaba a señalar la novela como meta de sus andanzas literarias. En carta a Rodríguez Mendoza le confiaba:

"Proyecto además algunos cuadritos sueltos, que pienso publicar en un solo cuerpo; cinco o seis, a manera de bosquejo, tomados del natural; pequeños paisajes, hechos a grandes pinceladas.

"En ellos concentraré mi estilo para acostumbrarme a describir.

"Después vendrá lo demás, cuadros con figuras, por ejemplo: *Un matrimonio en día de lluvia, Una escena en la Alameda, Un taller de escultura.*

"Todo esto dentro de los límites de la verdad observada y sentida.

"Intentaré escribir de modo que las cosas salten a la vista y sean palpables, si es posible.

"Estoy convencido de que fuera de lo que se ve, no hay camino seguro. Lo demás es andar haciendo equilibrios con las frases, buscar cadencias y rimas, como le sucede a tantos que se baten con los pinceles, sin mirar un modelo, y hacen verdaderas mescolanzas de colores.

"En el día es preciso dejarse dominar por la verdad y rechazar todo adorno excesivo, a fin de abarcar el conjunto del modo más neto y preciso.

"¡Ah! Usted cree que algún día puedo tentar la novela.

"Qué conciencia he de llevar de lo que es la observación física y psicológica.

"En fin, me emplazo para los veinticinco años. Antes, por nada.

"Y para concluir: ¿Ha llegado a la "Ville de Paris" algo nuevo de Daudet, de Pierre Loti o de Paul Bourget?".

* * *

En esta amistad de almas algo hubo que alejó a estos dos jóvenes. Darío lo refiere con suma discreción: "Nuestra amistad fraternal tuvo una ligera sombra. A ella contribuyeron situaciones que me hicieron aparecer ante él como "sirviendo intereses políticos contrarios a los de su padre", rápidos relámpagos de carácter, y sobre todo razones que bien podrían llamarse la explotación de la necesidad. No estreché su mano al partir."

El desconocido incidente que separó a los dos jóvenes queda envuelto en penumbras, y ninguna de las explicaciones que de él se han intentado, puede satisfacer al curioso. Mientras Darío estuvo en Santiago, *La Época,* el diario de su colaboración asidua, figuraba en las filas gobiernistas, ya que su propietario, don Agustín Edwards, fué ministro de Balmaceda, y pasó a la oposición sólo avanzado el año 1888. Pero cuando Darío volvió a Valparaíso, inició colaboración en *El Heraldo,* que desde sus comienzos, en el mes de enero de 1888, se iba a significar por su oposición a Balmaceda. La referencia anterior podría entenderse en el sentido de que colaborar en *El Heraldo,* era una forma de ayudar "intereses políticos" contrarios al padre de *A. de Gilbert.* En la política misma, Darío no se mezcló para nada, principalmente porque la de Chile estaba en sus días adquiriendo una complejidad tal que se le hacía a él inaccesible. Acaso el origen de aquel incógnito suceso haya de estar más bien en la irritabilidad de los caracteres de ambos mozos, no por maldad ni por sequedad de corazón, sino porque el artista vive entre caprichos y suele tomar por realidad la ilusión y dar proporciones de montaña a lo que no pasa de ser grano de arena. De todos modos, el incidente que distanció a los dos jóvenes ha debido producirse después de enero de 1888, ya que en esta fecha el poeta escribía en el album de Elisa Balmaceda Toro la poesía *La lira de siete cuerdas,* que hubo de quedar inédita hasta 1938 [6].

---

[6] La publicó por primera vez don Julio Saavedra Molina en *Poesías y prosas raras,* p. 9.

Capítulo IV

A B R O J O S

Pedro Balmaceda por su parte había comenzado a seguir las producciones de su amigo, y en los *Abrojos* encontró muestras de talento y la revelación de una amargura que convenía a maravillas con su triste concepto del mundo. Eran, como dice Darío, "desahogos", inspirados en las *Humoradas* de Campoamor y en las *Saetas* de Leopoldo Cano, con algo de Bartrina y de otros autores de epigramas; pero señalaban la existencia de un poeta sincero, capaz de exaltarse ante la belleza, todo lo cual impresionó grandemente a Balmaceda. Y cuando llega el instante en que la cartera de recortes de Darío se ha llenado de estas minúsculas fibras de su angustia y de su nostalgia, "Pedro las hizo imprimir en casa de Jover."

La publicación de los *Abrojos* fué anunciada como muy próxima por *La Libertad Electoral*, diario del cual era entonces cronista Narciso Tondreau, a quien se debe atribuir el siguiente suelto:

"ABROJOS.—Está ya terminada la impresión del elegante volumen de poesías de don Rubén Darío que lleva el título de *Abrojos*. La impresión hace honor a los talleres de don Rafael Jover, dueño de la Imprenta Cervantes, que es una de las que ejecutan trabajos más esmerados en esta capital.

"En cuanto a los versos que el volúmen contiene, diremos

9

que son de mérito sobresaliente y que revelan en su autor un poeta de sentimientos exquisitos y refinados.

''En el mundo de prosa en que vivimos habrá muchos que no comprendan el libro del señor Darío; pero, consuélese el joven poeta: en medio de la revuelta muchedumbre que adora el becerro de oro, hay muchas almas impresionables que saben distinguir lo que es sentimiento y poesía.

''Sabemos que el joven don P. B. T. publicará un juicio sobre el libro del señor Darío.''

Las iniciales que el suelto daba corresponden al nombre de Pedro Balmaceda Toro, quien efectivamente escribió sobre el libro de su amigo Darío el día 20 de marzo en las columnas de *La Época*.

Balmaceda no sólo costeó la edición —según creemos— sino que tomó a su cargo la parte ingrata de la tarea: imprenta, corrección de pruebas y demás, porque Darío, entre tanto, se había ido a Valparaíso. Y cuando salió el libro, se apresuró a darle ambiente escribiendo sobre él un simpático y cariñoso artículo, con no pocas observaciones eruditas que conservan mérito. *Abrojos,* según Balmaceda, se caracteriza así:

''Es una poesía nueva entre nosotros, es la virgen de los hielos, las rubias ondinas de los bosques de Alemania, que han emigrado a nuestro país, y por lo mismo que allá en el polo esa inspiración seduce, aquí, llenos de sol, de aire, tiene atractivos y magnificencias deslumbradoras.

''Es Bécquer, con el cielo de Sevilla; es un poco de Musset con la tristeza aristocrática del *faubourg* Saint Germain; es Leopoldo Cano, es Bartrina, es Heine, el gran poeta, el único que ha tenido el cielo entre sus brazos, el único que ha acariciado a los dioses, que ha vivido en el Olimpo y que ha sufrido grandes contrariedades a la altura de su genio y de su desgracia. Darío, por temperamento, por escuela, tiene el vino triste. Sus poesías son concebidas en otoño, con todos esos rasgos grises de la melancolía. Sólo de vez en cuando se descubren algunas características, algunas historias de besos, el poema de los labios con toda la frescura y delicadeza de la mujer."

Y añadía: "Darío es el primer cantor de la nueva escuela que ha llegado a nuestras playas. F. Coppée, A. Silvestre, Arène y todos los *parnasiens* del gran barrio de París, si comprendiesen el español, dirían que Darío es un hermano. Tiene toda la gracia de esos elegantes escépticos, que aunque no creen en la vida, pasean con todo lujo, con espléndido traje."

* * *

Entre los libros de Darío, *Abrojos* es el que tiene historia mejor conocida, gracias a la luz que sobre ella proyectaron el propio autor y sus amigos chilenos. En el álbum de Rodríguez Mendoza escribió Rubén Darío la siguiente *Historia de un Abrojo,* que divulgó Orrego Luco al escribir sobre su amigo nicaragüense cuando éste acababa de alejarse de las costas chilenas rumbo a Centro América. Hela aquí:

—¿Noches buenas, no? Charlas como aquellas será difícil que volvamos a tenerlas, entre el ruido de los papeles, uno frente a otro, ambos flacos y soñadores, llenos de ciertas vanidades que son virtud en algunos hombres.

Hablábamos una noche en la sala de redacción, de cierto brillante talento; una triste historia de amor, un capítulo que bien podría titularse: De cómo se va al país de Bohemia. Verdaderamente, el sucedido me impresionó. La lluvia tamborileaba musicalmente, cayendo escasa de los tejados. Hacía frío, frío de esos que hacen pensar en una taza de té, en una copa de vino negro y en un buen lecho lleno de blancuras tibias.

Ya los *Abrojos* —esos abrojos míos que son **tuyos** también— estaban casi terminados. Luego tú, desesperaste:

—¡Y bien! Ahí tienes tema para uno.

En verdad, la historia melancólica, la locura pálida de desengaño, todo aquello...

Escribí:

> *Cuando la vió pasar el pobre mozo,*
> *Y oyó que le dijeron: —¡Es tu amada!...*
> *Lanzó una carcajada,*
> *Pidió una copa y se bajó el embozo.*
> *—¡Que improvise el poeta!*
> *Y habló luego*
> *Del amor, del placer, de su destino.*
> *Y al aplaudirle la embriagada tropa,*
> *Se le rodó una lágrima de fuego,*
> *Que fué a caer al vaso cristalino.*
> *Después tomó su copa*
> *Y se bebió la lágrima y el vino.*

A ti te gustó, ¿no es verdad?—*Rubén Darío.*

Orrego Luco, después de copiar esta página entonces inédita, la comenta ofreciendo algunos nuevos pormenores que tal vez no sea ocioso conocer.

La historia que inspiró a Darío fué la siguiente: Varios amigos habían comido en alegre reunión. Al destaparse el *champagne,* todos brindaron, menos uno, que acababa de recibir uno de esos golpes que dejan una tristeza más y una esperanza menos. Luego salieron juntos a las ocho y media de la noche, y cruzaron por una de las calles más concurridas a esa hora. Al doblar de una esquina, alguien tomó del brazo a este joven y le dijo:

—Mira, es tu amada.

Era una rubia, una mujer encantadora, que el joven en aquel instante —por las circunstancias de su vida— tenía muy cerca y muy lejos del corazón. La impresión fué tan profunda, que lo apartaron llevándolo a cualquier parte, a un café. Al coger la copa no pudo contenerse, rodaron sus lágrimas y... se bebió la lágrima y el vino [1].

Fuera de aquella explicación que el propio Darío hace de uno de sus abrojos, interesa saber cómo nacieron ellos en conjunto y qué significa el libro en su intención. Sobre todos estos problemas es particularmente plausible el comentario de Rodríguez Mendoza, a quien la colección aparece dedicada.

"Nacieron de las *Humoradas* de Campoamor y de las *Saetas* de Leopoldo Cano —escribió Rodríguez Mendoza—; y convino Rubén en que el abrojo debería tener algo de la humorada y algo de la saeta: la nota alegre hermanada con la nota triste, el dolor al lado del placer, la virtud vacilante cerca del vicio victorioso, el deber burlado por la audacia o el cinismo, en una palabra, la risa en los labios y el llanto en los ojos...

"El título —la palabra *abrojo*— se acordó después de leer una bellísima dolora de Manuel Acuña, el poeta loco, autor del apasionado Nocturno en que las estrofas parecen escritas con el llanto amargo de las almas enfermas y sin esperanzas.

"Si no hubiera sido por la dolora de aquel joven náufrago de la vida, que halló el reposo eterno en una copa de cianuro de potasio, los Abrojos se llamarían, quizá, *Gotas de vitriolo*, título absurdo, al parecer, que le sugerí yo al autor de *Azul...*, a

---

[1] Sin pretender desmentir tales explicaciones, recordemos el siguiente pasaje de *Lélia* de George Sand: "Mais quelle douleur était-ce? Trenmor cherchait vainement la cause de ces larmes qui tombaient au fond de sa coupe dans le festin, comme une pluie d'orage dans un jour brûlant. Il se demandait pourquoi, malgré l'audace et l'énergie d'une large organisation, malgré une santé inaltérable, malgré l'âpreté de ses caprices et la fermeté de son despotisme, aucun de ses désirs n'était apaisé, aucun de ses triomphes ne comblait le vide de ses journées." (Ed. Michel Lévy, 1896, p. 28.)

fin de despertar la indiferencia egoísta del público, a fin de sorprender —esta es la palabra— a los refinados que gustan leer las obras que saben a bombones parisienses..."

Es una fortuna que Darío no haya seguido el consejo de su amigo chileno, y que su serie no se llame *Gotas de vitriolo...* Rodríguez Mendoza agrega:

"Pero, siguiendo en mi historia de los *Abrojos*, ¿conoce usted, amigo Samuel, el primero que se escribió en la sala de redacción de *La Época*, sobre la misma mesa pedestal en que la Venus de Milo nos hablaba de ideales y de ensueños que se han desvanecido para siempre?

"Tal vez no.

"Ese primer abrojo fué mío.

"Ello no extrañará a usted, a usted mi inseparable compañero de charlas literarias, que me ha oído lamentar, en medio de las exigencias prosaicas de la lucha por la vida, el suicidio de mis aspiraciones de artista.

"Cuando el autor de *Azul...* proyectaba, lleno de entusiasmo, al impulso de las ambiciones generosas de los veinte años, el libro cuyo origen le refiero; cuando Rubén me hablaba de los mil abrojos que enardecían su cerebro, solía yo preguntarle:

"—¿Por qué no los escribes; por qué no los aprisionas en unas cuartillas de papel?

"—¡Ah!, me contestaba, es que yo me río a carcajadas de las sederías de Lyon que se exhiben en las vidrieras de Pra...

"—No te comprendo; o estás loco o yo he perdido la razón.

"Y Rubén me miraba con aire de profundo misterio.

"—Ya verás, ya verás, me decía...

"Hoy me explico esas palabras del poeta, esas frases enigmáticas como las miradas de la esfinge de Tebas.

"Darío, al propio tiempo que los abrojos, había comenzado a tejer el velo de la reina Mab...

"¡Cómo no reir entonces a carcajadas de las sederías de Lyon que se exhibían en las vidrieras de Pra!... [2]

"El velo de la reina Mab...

"¿Ha visto usted, amigo Samuel, algo más diáfano y sutil, de una fantasía más extrahumana, de un encanto más dulce y divino?

"Así me explico que Rubén mirase sus abrojos como entretenimiento baladí, a pesar de que ellos forman una admirable colección de miniaturas al agua fuerte, dignas casi todas del buril de Rembrandt o de Alberto Durero.

"Una noche, fría noche de invierno, de las que invitan a beber el vino negro que la sangre enciende y pone el corazón con alegría; una noche de julio o agosto, el tejedor maravilloso de velos de hadas tuvo el raro capricho de exigirme que esbozara en prosa unas cuantas ideas que participaran de la intención de la saeta y la humorada.

"—Ya sabes, me dijo: escribe una saeta humorística. Ensaya. Mientras tú meditas un instante, yo daré forma a algunos de mis abrojos. Pero, te confieso que no estoy en mi noche para seguir en pos de Campoamor y de Leopoldo Cano. Siento... ¿A que no imaginas lo que siento? Siento como un lejano enjambre de cigarras y de abejas...

"—Adivino, le interrumpí: los poetas como tú gustan del cantar de la cigarra y de la miel que se guarda en cofrecillos de blanca cera.

"En seguida, él y yo nos inclinamos sobre el papel; las plumas vacilaron un momento, como si nos distrajera el lejano cantar de las cigarras, el lejano zumbar de las abejas...

"—¿Has terminado, al fin?

---

[2]   Importante casa comercial de Santiago, que en 1887 poseía la mejor clientela.

"—Sí —le contesté—; escucha, pero sin burlarte de mí.

"Y leí :

"Pobre Maruja... Hice amistad con ella y su madre cuando iban por las mañanas al Mercado, a efectuar las compras para la cocina de un burgués millonario. Maruja era un botón de rosa, fresco y fragante. Pero, qué timidez más extraña y qué pudor más invencible... Anoche —dos años después— la encontré en el vestíbulo del Municipal. La acompañaba un elegante mozo, lo que no fué obstáculo para que ella se sonriera conmigo y me dijera al pasar : —¿Qué le pareció Mignon? ¡Qué bien la Cordier !... Volví a mirar a la pobre muchacha, y..., verdaderamente, no la pude reconocer..."

"Rubén, amigo fraternal, tuvo la generosidad de aplaudirme.

"—¿Y tú? —le dije, para disimular la vergüenza de mi desgraciado abrojo—. ¿Has terminado?

"—Creo que sí.

"—Lee.

"Y leyó :

> *Lodo vil que se hace nube*
> *es preferible por todo*
> *a nube que se hace lodo :*
> *esta cae... y aquél sube...* [1]

---

[1] Este abrojo fué copiado en el álbum literario de Pedro Nolasco Préndez, en donde, junto a la firma de Darío, se lee la fecha noviembre de 1886.

Pero Préndez, según parece, no quedó satisfecho con aquellos cuatro versos, y obtuvo del poeta forastero nueva contribución a su álbum, el poema que comienza diciendo : "Ante el tribunal divino" *(Obras Desconocidas,* pp. 95-7), que encierra un juicio general acerca de las relaciones que median entre Andrade y Préndez. En el álbum, que hemos visto gracias a la gentileza de Carlos Préndez Saldías, los versos aparecen fechados en el mes de enero de 1887, pero los publicó *La Época* sólo en su edición de 4 de marzo.

"Me puse de pie y estreché la mano de Darío con cariñoso respeto.

"Campoamor y Leopoldo Cano habrían puesto su firma a ese abrojo que, en cuatro versos, compendia la historia de las que caen de mucha altura, hasta arrastrarse en el sucio jergón de las rameras, y de las que ascienden desde muy abajo, hasta redimirse por el amor y el arrepentimiento...

"Mes y medio después, los *Abrojos* se aplaudían con entusiasmo en algunos círculos literarios de la capital.

"Tales fueron, amigo Samuel, los orígenes de esta obra tan discutida por algunos Zoilos y Tartufos de nuestra tierra."

Entre los Zoilos a que se refiere Rodríguez Mendoza podría señalarse tal vez a Luis Orrego Luco. Contaba este escritor que había sido "uno de los primeros en aplaudir estos versos cuando se publicaron, y sentía entonces, como algunos otros, el entusiasmo que expresó con tanto brillo *A. de Gilbert*"; pero después, es decir, en 1889, ya no le gustaban. Para definir el género mismo de los abrojos, Orrego dice: "Eran composiciones breves, destinadas a expresar un sentimiento doloroso, una espina que se arrancaba del pecho; eran los desahogos de los momentos de amargura, cuando se hallaba realmente en la miseria, enfermo, desengañado y triste, miserias que sólo podemos comprender los que lo conocíamos entonces. Algunos de esos abrojos tienen su historia interesante."

Y luego entra a explicar por qué, a distancia de sólo dos años, ya no le podía satisfacer aquella poesía incisiva y nerviosa.

"La vida, tal como se desprende de los *Abrojos* de Darío, no es la vida real, es un mundo recargado con los colores de las miserias y de las tristezas de aquel tiempo, es un mundo falsificado por el instrumento que lo observa. Esta falsificación yo la perdonaría si fuese sincera, si tuviese el relieve y el sentimiento profundo de las desengañadas concepciones de Leopardi, de Heine y de Musset. La verdad es que Rubén no había dado todavía con el verdadero tono de sus cuerdas de poeta. No debió nunca dedicarse al género subjetivo, al género de Musset y de Heine, a las tristezas íntimas, a los dolores ocultos y poderosos; ni le cuadraban tampoco la burla desdeñosa y cruel, el escepticismo y la pasión de Lord Byron y de Puchkin, el Byron ruso.

"Le faltaba una de las condiciones esenciales para cultivar ese género: el ardor del alma, el culto apasionado y personal —a través de la vida propia— de lo bello, el sentimiento poderoso que coloca un revólver en la mano de Werther.

"El corazón de Darío era tibio, casi frío, y su imaginación estaba poblada de imágenes brillantes, de armonías, de colores y de sueños. Comprendía de una manera admirable la parte externa de la naturaleza, interpretaba ese mundo de la luz y de la carne con tanta habilidad como Fortuny en la pintura; pero el mundo oculto e íntimo, el de las pasiones tempestuosas que produce los arranques del Intermezzo y de las Noches, ése no lo conoció nunca. En los *Abrojos* estaba fuera de camino; al escribir su *Invernal,* su *Autumnal,* su *Anatkh,* Rubén Darío fué todo un poeta, un gran poeta. Al buscar sus combinaciones admirables de colorido y de armonía, de luces y de notas, seguía la senda marcada por Víctor Hugo." *(La Libertad Electoral,* 20 de febrero de 1889.)

"En los *Abrojos* hay lagunas —añade por su parte Samuel Ossa Borne—. En mi concepto la más grave es esta parte del XXXIII:

> *Mira, cuando tus ansias vuelo tomen*
> *y te finjan grandezas tus antojos,*
> *bellas, rostro divino y labios rojos,*
> *que unas comen pan duro, otras no comen.*

"En el original está lo mismo. Los originales son claros.

Ellos demuestran que Darío escribió sus *Abrojos,* y lo mismo sus *Rimas,* sin vacilaciones, y las contadas que dieron lugar a tal cual cambio, fueron hechas en el acto mismo de nacer la idea. Las más importantes son las del Prólogo a Manuel Rodríguez Mendoza, en el cual después del verso

> *de nuestras amigas charlas*

se alcanzó a escribir

> *mi alegre musa, al desgaire*
> *me sopló unas consonantes*
> *a aquel par de fabricantes*
> *de castillos en el aire.*

"Pero la modificación fué inmediata. Así lo demuestran los originales que están escritos al correr de la pluma siguiendo el pensamiento⁴. De la precedente estrofa, eliminada, se con-

---

⁴ Samuel Ossa Borne escribía en 1918 *(Pacífico Magazine):* "De sus *Abrojos* —que conocí en las pruebas de imprenta, y de los que poseo los originales— debo decir: en su mayor parte me produjeron efecto favorable, muy favorable; algunos no me deslumbraron, y no faltan algunos que habría preferido no hallar en el volumen. De las *Rimas* —que también poseo originales—, he de reconocer que me encantaron. Publicado *Azul,* fué enorme mi impresión *Azul* me dió a conocer otro Rubén Darío."

Después los originales de *Abrojos* fueron entregados por Ossa Borne a su amigo don Matías Errázuriz, quien los conservó en su casa de Buenos Aires hasta que ésta fué convertida en Museo Nacional de Arte Decorativo. En el catálogo de dicho Museo se lee la siguiente nota (p. 231): "469. *Manuscrito de "Abrojos", de Rubén Darío.* Comprende 72 páginas de puño y letra del poeta. Está precedida por esta breve nota, redactada en papel de la Administración Principal de Correos de Santiago: "Estimado Samuel: Le dejo sobre su mesa los originales de los *Abrojos* de Rubén Darío. Hasta luego. *Manuel."* Trátase de un envío hecho por Manuel Rodríguez Mendoza a Samuel Ossa Borne. El libro fué editado

servó la idea del "fabricante de castillos en el aire", que se
encuentra al final casi de la primera parte del prólogo. Hay en
éste también ·otro caso: en seguida de la frase "y la hipocresía
en todo" se alcanzó a escribir: "mucho tigre carnic", lo que
fué rayado inmediatamente para dejar el verso como está en
la edición de Santiago de Chile, Imprenta Cervantes, 1887."
(*Pacífico Magazine,* abril de 1918.)

* * *

Abrojos es el libro más íntimo de Rubén Darío, y difícil
sería no ver en él una exhalación directa de su espíritu lastimado por la realidad circundante, maltrecho con los golpes de
la vida y resentido de las humillaciones cotidianas a que está
sometido el artista en los difíciles comienzos. Podría repro-
chársele que se halla empapado en lágrimas y que contiene dic-
terios de sarcasmo; pero tal vez le afecta más la nota de arte
incipiente, que invalida no pocas de sus páginas. Mas esto
también tiene su secreto. El poeta había escrito hasta entonces,
así en Nicaragua como en otras tierras centroamericanas, por
las que pasó antes de venir a Chile, unos cantos muy entona-

---

en 1887, en Santiago de Chile, en la Imprenta Cervantes, calle de la
Bandera, número 73. La obra fué escrita en Chile por el poeta, quien
tenía a la sazón diecinueve años. En el original que posee el Museo
faltan las tres primeras cuartetas y dos versos de la siguiente, corres-
pondientes al primer poema. Hay incluídos varios poemas que no figuran
en dicha edición (los números IV, V, IX y X). En posteriores ediciones
se añadieron algunas composiciones más, que fueron publicadas previamente en el diario *La Época* de Santiago de Chile. En la edición de
Obras completas de Darío, compiladas por Ghiraldo, registrada en la Biblioteca Nacional de Buenos Aires con el número 239.522, dícese en una
acotación al margen del texto de *Abrojos,* que los originales manuscritos
se hallan en poder de don Matías Errázuriz."

dos, donde calca con facilidad ciertos modos de Víctor Hugo a los cuales mezcla el ardor enciclopedista de Quintana, todo ello inclinado al engolamiento oratorio, versos convencionales, fríos en el fondo, a cuyo través el poeta confiesa sus ideas y sus propósitos políticos. Suelen insertarse en ellos también, tal cual vez, algunas influencias clásicas, ya que no en balde el adolescente leyó de corrido no pocos volúmenes de la Biblioteca Rivadeneira y adquirió con las letras españolas de los siglos de oro una familiaridad que siempre le iba a acompañar y que le daría, por lo demás, superioridad visible sobre sus compañeros de letras. En Chile pudo caer en la cuenta de que esta poesía ya no agradaba, tal vez porque el ambiente era muy afrancesado en gustos artísticos; algún día reprodujo en la prensa santiaguina ciertos cantos escritos hasta los primeros meses de 1886, esto es, antes de su viaje a Chile, pero debe haber sido poco halagüeña la acogida que sus amigos les prestaron porque no insistió. Con los *Abrojos,* en suma, el poeta afrontaba el riesgo de cambiar estilo, llevando a las letras ciertas protestas íntimas y ciertas quejas de corazón adentro que hasta entonces había sofocado.

De los *Abrojos* el poeta publicó no más de nueve en el diario *La Época,* contrastando ellos por su brevedad, la malicia de sus rasgos, la observación intencionada que casi siempre contienen, la desesperada melancolía, cuando no el frío sarcasmo, con los versos acogidos habitualmente en las columnas de ese diario. El prólogo de que los ornó Rubén Darío explica en forma clara y precisa cómo nacieron y de qué sustancias se nutrió su escasa carne lírica. "Vimos perlas en el lodo, burla y baldón a destajo", escribía entonces el joven nicaragüense, y estos contrastes que sublevaban su inquietud le produjeron una honda conmoción espiritual: si hay estas alternativas en la existencia, ¿por qué no condenarlas? ¿Por qué no exponer

a la vergüenza al que delinque, al que ataca a la virtud, al que
se burla de la miseria, a todos en fin cuantos hacen de la vida
una farsa? Los *Abrojos* son, para decirlo en una sola palabra,
vengativos, y adoptan con espontaneidad la forma epigramáti-
ca que la retórica precisamente aconseja para este tipo de composiciones. Es verdad que suelen resplandecer entre ellos alguna intención pura y algún ensueño propiamente poético, pero
lo más corriente es el sarcasmo.

En el prólogo de *Abrojos* el poeta por lo demás dijo:

> *Si hay versos de amores, son*
> *las flores de un amor muerto*
> *que brindo al cadáver yerto*
> *de mi primera pasión.*

Abrojos contiene cincuenta y ocho breves composiciones y
un prólogo en verso, ya citado, por el cual se dedica el libro a
Manuel Rodríguez Mendoza:

> *Tu noble y leal corazón,*
> *tu cariño, me alentaba*
> *cuando entre los dos mediaba*
> *la mesa de redacción.*

> *Yo haciendo versos, Manuel,*
> *descocado, antimetódico,*
> *en el margen de un periódico*
> *o en un trozo de papel.*

> *Tú aplaudiendo o censurando,*
> *censurando o aplaudiendo,*
> *como crítico tremendo*
> *o como crítico blando.*

Versos en los cuales habremos de perdonar el prosaísmo frecuente, la indiscreta intervención del ripio, en atención a todo lo

que sus expresiones nos dejan entrever de la vida del poeta en *La Época* de Santiago cuando iniciaba su carrera chilena. La vida sigue desfilando en los versos, y el poeta la glosa:

> *Al oír sus razones*
> *fueron para aquel necio*
> *mis palabras, sangrientos bofetones;*
> *mis ojos, puñaladas de desprecio.*

Es fácil reconstruir la escena que dió nacimiento a estas cuatro líneas, nada pulcras como arte. No es más fina la expresión del que lleva el número XIX:

> *La estéril gran señora desespera*
> *y odia su gentil talle*
> *cuando pasa la pobre cocinera*
> *con seis hijos y medio por la calle.*

Otras veces se eleva hasta el soneto, y compone uno (XXXIII) nada vulgar; emplea también el romance, pero lo más corriente en los *Abrojos,* en cuanto forma estrófica, es la redondilla, de las cuales hay muchas aisladas e independientes, con influencia del típico cantar español, y la breve silva o agrupación irregular de versos de varia medida, consonantes todos o sólo algunos.

Según los recuerdos de Samuel Ossa Borne, los *Abrojos* reflejaban situaciones autobiográficas, en el grado que ello le era permitido al poeta por su concepto de la poesía. Aludiendo al "desorden en el vivir del inexperto joven" y a los extremos en que le sumía aquel desorden, dice: "La pobreza avanzaba, vencían los meses y una tras otra se acumulaban las cuotas del alquiler y de la cocinería. Esta situación inspiró el *Abrojo* VI, que dice así:

Puso el poeta en sus versos
todas las perlas del mar,
todo el oro de las minas,
todo el marfil oriental,
los diamantes de Golconda,
los tesoros de Bagdad,
los joyeles y prescas
de los cofres de un Nabab.
Pero como no tenía
por hacer versos ni un pan,
al acabar de escribirlos
murió de necesidad.

"Rubén Darío estaba desesperado. Hubo momentos en que se temió pudiese llegar a extremos de locura."

El mismo informante cree, en fin, que algún abrojo nació en *La Época,* como experiencia directa del poeta sumergido en la bohemia santiaguina de guante blanco y sombrero de copa, en que sus amigos chilenos le llevaban la delantera.

"Una noche llegaron a la sala de redacción el director y sus amigos Ladislao Errázuriz y Vicente Grez. Iban bien dispuestos, y con sus picarescos chascarrillos hicieron la alegría del personal. Mac Clure refirió que una vez que había llamado su atención la hermosura y la gracia de una muchacha en el alegre grupo de obreras que cotorreaban en el dintel de una puerta, volvió y golpeando a ésta interrogó a la madre de la criatura acerca de si daría entrada a un tuerto. Y, a fin de parecerlo, hizo servir de monóculo una moneda de oro. La interpelada replicó que en su casa no admitía tuertos, pero tal vez pudiera entrar algún ciego. Una segunda moneda convirtió al joven en el ciego del caso, y la mujer fué el lazarillo que retrocediendo lo condujo de ambas manos al interior. El *Abrojo* XVI daba pocas horas después de oída esta anécdota, la impresión que ella dejó en el poeta:

> *Cuando cantó la culebra,*
> *cuando trinó el gavilán,*
> *cuando gimieron las flores*
> *y una estrella lanzó un ¡ay!;*
> *cuando el diamante echó chispas*
> *y brotó sangre el coral,*
> *y fueron dos esterlinas*
> *los ojos de Satanás,*
> *entonces la pobre niña*
> *perdió su virginidad.*

De las silvas, la más popular, si no la más perfecta, es el abrojo número XVII, "Cuando la vió pasar el pobre mozo", cuyo origen ya se ha explicado, cuadro de bohemia en unas pocas pinceladas magistrales. Y de los romances el más penetrante lleva el número XLII:

> *Tan alegre, tan graciosa,*
> *tan apacible, tan bella...*
> *¡Y yo que la quise tanto!*
> *—¡Dios mío, si se muriera!*
> *Envuelta en oscuros paños*
> *la pondrían bajo tierra,*
> *tendría los ojos tristes,*
> *húmeda la cabellera.*
> *Y yo, besando su boca,*
> *allá en la tumba, con ella,*
> *sería el único esposo*
> *de aquella pálida muerta.*

Esto es becqueriano. La expresión contorsionada de la ira brota no pocas veces de estos frágiles poemitas que forman sin duda una parte débil en la obra del autor de *Prosas profanas,* pero que tienen grande importancia como transición en el estilo y por las revelaciones de la psicología. Veamos un fragmento curioso (LIII):

> *Me tienes lástima, ¿no?*
> *Y yo quisiera una soga*
> *para echártela al pescuezo*
> *y colgarte de una horca,*
> *porque eres un buen sujeto,*
> *una excelente persona,*
> *con mucha envidia en el alma*
> *y mucha baba en la boca.*

¿Qué agravios ocultos despuntan en estos versos afilados como puñales? Los propios de la juventud: la consideración que no se obtiene con la celeridad con que se busca, la admiración que no se entrega tan incondicionalmente como uno quisiera, la falta de respeto a un alma que se siente grande, como enamorada de la belleza que está, pero que los demás creen pequeña porque no sabe todavía mostrarse con mejor atuendo. El poeta, debemos suponerlo, se halla a la espera de un arte más refinado y puro, cuyo secreto se le entrega al través de los consejos de sus buenos amigos, de los libros que le hacen leer y de las reconvenciones fraternales que le dirigen por aquel entonces.

Han llegado hasta nuestros días vestigios de las claves con que los contemporáneos de su publicación quisieron suplir las expresiones genéricas del poeta: donde hablaba del anciano que seducía a la chica huérfana, el corrillo ponía nombres propios sabidos de todos, y en el tonto a quien el poeta apostrofa, alguien se anticipaba a imaginarse el tonto de carne y hueso a quien él mismo quisiera apostrofar. Nótese que, por ejemplo, el poeta puso cátedra de cinismo en los *Abrojos,* y sólo en ellos. Véase lo que dice el LV:

Al torpe déjelo hablar,
sus torpezas disimule,
y adule, adule y adule
sin cansarse de adular.

Como algo no le acomode,
chitón y tragar saliva,
y en el pantano en que viva
arrástrese, aunque se enlode.

Además del juicio ya extractado de Pedro Balmaceda, *Abrojos* mereció un artículo de Poirier dado a luz en la *Revista de Artes y Letras* y que alcanza, además, para la historia literaria el mérito de que en sus líneas se da a conocer la existencia de un ejemplar de *Primeras notas,* traído por Rubén Darío a Chile y entregado al estudio de Eduardo de la Barra. He aquí algunos fragmentos del artículo de Poirier.

"Alejados desde hace tiempo del campo de las letras, tan querido para aquellos a quienes la diaria *struggle for life* priva de los dulces goces del espíritu, no acometemos la tarea, por demás grata, de examinar la obra de nuestro amigo, con la presunción de que nuestros juicios revistan una autoridad que no tenemos; no, ellos no podrían en caso alguno asumir otro carácter que el de un tributo de admiración y una palabra de aliento al poeta de inspiración rica y entonación robusta, que ha escrito el volumen de poesías donde lucen la *Epístola a Montalvo* y el poema *El Porvenir* —libro conocido de muy pocos entre nosotros, pero que ha merecido altos elogios de un crítico y poeta como Eduardo de la Barra—; al joven escritor que tal arte posee para dar energía a la idea, donaire al vocablo y elegancia al corte de su bien modelado verso.

"Domina en las estrofas del nuevo libro de Darío un tinte de profunda melancolía y de amarga decepción de los hombres y de las cosas.

"Tal vez hay en algunas de aquéllas los eslabones de una cadena de desventuras que tengan estrecha relación con alguna íntima historia. Tal vez hay en otras ese agrio escepticismo a que fatalmente nos llevan los primeros desengaños. Pero podemos asegurar que esa melancolía, esa amargura que rebosan algunos de sus versos, no son la amargura y la melancolía sistemáticamente llorona de aquellos afligidos de la vieja escuela que a menudo nos fastidian con sus jeremiadas, ecos tristes de amores invariablemente desgraciados y casi siempre falsos, endechas lastimeras, empapadas en lágrimas que acusan una casi extravagante obsesión del espíritu.

"Hay en la mayor parte de los versos de Darío un fondo moral o filosófico.

"Ora ataque con merecido encarnizamiento algún vicio social, ora desenmascare al hipócrita con acerada ironía, hallaráse siempre en estos versos un sello especial de originalidad y un cierto humor de la nueva escuela; todo esto exornado por lo castizo de la frase y por lo elegante del giro."

El comprensivo artículo de Poirier, que aparece fechado en Valparaíso el 21 de marzo de 1887, termina diciendo:

"En los versos de Rubén Darío hay tanta novedad, y en su estilo tanto garbo, como soltura en su manera de decir, donosa y galana.

"Es poeta de raza y poeta de escuela.

"Hay, además, en sus composiciones, lo repetimos, fondo moral y elevada concepción filosófica; realzado todo ello por las cualidades de estilo que hemos tenido ya ocasión de encomiar con justicia.

"Si bien podrán ciertos críticos meticulosos reprocharle el realismo de algunos de sus cuadros, quizá los mejores en la obra que analizamos, para los que tengan verdadero gusto estético tiene nuestro poeta en su apoyo autoridades de la talla de Campoamor, que ya en su *Poética* sostiene y defiende ese realismo con razones de gran peso."

* * *

Es fácil comprender que este libro hizo daño a Rubén Darío. Fué preciso esperar algo más de un año para que en *Azul...* apareciera el otro poeta que se aguardaba, poeta intencionado y risueño, sutil artista de la palabra y de la imagen, del color, de la luz, del sonido concertado y elegante, a cuyo nacimiento prestó el amparo de su ambiente literario la tierra chilena.

En dos formas por lo menos manifestó Darío su opinión íntima sobre los *Abrojos;* la primera vez en una carta a Tondreau, a quien entonces no conocía sino por la vía epistolar. Le trata de "mi querido señor Tondreau" desde Valparaíso y con fecha 3 de abril de 1887: "No diga usted que soy un mal educado porque hasta hoy no le contesto. Muchos inconvenientes, entre ellos mi salud un tanto quebrantada, han sido causa de mi tardanza en escribirle. Hoy lo hago con muchísimo gusto, enviándole, además, mis *Abrojos,* cuyo volumen hasta hace pocos días recibí de Santiago. Ahí tiene usted esos versos, ásperos y tristes, ¡mis más queridos versos! De la benevolencia de los críticos deduzco yo que no miran mis *Abrojos* por su lado verdadero. Yo que esos críticos, buena lección hubiera dado al poeta que echa su mal humor a la cara de la gente a título de poesía. ¡Porque *spleen,* y no otra cosa, son los tales versos! Guárdelos usted, mi querido poeta, si no como regalado y bello libro, por razón de que el olmo no da peras, sí como un recuerdo de éste su amigo que, sin conocerle, le cuenta entre los mejores que ha encontrado, con ser poquísimos." (*Archivo de R. D.,* Buenos Aires, pp. 340-1.)

La segunda de las manifestaciones de su juicio sobre los *Abrojos* estaba destinada al público. "Si Pedro no hubiese publicado el libro, los *Abrojos* no habrían sido conocidos —escribió Darío en *A. de Gilbert*—. Yo no quería que viesen la luz pública por más de una razón. El libro adolece de defectos, y aun entonces, no estaba yo satisfecho de él. Como primer libro, como tarjeta de entrada a la vida literaria de Santiago, no era muy a propósito. Ante todo, hay en él un escepticismo y una negra desolación, que si es cierto que eran verdaderos, eran obra del momento. Dudar de Dios, de la virtud, del bien, cuando aún se está en la aurora, no. Si lo que creemos puro lo encontramos manchado, si la mano que juzgamos amistosa nos hiere o nos enloda; si enamorados de la luz, de lo santo, de lo ideal, nos encontramos frente a la cloaca; si las miserias sociales nos producen el terror de la vergüenza; si el hermano calumnia al hermano, si el hijo insulta al padre, si la madre vende a la hija, si la garra triunfa sobre el ala, si las estrellas tiemblan arriba por el infierno de abajo..., ¡truenos de Dios! Ahí estáis para purificarlo todo, para despertar a los aletargados, para anunciar los rayos de la justicia."

Y así y todo siguió escribiéndolos, aun después de publicado el libro, hasta el mismo año 1889, el de su partida de Chile, y publicándolos en diversas partes.

Capítulo V

LA ADUANA Y "EL HERALDO"

Cuando *Abrojos* estaba en prensa en los talleres tipográficos de Rafael Jover, Darío salió de Santiago y se fué a establecer a Valparaíso, en donde le esperaba abierto el hogar de su buen amigo Eduardo Poirier, el mismo que le había acogido meses antes, al llegar a Chile. "Rubén Darío vivía en mi casa", confesaba Poirier poco después. ¿Qué iba a hacer al puerto? En la nota IV de la segunda edición de *Azul...* el poeta escribió: "Cuando en 1887 llegó por primera vez el cólera a Santiago de Chile, puse pies en polvorosa, huyendo del terrible enemigo, y me trasladé a Valparaíso, donde de periodista me transformé en empleado de Aduana. ¡De mi ineptitud en tal campo pueden dar razón aquellos excelentes muchachos, mis compañeros! Pero había que dar vueltas al manubrio del trabajo, y a falta de pruebas de imprenta, buenas son pólizas." El cólera había llegado no a Santiago, sino a todas las provincias chilenas limítrofes de la región cuyana, procedente de la República Argentina, en donde hizo no pocas víctimas en 1886; y Valparaíso quedó afectada tanto como la capital con la amenaza de la epidemia, que por lo demás registra el propio Darío, meses después, en sus crónicas de *El Heraldo*. No es raro, sin embargo, que Darío se sintiese más a cubierto del flagelo en Valparaíso por ser puerto de mar y por hallarse, en fin, a mayor distancia que Santiago de los focos originales de la epidemia.

En los primeros tiempos, nada se sabe de él. Si se le siguen los pasos en la colaboración literaria, se le verá contribuir con no pocas composiciones poéticas en *La Época,* más o menos con el mismo ritmo observado antes, esto es, cuando vivía en Santiago. Pero andando los días entró efectivamente a la Aduana.

El día 29 de marzo de 1887 expedía el Ministerio de Hacienda, servido entonces por don Agustín Edwards Ross, propietario de *La Época,* el decreto que nombraba "guarda inspector" de la Aduana de Valparaíso a "don Rubén Darío" en compañía de otros tres funcionarios de su misma categoría. El diario santiaguino comentaba la noticia, en 1.º de abril, en términos cariñosos para el poeta:

> RUBÉN DARÍO.—El *Diario Oficial* de hoy nos trae una noticia que nos alegra y nos entristece al mismo tiempo: Rubén Darío, el poeta de los *Abrojos,* el escritor elegante y ameno, ha sido nombrado guarda inspector de la Aduana de Valparaíso. Las duras necesidades de la vida arrojan al poeta en el departamento de carga de una aduana. Pero ¿por qué murmurar? ¿Acaso Erckman y Chatrian, esos dos eminentes novelistas que escriben en colaboración, no ocupan el mismo puesto en una de las estaciones de ferrocarriles en París?
>
> Nos alegramos infinito por ese nombramiento, que viene a manifestarnos en el señor Darío la decidida voluntad de permanecer en nuestro país, y en el señor ministro de Hacienda decidida protección a un hombre de letras.

Pero esas previsiones generosas iban a ser pronto desmentidas por el anárquico poeta: no tomó en serio el cargo que se le había ofrecido y que "en horas de pesadumbre y de tristeza" pudo haber calmado su hambre, si bien no ofrecía a su espíritu el ambiente refinado que aguardaba. A fines de junio de 1887, sin haberse presentado a servir el empleo sino unos pocos días, Rubén Darío pide licencia por motivos de salud. El facultativo que lo examinó dictamina con fecha 20 que se halla afectado de un reumatismo "que le imposibilitaba para ejercer las funciones de su cargo", y en consecuencia se dicta el decreto de 2 de julio que le concede licencia por un mes. El 2 de agosto, vencido el plazo de la licencia, el comandante del resguardo, jefe inmediato de este problemático empleado, hace saber al suyo, el superintendente de Aduanas don Augusto Villanueva, que Darío no se ha presentado a reasumir sus funciones. El superintendente comunica tal cosa al interesado, y le dice que si no le conviene permanecer en el servicio, que exige su presencia en la Aduana, debe presentar la renuncia para evitar que se declare vacante el empleo. Estas conminaciones caen en el vacío: el poeta no responde, no comparece, y aparentemente está empeñado en que se declare vacante el cargo. Es lo que ocurre al fin, con fecha 18 de agosto, en la cual se dicta un decreto que dispone eso y nombra en el acto un reemplazante para el "descocado y antimetódico" poeta.

¿Fué Darío víctima en esos días de uno de aquellos accesos de bohemia en los cuales perdía el concepto del tiempo, se olvidaba de sus deberes y se entregaba a vivir como Dios ayudara?

* * *

Si esta enumeración de sucesos y los documentos administrativos que nos hablan de ellos, no logran hacer luz en la existencia de Rubén Darío durante esos meses de su permanencia en Valparaíso, acaso los recuerdos y confesiones de sus amigos consignan precisarnos algunos detalles que son necesarios. A la muerte del poeta, Eduardo Poirier compaginó sus reminiscencias, pero seguramente escribía de memoria, sin auxilio alguno de informaciones, porque confundió muchos hechos obvios y pasó por alto menudencias que ahora cobran importancia. En todo caso, por ese artículo queda en claro que Rubén Darío encontró albergue en la casa de Poirier, como ya decíamos. El autor agrega que Darío no solía atender con la debida oportunidad a los compromisos que había contraído. Debe referirse a las colaboraciones del poeta que se publicaron por entonces en *La Época* y en *La Libertad Electoral* de Santiago, y después en *El Heraldo* de Valparaíso, y dice que "en muchas ocasiones se las escribí yo, para que él no perdiese el destino". Poirier agrega todavía: "Y lo difícil para mí era despertarlo por las mañanas, para que llegase con puntualidad a su empleo, después de haberse llevado casi toda la noche devorando en el lecho y mascullando en alta voz —sin curarse de mi bien ganado sueño— alguna novela de Flaubert, de Goncourt y de Zola, o entregado al delectante estudio de sus maestros favoritos: Hugo, Verlaine, Poe, Walt Whitman." [1] Sin duda Poirier procuraba despertarle temprano, pero no conseguía que se levantara, o si se levantaba, que fuese a la oficina, porque ya vimos que entre la licencia legal y

---

[1] Es significativo lo que trae el mismo Darío en una nota de la segunda edición de *Azul...*: "En mi opinión —dice—, el más grande de los poetas de la América del Norte" al referirse a Whitman; y agrega: "En Francia no se le conoce aún lo suficiente. Un magistral estudio sobre la vida y obras de Whitman publicó en la *Revue des Deux Mondes* Gabriel Sarrazin. Asimismo, José Martí le dedicó una de sus más bellas producciones en *La Nación* de Buenos Aires, y R. Mayorga R. un excelente artículo en la *Revista Ilustrada* de Nueva York." El estudio de Sarrazin sobre Whitman, por lo demás, que Darío bien pudo leer en su original francés, fué traducido al español y publicado por el diario *La Tribuna*, que no le era desconocido, en los días 23 y siguientes de Noviembre de 1888 (tomado de *La Nouvelle Revue* y no de la *Revue des Deux Mondes*, como dice Darío); y los artículos de José Martí, aunque dirigidos efectivamente a *La Nación* de Buenos Aires, por lo común se reproducían en la prensa chilena, en homenaje al excelso valor literario que generalmente ostentaban, como recordamos en nota anterior.

la ausencia sin aviso ni excusa, el poeta tuvo muy pocos días de trabajo en la Aduana. Poirier agrega: "Como recuerdo de esa etapa de su vida nos dejó, entre otros, su famoso cuento *El Fardo*". La verdad es que este cuento se publicó en los días en que el poeta se hallaba en Valparaíso, pero también lo es que los cuadros en él descritos pudieron ser estudiados sin servir a la Aduana ni a cosa alguna, nada más que conversando con los jornaleros del muelle. Al publicar por primera vez *El Fardo* en la *Revista de Artes y Letras,* de Santiago, el autor lo había dirigido a don Luis Orrego Luco con las siguientes palabras: "Has murmurado, Luis, de la prosa de la aduana y has hecho mal. ¡Si vieras cuántas cosas se miran, además de las aes en triángulo y de los enigmas de las pólizas! Yo pensaba como tú, al frente de tan claras arideces, y mira lo que he encontrado ayer, al salir del galpón de avalúos, a los dos días de mi empleo." Esto fija, por lo demás, la fecha de la composición del cuento, hacia el 3 de abril de 1887, como quiera que el nombramiento fué expedido para que contara desde el 1.º de ese mes. En los mismos días, como acabamos de leer en un capítulo anterior, Darío sentíase tuberculoso y enfermo de neurosis.

Vamos a ver, mientras, su colaboración periodística para desentrañar algo de estas espesas sombras. Fué nombrado el 29 de marzo, como se ha dicho, pero ya el 24 había aparecido en *La Época* su menuda poesía *Aviso del Porvenir,* fecha Valparaíso, marzo de 1887; el mismo diario publica poco después *A Rosa,* datada también en Valparaíso, 10 de abril. El 29 aparece en *La Época, El Rey Krupp;* al día siguiente *El fardo,* cuento que hubo de ser escrito en el puerto. La colaboración en *La Época* no se interrumpe entonces, y es irregular si se quiere, pero da a entender que el poeta podía atenderla desde Valparaíso. Consta, por lo demás, que Darío vivía en el puerto, de la siguiente nota publicada en *La Época,* el 17 de mayo de 1887:

RECTIFICACIÓN.—En el número del sábado de *La Libertad Electoral* se dice que entre los caballeros que pronunciaron discursos al borde de la tumba del vice-almirante don Patricio Lynch había figurado don Rubén Darío. Fué ésta una equivocación de nuestro colega, que en el número de anoche rectifica diciendo: "El señor Darío se encuentra en Valparaíso, y no ha asistido a los funerales del señor Lynch; quien habló en el cementerio fué don Rubén País León."

Hay una interrupción seria, eso sí, entre el 5 de junio, fecha de *Invernal,* y el 23 de septiembre, día en el que aparece *El zorzal y el pavo real,* fábula escrita con motivo de la polémica acerca de los resultados del Certamen Varela. ¿Qué ha sucedido en ese intervalo? Nada menos que la redacción que Darío hubo de hacer de las piezas presentadas al Certamen, el *Canto épico* y las *Otoñales,* imitadas de Becquer. Y tan buenas relaciones guardó el poeta con *La Época* desde Valparaíso, que no sólo se publicaron sus trabajos despachados por la vía postal, sino que además se anunció su libro *Abrojos* a la cabeza de la *Crónica,* en un aviso que todo nos hace suponer gratuito. El anuncio decía, por lo demás, que el libro estaba a la venta en la oficina del diario, y apareció durante varios meses de 1887.

* * *

Las horas que Darío debió haber dedicado a la atención del modesto cargo en la Aduana de que hablan los documentos a que nos hemos referido más arriba, fueron entregadas a labores muy diferentes. Si del nacimiento de *Azul...* tiene mucha responsabilidad ese puerto de Valparaíso por el cual vaga el poeta "en busca de cuadros", también fué la cuna de muchos artículos y poesías que no serían recopilados hasta la publicación de las *Obras Desconocidas.*

El panorama de Valparaíso visto de lo alto, cerro abajo, le parece digno de mención, y en una de las prosas más intencionadas de *Azul*... le abrió paso en páginas que los críticos literarios han elogiado después por su gallardía pictórica.

"Sin pinceles, sin paleta, sin papel, sin lápiz, Ricardo, poeta lírico incorregible, huyendo de las agitaciones y turbulencias, de las máquinas y de los fardos, del ruido monótono de los tranvías y del chocar de los caballos con su repiqueteo de cascabeles sobre las piedras; del tropel de los comerciantes; del grito de los vendedores de diarios; del incesante bullicio e inacabable hervor de este puerto; en busca de impresiones y de cuadros, subió al Cerro Alegre, que, gallardo como una gran roca florecida, luce sus flancos verdes, sus montículos coronados de casas risueñas escalonadas en la altura, rodeadas de jardines, con ondeantes cortinas de enredaderas, jaulas de pájaros, jarras de flores, rejas vistosas y niños de caras angélicas.

"Abajo estaban las techumbres del Valparaíso que hace transacciones, que anda a pie como una ráfaga, que puebla los almacenes e invade los bancos, que viste por la mañana terno crema o plomizo, a cuadros, con sombrero de paño, y por la noche bulle en la calle del Cabo con lustroso sombrero de copa, abrigo al brazo y guantes amarillos, viendo a la luz que brota de las vidrieras los lindos rostros de las mujeres que pasan.

"Más allá, el mar, acerado, brumoso, los barcos en grupo, el horizonte azul y lejano. Arriba, entre opacidades, el sol.

"Donde estaba el soñador empedernido, casi en lo más alto del cerro, apenas si se sentían los estremecimientos de abajo. Erraba él a lo largo del Camino de Cintura, e iba pensando en idilios, con toda la augusta desfachatez de un poeta que fuera millonario." (*En Chile. En busca de cuadros.*)

* * *

Y así como el poeta encontró en el diario santiaguino *La Época* una tribuna dócil para sus intentos literarios, el diario porteño *El Heraldo* le servirá para seguir dando a conocer su estilo al público chileno.

Si leemos la *Autobiografía* en busca de informaciones sobre este período de la vida de Darío, encontraremos, como en otras circunstancias, unos cuantos errores garrafales: "Lo dirigía a la sazón Enrique Valdés Vergara —dice el poeta al referirse a *El Heraldo*—. Era un diario completamente comercial y político. Había sido yo nombrado redactor por influencia de don Eduardo de la Barra, noble poeta y excelente amigo mío. Debo agregar para esto la amistad de un hombre muy desgraciado en Chile, Carlos Toribio Robinet [2]. Se me encargó una crónica semanal. Escribí la primera sobre *sports*. A la cuarta me llamó el director y me dijo: "Usted escribe muy bien... Nuestro periódico necesita otra cosa... Así es que le ruego no pertenecer más a nuestra redacción." Y por escribir bien me quedé sin puesto."

La memoria del honrado y valeroso Valdés Vergara, que tuvo muerte heroica en la Revolución de 1891, no necesita ser descargada del peso de lesa cultura que significan las palabras que le atribuye Darío, y si las rectificamos es porque hay otros puntos que nos interesan más directamente. Una ligera pesquisa bibliográfica permite establecer que el poeta escribió en el diario porteño, no cuatro artículos, sino ocho, que llevan el título común *La Semana*. En esta serie amena de comentarios de la actualidad, donde el poeta periodista dispone de libertad plena para tratar el tema que le agrade, la que versa sobre los deportes no es la primera, sino la séptima, y se lee en la edición del 7 de abril de 1888. Pero hay más todavía: ¡con la última de estas Se-

---

[2] Cuando Darío escribió estas palabras, Robinet, por desdichas que no es del caso recapitular aquí, se había suicidado.

manas no desaparece de *El Heraldo* el nombre de Rubén Darío!... Aquélla fué publicada el 14 de abril: el 1 de junio se lee en el mismo diario *La Canción del 'Oro*, que a poco andar iba a figurar en el repertorio del *Azul*..., y el 16 del mismo mes, en fin, el diario porteño tiene el honor de publicar el soneto a Lastarria, que no por ser obra de ocasión deja de parecer uno de los más significativos de Darío en toda su carrera.

En aquellas *Semanas* de *El Heraldo*, Darío caracterizó en breves rasgos la vida espiritual de Valparaíso, en un panorama amplio que basta para señalar la impresión que le estaba causando. "Por la noche se asistirá a un concierto en el teatro de la Victoria, concierto que promete ser magnífico; y en el gran festival que prepara el maestro Cesari se oirá música escogida; todo bueno, y entre lo mejor un potpourri de *Lohengrin*, de Wagner, el artista genial, el músico poeta, el revolucionario e inspirado creador de la "música del porvenir". ¡Día alegre! Estruendo y fanfarria, luces y barcos de gala. Todos los días lloramos los sombríos desaparecimientos, las profundas tristezas, y todos los días toca nuestra puerta la francachela con su cascabel sonoro. El siniestro cólera morbo no apaga las llamas vivaces. ¡Y así rueda el mundo! El mundo, que sería insoportable sin sus altibajos, sin sus locuras, sin sus ansias y sin sus contrastes." *(Obras Desconocidas*, p. 115; 11 de febrero de 1888.)

Mientras tanto, por esos mismos días, manda a *La Libertad Electoral* de Santiago algunos artículos que son curiosos, porque versan casi todos sobre temas muy recientes de las letras francesas y dan a su autor el título de diligente divulgador de las novedades artísticas; o hace el elogio de un ilustre difunto, don Miguel Luis Amunátegui, que ha muerto siendo ministro de estado: "No tenía Amunátegui pompa y esplendor en el estilo; pero sí tersura y fragancia clásica. Escribía en períodos cortos, como quien dice apotegmas; y claros, como quien desparrama luces y enseña. Sobre todo, su gran facultad de investigación le tornaba en libro vivo. Sé de él que nadie volvió de su gabinete de estudio sin llevar satisfecha la cabeza y resuelta su consulta. Y que todo joven estudioso tenía en él un amigo, y que no era avaro de sus conocimientos, antes bien, derrochador. Gustábale borrar toda ignorancia y en su cátedra todo hambriento de saber quedaba harto." *(Obras Desconocidas,* páginas 99-100.)

El Heraldo había sido fundado en el mes de enero de 1888 por Valdés Vergara en compañía de Máximo Cubillos. "Se trabajó —recordaba éste en 1891— desde el principio porque *El Heraldo* no fuese un diario seco, un boletín de impresiones calcadas sobre viejos patrones, una hoja de círculo, un tambor sin bandera y con sargento mayor, y se procuró por eso llamar a la redacción a cuantos quisieran decir algo nuevo, crear una nueva forma de política y de dicción comercial..." Todo esto lo recordaba Cubillos para hacer notar cómo en esos instantes de prueba llegó a la redacción del nuevo diario Alberto Riso-Patrón, joven de rápidas intuiciones, quien debió llenar no pocas páginas del periódico. "Y siguió escribiendo al vapor, día a día, haciendo él la tarea del soñador Rubén Darío que perdía horas con la vista fija en un punto matemático e invisible, buscando tal vez asunto a alguna de esas composiciones cuyo marco era un arroyito de cambiantes piedras preciosas, con fondo de nubes y mariposas diminutas." *(Ensayos,* de Alberto Riso-Patrón, 1891, p. 19.)

Así como antes *La Época* de Santiago había sido el centro de su vida literaria, ahora fué *El Heraldo* quien le proporcionaba el pan de cada día y acogía en su redacción las muestras de su ingenio. Se han citado ya *Las Semanas,* por la luz que sobre ellas proyectó Darío en su *Autobiografía;* pero hay muchas otras huellas de lo que el poeta hizo y no hizo para el diario porteño dirigido por Enrique Valdés Vergara. Elevaba las notas de crónica al nivel de obras de arte, como puede verse en la siguiente, que para el entendido contiene en germen el *Pórtico* (1892):

"ZÍNGAROS.—Dos amigos nuestros nos refieren la siguiente aventura acaecida en los alrededores de Viña del Mar.

"Iban ellos en su coche, pensando, como mozos de buena imaginación, en multitud de cosas imposibles.

"En medio de la charla dijo uno:

"—Desearía que, estando ahora en Chile, nos encontráramos de repente en Europa. Aquellas ciudades, aquellos campos, aquellas costumbres, aquellos...

"En esto detuvieron el coche sorprendidos.

"Bajo uno de los tupidos ramajes que había por el camino acababan de divisar un grupo que no tenía nada de chileno.

"Lo formaban unas mujeres de trajes extraños, dos de ellas hermosas, de ojos lindísimos; unos hombres con largos bordones y vestidos caprichosos, un gran oso gris amarillento, y un mono que enseñaba los dientes sobre un montón de trebejos y aletas de saltimbanquis.

"Nuestros jóvenes se acercaron, y les preguntaron quiénes eran.

"Eran bohemios; la mujer más hermosa, turca.

"Por unas pocas monedas, la turca tomó una especie de pandereta y comenzó a bailar una danza melancólica, perezosa, lasciva, al propio tiempo que cantaba en su lengua y estiraba los brazos sacudiendo su instrumento.

"El oso y el mono hicieron sus gracias; todos lucieron sus habilidades, en tanto que un hombre, al parecer el jefe de la familia errante, fumaba su pipa echado sobre una manta de colores.

"Nuestros amigos se retiraron notando cómo gozaron de una escena de Bohemia, un baile de *almée* en los alrededores de Viña del Mar." *(El Heraldo,* 5 de marzo de 1888.)

O prometía estudios que nunca salieron de la buena intención: "DON PEDRO LEÓN GALLO.—Pronto aparecerá un estudio sobre las traducciones de Víctor Hugo en lengua española, y seguido de las hechas por nuestro compatriota don Pedro León Gallo.

"Es probable que salga por la afamada imprenta Cervantes, de Santiago, en un volumen de lujo." (6 de marzo de 1888.) ¹.

Otras veces la obra fué lograda, pero no consiguió Darío hacerla publicar en el diario de Valdés Vergara, que no parecía el más adecuado para contenerla, sino en la *Revista de Artes y Letras,* que en Santiago publicaban algunos de sus amigos.

"NOTABLE ESTUDIO LITERARIO.—Próximamente publicaremos uno de Augusto Cesari, joven escritor italiano, discípulo del gran poeta Giossue Carducci. El estudio se titula *Goethe y la segunda parte del Fausto.*

"Lo hemos recibido inédito, y no dudamos que los amigos de las letras lo leerán con interés.

"El señor Cesari reside en Bolonia, de cuya Universidad es profesor el egregio autor de *Rime Nuove.* Es hijo del notable maestro Cesari, que se encuentra en Valparaíso, y que todos conocen.

"Felicitamos al padre de Augusto, y le damos las gracias por

---

¹ Noticia acogida igualmente por *La Época* de Santiago, diario que en su Correspondencia de Valparaíso del número de 7 de marzo decía: "Pronto aparecerá un estudio sobre las traducciones de Víctor Hugo en lengua española, y seguido de las hechas por nuestro compatriota don Pedro León Gallo. Su autor es don Rubén Darío.—El corresponsal."

habernos proporcionado el trabajo en referencia." (13 de abril de 1888.)

Las relaciones de Darío con el maestro Cesari (m. en Italia, 1902), que tenía a su cargo el Orfeón Municipal de Valparaíso, fueron, por lo demás, muy estrechas, como se deja ver en las referencias que se han copiado, y como se puede colegir de la nota con que *La Época* de Santiago publicaba el 26 de julio de 1888 el *Himno de los Bomberos:* "La letra que damos a continuación es debida a la pluma del poeta Rubén Darío, y la ha puesto en música el distinguido maestro Cesari, cuyas creaciones musicales han sido justamente aplaudidas." Darío, que había elogiado a los bomberos en prosa, los elevó a la dignidad del verso en aquel *Himno,* que no es ciertamente una obra maestra, pero que alcanza cierta majestad épica en la estrofa final:

> *¡Gloria a aquél que sucumbe en la lucha,*
> *valeroso, sublime, esforzado;*
> *gloria a aquél que al deber consagrado*
> *salva vidas, riquezas, hogar!*
> *Bronces hay que sus cuerpos encarnen,*
> *y el recuerdo del fiel compañero*
> *en el alma viril del bombero*
> *nunca, nunca, se puede borrar.*

También fué *El Heraldo,* diario radical y, por tanto, muy vecino a las convicciones políticas de Eduardo de la Barra, el que tuvo las primicias de una iniciativa de éste, la de reabrir la academia literaria del Liceo de Valparaíso, a fin de estimular las labores intelectuales de los pocos vecinos del puerto que mostraban inclinación por ellas. Y allí, entre los nombres de los invitados, figuraba el de Rubén Darío, promovido entonces de golpe y porrazo a la dignidad de colaborador de Barra en aquella generosa empresa. La noticia, tal cual la vemos en *El Heraldo,* de 27 de abril de 1888, dice como sigue:

ACADEMIA.—Como lo anunciamos los días pasados, la antigua academia científico-literaria del Liceo de Valparaíso será reorganizada.

Ha habido ya una sesión, en que se ha elegido el directorio provisional, y se han aprobado los estatutos.

Presidente ha sido nombrado don Eduardo de la Barra, rector del Liceo.

La Academia ha quedado dividida en tres secciones: Instrucción, Bellas Letras y Ciencias. Para la primera, ya establecida, se ha elegido presidente al señor don Esteban de Arza, y secretario, al doctor don Clodomiro Pérez Canto.

Se han propuesto como miembros de la sección de Bellas Letras a los siguientes caballeros:

> Arlegui, Juan de D.
> Alcalá Galiano, Antonio
> Blest Gana, Guillermo
> Barra, Eduardo de la
> Caviedes, Eloy
> Ducoing, Heriberto
> Darío, Rubén
> Donoso Vergara, Francisco
> Givovich, Arturo
> Larrain Z., J. Joaquín
> Moreno, Braulio
> Murillo, Valentín
> Rodríguez, Leoncio
> Soublette, Evaristo
> Valdés Vergara, Francisco
> Vergara, José Francisco
> Vial, Román

En la *Historia de un sobretodo* dejó Darío, por lo demás, una lucida estampa de lo que fué su vida en Valparaíso en los meses que duró su colaboración en *El Heraldo,* con detalles íntimos y familiares del más subido valor autobiográfico; y tanto, que llama la atención la escasa importancia que se ha concedido a esta pieza del poeta. Ahora el cuentista es el que narra, y lo hace con garbo elegante: "Es en el invierno de 1887, en Valparaíso. Por la calle del Cabo hay gran animación. Mucha mujer bonita va por el asfalto de las aceras, cerca de los grandes almacenes, con las manos metidas en los espesos manguitos. Mucho dependiente del comercio, mucho corredor, va que vuela, enfundado en su sobretodo. Hace un frío que muerde hasta los huesos." El poeta, maltratado por la pobreza hasta entonces, dice que en contraste con aquellas gentes va "tiritando bajo su chaqueta de verano, sufriendo el encarnizamiento del aire helado"; y agrega:

"Acabo de salir de la casa de mi amigo Poirier, contento porque ayer tarde he cobrado mi sueldo de *El Heraldo,* que me ha pagado Enrique Valdés Vergara, un hombrecito firme y terco... Poirier sonriente me ha dicho mirándome a través de sus espejuelos de oro:

"—Mi amigo, lo primero, comprarse un sobretodo.

"Ya lo creo. Bien me impulsa a ello la mañana opaca que enturbia un sol perezoso, el vientecillo, el vientecillo que viene del mar, cuyo horizonte está borrado por una tupida bruma gris."

Y entra en una tienda "de ropa hecha": "¿Qué me importa que no lleve mi sobretodo la marca Pinaud?", reflexiona Darío, recordando al gran sastre de Santiago en esa época. Describe la tienda, evoca la escena de la prueba, en que el dependiente le persuade para la compra inminente:

"—Y, sobre todo, caballero, le cuesta a usted muy barato.

"—Es mío —contesto con dignidad y placer—. ¿Cuánto vale?

"—Ochenta y cinco pesos.

"¡Jesucristo! cerca de la mitad de mi sueldo; pero es demasiado tentadora la obra, y demasiado locuaz el dependiente. Además, la perspectiva de estar dentro de pocos instantes el cronista caminando por la calle del Cabo con su *ulster,* que humillará a más de un modesto burgués, que se atraerá la atención de más de una sonrosada porteña.

"Pago, pido la vuelta, me pongo frente a un gran espejo el *ulster,* que adquiere mayor valer en compañía de mi sombrero de pelo, y salgo a la calle más orgulloso que el príncipe de un feliz y hermoso cuento."

Pero la historia no ha terminado con este desenlace feliz: Rubén Darío hace pasear su sobretodo por los sitios de Santiago que conoció entonces, "desde el palacio de la Moneda hasta los arrabales: él noctambuleó en las invernales noches santiaguesas, cuando las pulmonías estoquean al trasnochador descuidado; él cenó "chez Brinck", donde los pilares del café parecen gigantescas salchichas, y donde el mostrador se asemeja a una joya de plata; él conoció de cerca a un gallardo Borbón, a un criminal y a una gran trágica; él oyó la voz y vió el rostro del infeliz y esforzado Balmaceda". La evocación, como se ve, es cabal. El poeta conserva nítidamente grabadas aquellas escenas en la memoria, y con el pretexto de contarnos la historia de su sobretodo, traza una página de su propia vida, *d'après nature* "Al compás de los alegres tamborileos que sobre mesas y cajas hacen las "cantoras", él gustó a son de arpa y guitarra, de las cuecas que animan al roto, cuando la chicha hierve y provoca en los "potrillos" cristalinos que pasan de mano en mano. Y cuando el horrible y aterrador cólera morbo envenenaba el país chileno, él vió, en las noches solitarias y trágicas, las carretas de las ambulancias, que iban cargadas de cadáveres."

Después de esta evocación desapacible, sigue la historia de aquel *ulster:* Nicaragua, El Salvador... Abreviando: el poeta regala su sobretodo a Gómez Carrillo, que va a París, y éste, a Alejandro Sawa, quien después se lo dió nada menos que a Verlaine. Y entonces su antiguo dueño lo apellida dichoso: "Sí, muy dichoso —termina—, pues del poder de un pobre escritor americano ha ascendido al de un glorioso excéntrico, que aunque cambie de hospital todos los días, es uno de los más grandes poetas de la Francia."

No desmedrará el brillo de estas páginas autobiográficas el señalar algunos de sus gordos anacronismos. Si el sobretodo de marras había sido adquirido con el sueldo de *El Heraldo*, en 1888, no pudo pasearlo Darío en los días de la temporada de Sarah Bernhardt, que había ocurrido en 1886... Y así otros pecadillos de infidelidad de memoria, disculpables por muchos motivos, y principalmente porque la Historia de un sobretodo fué escrita en 1892, muy lejos ya de la escena evocada por el autor.

Capítulo VI

EL CERTAMEN VARELA

Los diversos períodos de vida en Valparaíso habíanse confundido en uno solo para Darío cuando dictó las páginas de su *Autobiografía* (1912). Sólo a pocas semanas puede aplicarse lo que allí leemos: "Mi vida en Valparaíso se concentra en ya improbables o ya hondos amoríos; en vagares a la orilla del mar, sobre todo por Playa Ancha; invitaciones a bordo de los barcos, por amigos marinos y literarios; horas nocturnas, ensueños matinales, y lo que era entonces mi vibrante y ansiosa juventud." En los períodos finales de que estamos ya tratando no hubo tanta luz. Vagaba, es cierto, pero más de empleo en empleo que de salón a barco, y alguna vez hubo de vivir días de extrema bohemia. El paseo de Playa Ancha ha sido recientemente bautizado con el nombre de Rubén Darío por las autoridades municipales, para hacer permanente el recuerdo del poeta en el puerto.

En el invierno de 1887 hallábase Rubén Darío masticando su ya inútil arrepentimiento por haber abandonado el modesto cargo aduanero, que pudo haber sido sinecura apropiada a las necesidades de su vida de entonces, cuando fué convocado en Santiago el Certamen Varela. Balmaceda, que desde Santiago le seguía los pasos, le instó, como hemos dicho, a que escribiese algo que pudiera presentarse al concurso, y en su carta copió aquella parte de las bases del Certamen que le debían interesar más. Rubén escogió dos temas que convenían a sus gustos y a sus posibilidades. El canto a las glorias de Chile en la guerra del Pacífico exigía sin duda cierta documentación, pero era fácil para hombre tan receptivo como el poeta echarse al cuerpo algún relato histórico y reducir a los versos de un canto de proporciones nada excesivas el vasto asunto que le ofrecían los combates de la guerra. Las rimas imitadas de Bécquer, que las bases del Certamen proponían con el objeto de aclimatar en Chile ese tipo de composiciones sugestivas, como se decía entonces, también quedaban a su alcance. Y a los dos temas presentó obras que lograron varia fortuna.

El programa del Certamen, publicado en *La Libertad Electoral* de Santiago el 28 de junio de 1887, comprendía seis temas, a saber: Tema primero, Canto épico a las glorias de Chile, con premio de $ 600; tema segundo, poesías líricas, una "colección de (doce a quince) composiciones inéditas de poesías del género sugestivo o insinuante, de que es tipo el poeta español Gustavo A. Bécquer", con premio de $ 500; tema tercero, didáctica, un "tratado elemental de versificación castellana destinado a la enseñanza", con premio de $ 500; tema cuarto, un estudio político-social referente a Chile, con premio de $ 500; tema quinto, un estudio de costumbres nacionales, con premio de $ 300, y tema sexto, una colección de fábulas originales en verso, con premio de $ 300 [1]. En la misma oportunidad quedó designada la junta que iba a correr con la organización del Certamen y con el juicio de las obras presentadas a él, formada por don José Victorino Lastarria, don Diego Barros Arana y don Manuel Blanco Cuartín.

---

[1] Para apreciar debidamente el valor de las cantidades que se expresan en esta biografía, conviene recordar que en 1887 el peso chileno costaba 25 peniques y fracción.

El Certamen fué convocado por don Federico Varela, rico industrial del Norte y senador de la provincia de Valparaíso a la sazón, relacionado con estrecha amistad a escritores prestigiosos de la época. El 21 de mayo de 1887 el señor Varela había dirigido a don José Victorino Lastarria una carta en la cual le habló del futuro Certamen que tan lejos llevaría su nombre en la historia del mecenazgo chileno. Decía que "se advierte cierto desmayo" literario y que "si los certámenes no dan todo su fruto, es porque a ellos concurren los principiantes casi exclusivamente". Desde el comienzo debió considerarse el torneo como una invitación para que midieran sus fuerzas tanto los escritores más nuevos y bisoños como los antiguos. Para el señor Varela el obstáculo que generalmente retraía a los escritores de más edad era la cortedad de las recompensas, y ofreció como premio de los diversos temas del Certamen, cantidades que son sin duda de las más altas que se han pagado en Chile en contiendas semejantes. Sin embargo, la presencia de escritores ya fogueados, como Daniel Barros Grez y Eduardo de la Barra, que se reveló cuando fueron conocidas las recompensas, dió motivo a críticas acerbas y a lamentaciones que están fuera de lugar si se atendía a lo dicho por el señor Varela [2].

El jurado puso término a sus labores el día 8 de septiembre, fecha en la cual se leyó el informe y se abrieron los sobres que contenían los nombres de los autores, para proceder a su identificación; en la misma ocasión se pagaron los premios respec-

---

[2] La munificencia de Varela, probada de sobra con el Certamen que lleva su nombre, conmovió a Rubén Darío. En su estudio sobre la literatura centro-americana se lee lo siguiente: "Allá no hay ejemplo de que un Varela centro-americano haya promovido un certamen, o haya hecho publicar tal obra de tal autor, como no sea con fines políticos. No, nunca. Gobernantes ha habido, eso sí, favorecedores de las letras, en estos últimos años." (*Obras desconocidas de Rubén Darío*, p. 210.)

tivos, y algunos poetas leyeron sus obras. El acto fué celebrado
en el salón del Orfeón Francés de Santiago. "El señor Rubén
Darío —informaba la crónica de *La Época* al día siguiente—
no asistió a recibir su premio"; Préndez, en cambio, que se presentó, dió lectura a su canto épico premiado *ex aequo* con el de
aquél. En la redacción de *La Época,* el fallo del jurado, que di-
vidía el premio entre los cantos épicos de Darío y de Préndez,
debe haber producido grande impresión, ya que ambos eran de
la casa; y es evidente, por la publicidad que se dió al de Darío,
que en el juicio de sus amigos, los redactores del diario, era éste
el preferido. No sólo se publicó en esas columnas, sino que, además, se advirtió previamente que para ello se habían adquirido
sus derechos al autor. Y *La Patria* de Valparaíso, el famoso
diario de Isidoro Errázuriz, que en general se mostró indife-
rente a las obras de Darío, también lo dió a luz. Refiriéndose a
este suceso, que era por cierto digno de ser anotado, *La Época*
le dedicaba el siguiente suelto de crónica:

> El Canto Épico de don Rubén Darío.—*La Patria* de Valpa-
> raíso reproduce el hermosísimo *Canto épico a las glorias de Chile*
> de don Rubén Darío, que publicamos el domingo.
> El colega dice lo siguiente respecto a esa reproducción:
> "Esta bellísima composición obtuvo, con harta justicia, los ho-
> nores del triunfo en el último certamen Varela, y aun cuando en
> nosotros ha sido norma invariable hacer que los versos no figuren
> en el material de actualidad de *La Patria,* no hemos podido re-
> sistir al deseo de engalanar por hoy nuestras columnas con este
> importantísimo trabajo, que tanto lustre y honra está llamado a
> dar a su joven autor.
> "Creemos que nuestros lectores no podrán menos que ver com-
> placidos que, en su obsequio, hayamos hecho hoy esta pequeña
> alteración a una práctica seguida desde hace largo tiempo en esta
> imprenta." (11 de octubre de 1887.)

Desde su publicación en la prensa, el poema de Darío lleva

una dedicatoria que no pudo haberse puesto en el original entregado al Certamen y que dice así: "Al Excmo. señor don José Manuel Balmaceda. Señor: Si algo puede valer este canto a las glorias heroicas de Chile, mi segunda patria, acéptelo usted como un homenaje ilustre, y como un recuerdo al padre de uno de mis mejores amigos." Para verse autorizado en la dedicatoria, Darío dirigió al Presidente Balmaceda una expresiva carta, que fué publicada por primera vez en la *Antología Chilena* que recopiló don Eugenio Orrego Vicuña. La carta dice así:

Sr. D. J. Manuel Balmaceda.
Presente.

Muy respetado señor mío,

he querido darme la honra de dedicar a U. mi *Canto Épico a las glorias de Chile,* publicado en *La Época* del Domingo.

Si tal dedicatoria fuese de su agrado, no habrá mayor satisfacción para mí, y quedaré comprometido a seguir produciendo mis pobres frutos; y procurando, con mis pocas fuerzas, servir a Chile, mi segunda patria.

Saluda respetuosamente a U.

su afmo. S. S.

Rubén Darío.

Stgo., Oct. 9/87.

Balmaceda se mostró muy sensible al obsequio y dirigió en respuesta al poeta una breve carta, ignorada hasta hoy de todos los biógrafos de Rubén Darío. En sus términos, por lo demás, se refleja muy bien el grado de estimación que el nicaragüense había alcanzado en el Presidente de Chile. He aquí su texto:

Señor don
Rubén Darío.
Mi apreciado amigo:

Su *Canto,* tan bien concebido y desarrollado, es una obra literaria notable, que todos los chilenos leerán con entusiasmo.

Lo he leído dos veces, y he gozado con el recuerdo de las hazañas que le sirven de tema, y con la justa satisfacción de ver a un joven subiendo las escalas del honor público y de la reputación general.

Gracias por su dedicatoria. Persevere Ud., estudie y no abandone las letras, que tanto pueden recibir de Ud.

Su afmo. amigo

J. M. Balmaceda.

Octubre 11 de 1887.

La Época, que recibió del alborozado poeta una copia de esta epístola, la tituló *Honrosa carta* y la publicó en su edición de 12 de octubre.

* * *

El jurado elogió el *Canto* de Darío pero dijo que no carecía de defectos, lo que es verdad. Si leemos el comienzo del poema, nos saltará a la vista un ripio mayúsculo:

> *¡Oh Patria! ¡Oh Chile!, pues que altiva ostentas*
> *tras de luchas sangrientas*
> *tus victorias de paz por todas partes;*
> *puesto que tus baluartes*
> *brillan inmaculados...*

Pero la expresión mejora notablemente en el curso de la composición:

> *Los viejos griegos, cuando audaz volvía,*
> *líricamente erguido, sobre un carro*
> *de oro del triunfo el vencedor bizarro,*
> *en heroica alegría,*
> *al eco de las harpas victoriosas*
> *ponían en su casco la guirnalda*

> *de laurel y la palma de esmeralda*
> *al caballo de guerra*
> *que iba pisando rosas*
> *regadas por la tierra.*

Todo el poema se resiente de cierta improvisación, y parece haber sido escrito en pocos días, si no en horas, sin meditación oportuna y detenida, sin lima ni correcciones apropiadas, que con un poco de calma el poeta pudo haber llevado muy lejos. Aquello de llamar alguna vez Arturo a secas al héroe, cuando habría sido más correcto llamarle Prat, como otras veces le llama, fué motivo de censura entonces y lo será siempre. La descripción del combate de Iquique es, en cambio, generalmente agradable, aunque pudo y debió haberse pormenorizado algo más. La arenga de Prat en la cubierta de su nave es pobre, si bien reproduce casi a la letra la historia, y cae por ello en frecuentes prosaísmos. La visión profética que el autor atribuye a Prat en el momento supremo de la contienda, cuando se apresta a lanzarse sobre la cubierta del barco enemigo a conseguir la muerte que había tardado en arrebatarle, es hermosa y está bien concebida, pero poco agrega al total de la composición. El final es hermoso:

> *En la región de las inmensas almas*
> *debe haberse sentido en esas horas*
> *como un ruido de palmas*
> *y un despertar de auroras.*
> *¡Oh, Patria! ¡Oh, Chile!... Así acabó, magnífico,*
> *solemne, hermoso, de grandeza homérica,*
> *sobre las anchas olas del Pacífico*
> *el combate más vasto que vió América!*

Pero también hay que leerle con intención de corregir al autor. El calificativo "más vasto" que el poeta da al combate,

es, sin duda, exagerado, y no tiene otra explicación que una ex-
clusiva para Chile. El combate de Iquique es, como batalla na-
val, un hecho menudo en la historia chilena, y sólo parece vasto
si se le considera por la repercusión moral que produjo en la
patria de Arturo Prat. Nadie vió en Chile una derrota en aquella acción de armas, que fué sin embargo un rudo contraste para
la marina chilena de guerra, y si se le da en la historia el sitio
que tiene, ello se debe al ejemplo de valor moral insuperable que
brindaron Prat y sus compañeros al inmolarse en la contienda
contra un enemigo superior por el número y por las armas, y
no inferior como coraje y ardor guerrero.

El poema se halla, pues, muy lejos de merecer los encomios
que le prodigó Jorge Huneeus Gana, aunque tal vez no me-
rezca tampoco el rigor de la censura que le aplicara en un artículo malhumorado el misterioso Eduardo von Warner, que
luego resultó ser Efraín Vásquez Guarda. Pero fué discutido, y
en general gustó. El artículo de von Warner hubo de ser repa-
rado por los amigos del poeta, celosos de su fama. Alfredo Irarrázaval Zañartu, abandonando la sorna habitual de sus escritos de entonces, y optando por la prosa, escribió a propósito de
él una nota firmada con el seudónimo *Pic (La Época,* 29 de octubre de 1887) donde dice, entre otras cosas: "El autor del juicio, que con él revela no tenerlo mucho, se ha limitado a citar
todos los versos incorrectos que encontró en el poema, pero ni
por un instante se le ocurrió citar algunas de las muchísimas
bellezas, de las inspiradas estrofas que el canto de Darío contiene."

En un periódico literario de la época, *El Ateneo de Santiago,* que reunía las firmas de no pocos escritores jóvenes y que
dirigía Ricardo Fernández Montalva, se hace un juicio equili-
brado y razonable del Canto épico.

"Y ya que hablamos de Rubén Darío. Todo el mundo habrá

leído el canto épico a las glorias de Chile, que mereció un premio en el certamen Varela, y que este inspirado cuanto joven poeta ha dado a luz últimamente en uno de los diarios de la capital.

"Versos de oro y bronce, inspiración ardiente y majestuosa, noble sentimiento patriótico, corrección, unidad en el tema, he aquí lo que compone este canto que ha empeñado para con el autor la gratitud y el aplauso de los chilenos.

"Rubén Darío, que es hijo de Nicaragua, sólo cuenta veintiún años de edad. Por consiguiente, empieza a vivir, y ya se ha puesto con sus obras al lado de aquellos que llegan al fin de la jornada y que han necesitado de largos trabajos y fatigas para obtener el nombre que tienen.

"Su canto épico durará mientras exista un chileno sobre la tierra y el sentimiento de lo bello y grande en los corazones humanos." (Octubre 15 de 1887.)

Era previsible que Rubén Darío no podía intentar en 1887 un canto épico de esta magnitud, que estuviera ajustado a la historia, si no quería echarse al cuerpo libros documentales ni aprender con detenimiento las biografías de unos cuantos héroes. Ante el problema fué a ver a Eduardo de la Barra y le pidió que le dijera si quería presentarse al Certamen en el tema del canto épico. El poeta chileno le respondió que no, y entonces Darío planteó su petición. Eduardo de la Barra en la polémica sobre *Azul...* explicó también esta parte de sus relaciones con Darío: "...Él me leyó el cantó que presentó al concurso, tres días antes de remitirlo. Cierto que yo le hice algunas indicaciones de forma que él aceptó, y una de fondo, la cual dió ensanche a su tema, mediante la visión del porvenir que tiene el héroe antes de abordar la nave enemiga. A él le agradó mucho este recurso épico que yo le ofrecía; mas, como nada supiera de nuestra guerra, como no conocía su origen ni los hechos gloriosos llevados a cabo, ni los lugares donde se desarrolló el gran drama, ni los héroes que en él intervienen, y como ya tiempo no quedaba para ese estudio, ya que él se había limitado a estudiar el episodio de Iquique, de fijo que no podía ejecutar mi idea por más que le agradaba. Yo le salvé esta dificultad, y, apelando a mis recuerdos, le escribí en el acto apuntes en prosa que él convirtió en lindos versos, aunque sin abarcar mi pensamiento en toda su extensión, pues yo quise juntar en aquella visión el nudo y la máquina del canto épico, al mismo tiempo que darle al cuadro la amplitud propia del tema propuesto, el cual debía abarcar toda la guerra del Pacífico" [3].

*   *   *

El Certamen Varela de 1887 es el más importante de la literatura chilena, y no sólo porque en él se encuentre el nombre de Darío, sino por el gran caudal de composiciones que se presentaron a optar por los premios señalados. En el *Canto a las glorias de Chile* se presentaron seis composiciones, y la de Rubén Darío llevaba el seudónimo *Ursus*. Para optar al premio establecido a las imitaciones de Bécquer se enviaron al jurado cuarenta y siete grupos diversos, entre los cuales, por su abundancia, los jueces creyeron conveniente premiar no con dinero,

---

[3] El 21 de mayo de 1888 fueron trasladados a Valparaíso y colocados en la cripta del monumento a la Marina chilena, los cuerpos de Arturo Prat y de sus compañeros Serrano y Aldea, en una ceremonia cívica de gran lucimiento. Con este motivo se daba a luz por esos días el libro titulado *El 21 de Mayo de 1888,* en el cual fué reproducido el *Canto épico* de Darío, que había sido dado a conocer en la prensa de Santiago y de Valparaíso en el mes de octubre anterior y recogido, además, en el primer volumen del Certamen Varela.

sino con la publicación en el libro del Certamen, las de los siguientes autores:

Pedro Olegario Sánchez.
Delfina María Hidalgo.
José Tomás Matus.
Luis Felipe Barros Baeza.
Rubén Darío.
Santiago Escuti Orrego.
Carlos Luis Casanueva.
Julio Vicuña Cifuentes.
Oscar Torres.
José del Carmen García.
Policarpo Munizaga Varela.
José Eduardo Moreno.
Ricardo Fernández Montalva.
César Zilleruelo.
Vicente Segundo Santos.
Raimundo del R. Valenzuela.
Ramón Escuti Orrego.
Samuel Núñez Olaechea.
Carlos A. Gutiérrez.

El jurado se tomó el prolijo trabajo de examinar una por una las composiciones en su informe, y sobre las de Darío, entregadas bajo el seudónimo *Imberto Galloix* [1], escribió en estos términos: "Estas catorce composiciones son originales por su concepto y por su disposición, que es enteramente artística y

---

[1] El nombre corresponde al de un poeta suizo de lengua francesa (1807-28), celebrado por Sainte-Beuve y Víctor Hugo. Sus composiciones fueron recogidas sólo en 1834.

está expresada en versos flúidos y sonoros. Todas ellas corresponden al tema segundo, y no hay una que por la profundidad de su estilo no llame la atención, haciendo pensar. Son enteramente del género de Bécquer." Y esta última advertencia, atendiendo al espíritu del Certamen, era un elevado elogio...

La adaptación de ciertos tonos lúgubres de la poesía becqueriana está lograda felizmente en la rima V, que comienza:

> *Una noche*
> *tuve un sueño...,*

breve romancillo que recuerda con cierta fidelidad el ritmo de aquella rima de Bécquer:

> *¡Dios mío, qué solos*
> *se quedan los muertos!...* [5]

La estructura del romance tradicional, en cuanto a métrica y estilo, está muy bien hallada por Darío en la rima VII, que dice:

> *Llegué a la pobre cabaña*
> *en días de primavera...,*

la cual narra, con extraordinaria concisión de rasgos, una historia de luctuoso sabor. La "niña triste" que cantaba cuando el poeta la vió en esos "días de primavera", ya no está cuando el poeta vuelve, en el tiempo en que "el gris otoño empieza":

> *Yo sentí frío en el alma,*
> *cuando vi sus manos trémulas,*
> *su arrugada y blanca cofia,*
> *sus fúnebres tocas negras.*

---

[5] Bécquer, *Obras,* t. III, p. 203, rima LXXII. Cito de la edición española hecha en Madrid, 1885.

A un par de hermosos versos que en la primera visión —primaveral— del poeta caracterizaban la estación:

> *Fuera volaban gorriones*
> *sobre las rosas abiertas,*

corresponden, al fin, en un estrecho paralelismo de imágenes, estos otros, menos logrados, pero no menos sugerentes:

> *Fuera las brisas errantes*
> *llevaban las hojas secas.*

Este romance puede confirmar la verdad de las copiosas lecturas de clásicos hechas por Darío antes de su llegada a Chile: hay caracteres de la mejor poesía popular española que han pasado al lenguaje del poeta americano. Los rasgos descriptivos, sobre todo los que pintan la naturaleza, han sido aprendidos de Góngora, maestro a quien más adelante iba a rendir Darío el testimonio de una absoluta pleitesía.

Después el ramillete de las *Otoñales* se desnaturaliza. En lugar de seguir reproduciendo las delicadas imágenes que parecen distintivo de las composiciones becquerianas, totalmente subjetivas, ofrecen líneas menos sutiles y menos puras. Tal ocurre, por ejemplo, en la rima XI, en que el poeta, entregado a una labor más autobiográfica, dice:

> *O callo como un mudo,*
> *o charlo como un necio,*
> *salpicando el discurso*
> *de burlas, carcajadas y dicterios.*
> *¿Que me miran? Agravio.*
> *¿Me han hablado? Zahiero.*

Donde el tercer verso *(salpicando el discurso),* por lo menos, se distingue por lo vulgar; luego el mismo trozo abunda en ex-

presiones no más diestras, de las cuales no es capaz de redimir-
lo el final, con ser sugerente y hasta su poquito enigmático:

> *¿Quieres saber acaso*
> *la causa del misterio?*
> *Una estatua de carne*
> *me envenenó la vida con sus besos.*
> *Y tenía tus labios, lindos, rojos,*
> *y tenía tus ojos, grandes, bellos...*

La rima XIV es una bella descripción de dos estados de espíritu opuestos: el poeta se sabe alternativamente amado y enga-
ñado, y a influjo de estas impresiones todo cambia para él en la
naturaleza:

> *El ave azul del sueño*
> *sobre mi frente pasa;*
> *tengo en mi corazón la primavera*
> *y en mi cerebro el alba.*
> *Amo la luz, el pico de la tórtola,*
> *la rosa y la campánula,*
> *el labio de la virgen*
> *y el cuello de la garza.*
> *¡Oh, Dios mío, Dios mío!...*
> > *Sé que me ama.*

> *Cae sobre mi espíritu*
> *la noche negra y trágica;*
> *busco el seno profundo de las sombras*
> *para verter mis lágrimas.*
> *Sé que en el cráneo puede haber tormentas,*
> *abismos en el alma*
> *y arrugas misteriosas*
> *sobre las frentes pálidas.*
> *¡Oh, Dios mío, Dios mío!...*
> > *Sé que me engaña.*

Este breve poema parece ser, con el VII, ya señalado, el mejor del conjunto, en el cual hay gracia, armonía, felices dotes de poeta, pero también desigualdades de tono. La propia rima que acaba de repasar el lector no es otra cosa que una ampliación de otra de Bécquer, brevísima, que con justicia es citada como una de las mejores en su obra poética:

> *Hoy la tierra y los cielos me sonríen,*
> *hoy llega al fondo de mi alma el sol,*
> *hoy la he visto..., la he visto y me ha mirado...*
> *¡Hoy creo en Dios!*

Es interesante, finalmente, hacer notar que las rimas de Bécquer lograron en Chile gran boga, acreditada por las ediciones que de ellas se hicieron en ese tiempo: a la llegada de Darío a Chile habían aparecido ya dos, y las dos en Valparaíso, en 1883 y 1886. Al ponerlas como modelo, el promotor literario del Certamen Varela, don José Victorino Lastarria, pensaba por lo demás que esta forma nueva de la poesía podría prestar servicio a la renovación literaria, en lo cual por cierto se equivocó. Después de haber hecho estragos por unos años, el becquerianismo ha quedado sepultado en un cabal olvido, si bien la gloria personal de Bécquer es de las que ya están a salvo de los cambios de la moda. En el ambiente literario de Chile, ciertamente muy afrancesado, la nota castiza podía darla este afecto a la poesía de Bécquer, reproducida en libros y señalada como tema de imitación a los poetas. Pero Darío no se plegó a la moda, sino en el grado necesario para hacer sus imitaciones, a sabiendas de que lo eran, y para optar al premio, que venía muy bien a sus necesidades. Sus gustos iban por otro lado, y los declaró paladinamente en cuanto se le ocurrió que la ocasión era llegada.

"Y aprovecho esta oportunidad —escribía un año después y

a propósito de Préndez— para lamentar una dolencia literaria que aquí... ha alcanzado desarrollo quizá con motivo de un último certamen, hablo del becquerismo. Bien está que se alaben mucho y se hagan conocer en todas partes las obras de Bécquer, pero no que se forme escuela becqueriana, no que se imiten las *Rimas,* composiciones admirables, sentidas, originales, o mejor dicho, personales, que a pesar de ser muy pocas y toda la "obra" poética de su autor, le dieron fama y gloria. Bécquer, que no cantaba sino la eterna canción del amor, lo hizo de modo inimitable, puesto que vivió sus rimas. Así sus imitadores que producen éstas como se dice a sangre fría, no remedan del modelo sino la forma, y si logran igualarle, de algo más necesita la República que de suspirillos germánicos, como dice Núñez de Arce, y no siempre los poetas deben estar ojerosos pensando en la mujer amada, o llenando abanicos y álbumes con madrigales y hojas de rosas llenas de polvos de arroz: que el arte tiene vastos horizontes y allá se lanzan los que tienen alas. Así como en la inmensa variedad de la raza humana, a pesar de combinaciones no hay dos cuerpos iguales en todo, así en el misterioso yo, en lo íntimo del alma, son todos los hombres distintos, y llevan su pequeño mundo interior, el cual tan solamente puede ser contemplado por los propios ojos del mismo espíritu que nos anima. La inspiración habita en ese mundo del alma de los poetas, y por eso los petas más originales son los que, sin sentir influencia ajena alguna, sacan de lo profundo de su ser lo que nadie conoce sino ellos, y lo exponen triunfalmente con la fuerza del arte, y entonces aquello desconocido y extraño mueve a la admiración y llama el aplauso. Los imitadores vienen después, y como no busquen también en su mundo espiritual algo que sea propio y lo empleen, entran desde luego en la numerosa comunidad de las medianías. Préndez ha buscado, y por lo que a la luz muestra, bien se ve que podría, orgulloso, regar su huerto con el agua de su propio río. ¡Ojalá lo miraran nuestros ojos!" (*Obras Desconocidas,* 16 de noviembre de 1888, pp. 252-3.)

* * *

Viejos y jóvenes habían justado, cubiertos todos con el velo del seudónimo, en el torneo más famoso de nuestra literatura; pero una vez que se dieron a conocer los resultados y se supo quiénes recibían los premios y, sobre todo, quiénes no habían obtenido recompensa (por lo menos adecuada a la idea que ellos mismos tenían de sus méritos), comenzaron las murmuraciones. De las salas de redacción, de los círculos literarios y de los clubs y corrillos saltaron luego a los diarios, y por algunos días se produjo una tempestad de primavera que tuvo como escenario a varios periódicos. A pesar de que el señor Varela había sido explícito al decir que la presencia de los escritores sin distinción de edades era condición indispensable para que el Certamen surtiera su efecto, fué la asistencia de los escritores ya fogueados la que más se comentó. Los diarios tomaron partido: *La Época* fué desde el primer momento la trinchera desde la cual se disparó contra los autores de más edad, es decir, salvo otros de menor importancia, sobre Barros Grez y Eduardo de la Barra, el primero ya próximo a los sesenta años y el segundo vecino a los cincuenta; en *La Libertad Electoral* encontraron acogida los escritores incriminados y especialmente don Eduardo, a quien se le regalaba una oportunidad de volver a empuñar la pluma del polemista, que con tanto gusto manejó siempre. Un artículo de *Gil Pérez* (seudónimo, como se ha dicho, de José Gregorio Ossa) de 13 de septiembre, publicado en *La Época,* así como una inserción titulada *Los certámenes literarios,* fué señal de combate. Eduardo de la Barra replicó en verso, con incisiva agresividad y bajo el seudónimo *Argos,* que era un velo transparente[6]. El día 16 de septiembre *La Libertad* daba a luz dos composiciones de este *Argos, Los Certámenes* (a los críticos de *La Época*) y *El pollo metido a gallo.* No vamos a seguir la polémica porque sería inoficioso[7]. Baste saber que en ella, como en todas, se repitieron manidos argumentos y se hizo cuestión de algo que no podía, en buena doctrina, llevarse tan lejos; lo que sí debe recordarse es la intervención que tuvo en la querella el maestro Lastarria. Lastimado en su amor propio, dirigió una carta a *B. de Zamora* (seudónimo del peruano José Arnaldo Márquez en *La Libertad Electoral*) en la que decía: "¿No acabáis de ver la tempestad que se ha armado, y de que ha sido eco uno de los diarios de esta capital, contra los que como vos, Barros Grez, Eduardo de la Barra concurrieron al Certamen Varela?"

Lastarria tomaba partido por los mayores, no sólo porque él ya era un anciano de setenta años, sino porque estaban en lo justo. En el fondo había también una queja mezquina deslizada en medio de la disputa literaria. Eduardo de la Barra había ob-

---

[6]   Con el seudónimo *Argos,* efectivamente, había escrito antes en la prensa don Eduardo de la Barra, sobre todo piezas de polémica religiosa y política.

[7]   En la colección de *Poesías* de Eduardo de la Barra (tomo II) aparecen tres composiciones motivadas por el Certamen Varela. La primera se titula, como ya hemos dicho, *Los Certámenes,* y aquí aparece dedicada a Buenaventura Cádiz; la segunda es *El pollo metido a gallo,* dedicada a Ramón C. Briseño, y la tercera es *El Laureado,* dedicada a Evaristo Soublette. El primer poemita parece describir simbólicamente a Darío cuando dice:

> *Por fin, llegó el Zinzontle americano,*
> *el Ruiseñor de Grecia, un tanto cano,*
> *y a competir con ellos noblemente*
> *el oriental Bulbul alzó la frente.*

tenido muchos premios por sus diversos trabajos, y las malas
lenguas dijeron que como era yerno de Lastarria y éste formaba
parte del jurado, podía suponerse una complacencia torcida. En
todo caso, la calidad de las composiciones premiadas deja fuera
de toda duda la justicia del veredicto.

* * *

Decíamos más arriba que Darío hizo viaje de Valparaíso a
Santiago con el objeto de cobrar el premio del Certamen Varela.
En esta ciudad le encontró por esos días Orrego Luco, que le
había dejado de ver algunos meses antes.

"Mientras se imprimían los *Abrojos,* el poeta se retiró del
diario en que trabajaba y se fué a Valparaíso, a casa del señor
Poirier. Durante mucho tiempo quedé sin noticias suyas; de
tarde en tarde una carta venía a traérmelas, y todas eran tristes.
Después dejó de escribirme y no supe más de él.

"A mediados del año 87, una tarde en que fuí a la sala de
redacción de *La Época,* en donde solía reunirme con Alberto
Blest, Pedro Balmaceda y otros amigos que iban a charlar, me
encontré de nuevo con el poeta de Nicaragua. Acababa de sacar-
se el premio del Certamen Varela y estaba muy elegante, de ropa
azul marino, corbata a la moda, sombrero lustroso y pañuelo
de seda que sacaba a cada momento, como para deslumbrarnos,
dando importancia a su persona. En medio de aquellos muchachos tan diversos, de inclinaciones tan distintas, pero todos de
talento, pasé, sin sentirlas, muchas horas. En una pared brilla-
ba la panoplia con una coraza, un casco y sables y carabinas, en
las otras algunos retratos, entre otros el de Sarmiento y el de
Wanderer, el caballo famoso que había dado *La Época* en su
primera página el domingo anterior. Hablábamos a gritos y to-

dos a un tiempo, de manera que nunca pude oír el tic tac del reloj. Sobre la mesa cubierta de diarios del Perú, Ecuador, República Argentina y de Europa, se alzaba una verdadera pirámide hecha con los sombreros de los concurrentes. Alberto leía en voz alta los chascarrillos del *Fígaro,* descueraba a la mitad del mundo, y nosotros a la otra mitad." (*La Libertad Electoral,* 21 de febrero de 1889.)

El grabado de *Wanderer* que recuerda Orrego Luco fué publicado en la página inicial de *La Época* el día 25 de septiembre de 1887; Darío permaneció algún tiempo más en Santiago, mientras gastaba la importante suma que había recibido, porque hay testimonios de otro orden que prueban su vida en Santiago, al través de una carta de Rodríguez Mendoza dirigida al doctor Puga Borne.

> Santiago de Chile, 16 de Octubre de 1887.   Señor don Federico Puga Borne.   Presente.   Mi estimado doctor: Conocedor del carácter generoso de usted y justo apreciador de sus conocimientos médicos, me intereso vivamente en el sentido de que preste usted su asistencia profesional a mi amigo Rubén Darío, joven lleno de talento, de cuyas producciones, según he oído decir, es usted un admirador convencido.
>
> Pues bien, el pobre Darío, tan digno de mejor fortuna, ha tenido la desgracia de adquirir una enfermedad que hasta le priva por el momento de salir a la calle.
>
> Yo espero, señor Puga Borne, que usted consiga devolverle la salud, con lo cual empeñaría la gratitud de Rubén y la de los numerosos amigos con que cuenta en Chile.
>
> Reciba el saludo afectuoso de su más atto. a. y s. s., *M. Rodríguez Mendoza.*

A propósito de aquella dolencia hay, además, un premioso billete que está dirigido alternativamente a tres personas que por eso sólo debemos juzgar de la mayor intimidad de Darío:

Señor don Alfredo Irarrázaval, o don Gregorio Ossa, o don
Narciso Tondreau:

A cualquiera de ustedes necesito en mi pieza de alojamiento,
calle de Nataniel 51, donde estoy gravemente enfermo. ¡Ojalá que
fuera esta misma noche! Su amigo...

Por Rubén Darío que está imposibilitado en este momento,

P. L. Medina.

Este billete, que aparece en el *Archivo de Rubén Darío,* publicado por Alberto Ghiraldo (Buenos Aires, 1943, p. 342), se
data allí en 26 de octubre de 1887. Una distancia de diez días
ante un accidente de salud grave como el que aquí se nos presenta, parece excesiva. Creemos que tanto en la carta de Rodríguez
Mendoza como en el billete de Medina debe leerse una misma
fecha, y que tal vez la de 16 de octubre sea la más adecuada.

Sobre esta enfermedad hay más referencias en un artículo
de Ossa Borne, quien recordaba con gratitud al firmante, Pedro
León Medina, y agregaba: "Pero una enfermedad hizo presa en
el asendereado vate, y su amigo hizo lujo de abnegación y de
delicadas y generosas atenciones." Debemos suponer, en fin, que
el poeta estaba repuesto en los días finales del mes de octubre
por las noticias que de él nos trae el diario *La Época.* El 29 de
octubre decía: "URSINO.—Hemos tenido el placer de leer el
drama *Ursino,* que su autor el poeta centro-americano don Francisco Antonio Gavidia ha enviado a nuestro amigo don Rubén
Darío." Y agregaba: "El señor don Eduardo de la Barra ha
ofrecido a nuestro amigo Darío hacer un estudio crítico del *Ursino.*" Algunas de las colaboraciones de entonces revelan la permanencia de Darío en Santiago: *Un soneto para bebé* (4 de diciembre en su publicación) figura fechado en la capital, noviembre de 1887, y *La copa de las hadas* (25 de diciembre) lleva una
inscripción anexa que dice "Santiago, diciembre de 1887". En
el siguiente mes de enero de 1888 también hay colaboración de

Darío en *La Época,* aunque ninguna de las piezas que la forman lleva indicación que permita identificarla como las que hemos citado, con relación al sitio en que fueron compuestas.

* * *

En esta segunda temporada de la vida de Darío en Santiago nació un importante proyecto literario que estaba llamado a vincular estrechamente el nombre del poeta nicaragüense a Chile. Discurrieron Darío y su entrañable amigo Narciso Tondreau componer un *Romancero de la Guerra del Pacífico,* al cual se refería la sección *El Día* de *La Época* en su edición de 18 de noviembre, bajo la firma de *Kar;* y para este efecto redactaron la siguiente circular, que transcribe íntegramente el suelto aludido:

Santiago, noviembre 15 de 1887.

Señor don N. N.

Muy señor nuestro:

Hemos concebido la idea de formar una colección de romances históricos, que constituyan el *Romancero de la Guerra del Pacífico,* obra que sea un reflejo de las hazañas llevadas a cabo por el ejército chileno en las heroicas campañas que empezaron en 1879 y terminaron en 1883, siempre con éxito brillante y lisonjero para las armas de Chile.

Como el contingente de Ud. daría mucho lustre y brillo a la obra que proyectamos, nos tomamos la libertad de pedirle concurra a la formación de ella con un romance octosílabo de la extensión que Ud. juzgue conveniente, y sobre el episodio de la última guerra que Ud. encuentre también de su agrado.

Cada colaborador tendrá derecho a dos ejemplares del Romancero.

Si tenemos la felicidad de contar a Ud. entre los cooperadores de esa obra, sírvase contestarnos, dirigiéndose a cualquiera de nosotros, Imprenta de *La Época,* Estado, 36 J, antes del 31 de diciembre próximo.

De Ud. muy atentos y SS. SS.

Rubén Darío. Narciso Tondreau.

Kar, comentando la iniciativa, decía como nota final: "Los señores Darío y Tondreau admitirán la colaboración de todas las personas que les remitan romances y a quienes no les hayan dirigido la circular por no conocer su residencia."

La circular fué reproducida en otros diarios, y debe presumirse, en fin, que llegó a conocimiento de todos los escritores. *La Época* en su edición de 3 de enero de 1888, en información que hemos visto reproducida por *La Patria* de Valparaíso, recordaba que se había cumplido el plazo fijado por Darío y Tondreau, y copió la nómina que éstos le comunicaron "de las personas que han contestado esa circular, ofreciendo su colaboración para el *Romancero":*

Guillermo Blest Gana.

Eduardo de la Barra.

José Victorino Lastarria.

Jacinto Chacón.

Adolfo Valderrama.

Ramón Escuti Orrego.

Rosendo Carrasco.

Juan N. Espejo.

Ricardo Dávila Boza.

Arturo Givovich.

Alfredo Irarrázaval Zañartu.

Manuel O. Boza.

Antonio Espiñeira.

Raimundo del R. Valenzuela.

Ricardo Montaner y Bello.

Hortensia Bustamente de Baeza.

Policarpo Munizaga.

Roberto Huneeus.

Guillermo de Aconcagua.

Eduardo M. Clifton.

Luis Rojas Sotomayor.

Luis Alberto Navarrete.

Antonio Subercaseaux y Pérez.

Clemente Barahona Vega.

E'quis.

Teodoro Romero.

"De las personas nombradas, algunas, como los señores Lastarria, de la Barra, Dávila Boza, *Guillermo de Aconcagua* y la señora Bustamante de Baeza, han remitido ya romances para la colección proyectada —seguía diciendo *La Época*—. Como muchos que desean concurrir han preguntado cuándo se cerrará el plazo para remisión de sus trabajos, tenemos encargo de los señores Darío y Tondreau de decirles que ese plazo será hasta el 1.º de agosto del año en curso, pues se tiene la idea de que el volumen salga a luz el 18 de septiembre próximo, como fecha más apropiada y que concuerda con el fin y propósito del *Romancero*. Tenemos igualmente encargo de los editores de éste de llamar a la formación de tan laudable obra a todas las personas que tengan voluntad de hacerlo. No hay más condiciones que las dos siguientes: que el trabajo tenga por tema un episodio de la guerra del Pacífico, o algo que con ella se relacione, y que sea escrito en estricto romance octosílabo. De desear sería que nuestros aficionados a las poesías favorecieran con su talento y su pluma un libro destinado a glorificar a nuestros valientes soldados y a colocar un laurel sobre la frente de la patria."

Aparentemente formaba parte de la colaboración anunciada para el *Romancero de la Guerra del Pacífico* el extenso romance titulado *Tarapacá,* dado a luz por *La Tribuna* de Santiago en su número inicial de 25 de Junio de 1888, como homenaje a su autor, José Victorino Lastarria, que acababa de fallecer.

*   *   *

La polémica que coronó los resultados del Certamen Varela iba a tener un nuevo brote cuando, poco más adelante, aparecieron en minúsculo folleto *Las Rosas Andinas,* nueva y más perfecta muestra de la estupenda habilidad de Eduardo de la Barra para versificar. *Las Rosas Andinas* comprenden seguidamente las rimas de Rubén Darío presentadas al Certamen, y las contra-rimas, que para hacer su parodia había escrito el poeta chileno, oculto esta vez bajo el seudónimo *Rubén Rubí.* Están precedidas de un prólogo del Editor, que no podía ser otro que el mismísimo De la Barra, y de una Introducción dedicada a Rubén Darío, en la cual el parodista intenta una descripción de la poesía de Darío que no por tender a lo ridículo carece de gracia y de justeza:

> *En las selvas de tu tierra, donde crece sin igual*
> *una fauna multiforme y una flora colosal,*
> *donde bullen los insectos de metálico color*
> *y hay aromas que envenenan escondidos en la flor...*

Y después, variando de metro y de tono, el autor dice:

> *Yo, como tú, fuí mecido*
> *en hamaca tropical;*
> *nadie conoce mi nido,*
> *soy cantor desconocido,*
> *soy un oscuro turpial.*

Por esta composición viénese además a caer en la cuenta de que Eduardo de la Barra conocía la producción de Darío anterior al viaje de éste a Chile, sin duda porque su propio autor se la había comunicado. El poema a que nos referimos en el texto es desde luego una imitación de la *Serenata* que se publicó por primera vez en *El Porvenir de Nicaragua,* Managua, 22 de abril de 1882 (Sequeira, *Rubén Darío criollo,* p. 61), que comienza diciendo:

> *Señora: allá en la tierra del sándalo y la goma,*
> *bajo el hermoso cielo de Arabia la Oriental,*
> *do bullen embriagantes la mirra y el aroma*
> *y lucen sus colores la perla y el coral...*

Y que al cambiar de metro dice:

> *Yo quiero darte, Señora,*
> *también hoy mi serenata,*
> *sin tener la guzla mora*
> *ni la cuerda vibradora*
> *de la bandurria de plata...*

Las parodias no alcanzan la misma gracia, porque es en ellas demasiado visible el contraste entre la nobleza espontánea del poeta que escribe lo que siente, y el intento del parodista, que trata de llevar a tierra lo que aquél ha encontrado bello y puro y noble, digno de su estro y de su estilo. La alusión frecuente al trópico, las referencias a la pobreza personal del poeta, que por desgracia constaba a don Eduardo de la Barra, como ha quedado acreditado más de una vez, muestran a éste empeñado en una tarea burda y sin elevación.

Cuando el nicaragüense dice:

En la pálida tarde se hundía
el sol en su ocaso,
con la faz rubicunda en un nimbo
de polvo dorado,

y el chileno replica:

En la cálida costa se hundía
el sol en su ocaso,
con la faz rubicunda y ardiente
de gringo borracho,

el lector comprende que la tarea del parodista fué fácil y acaso por eso, exenta de gloria. El propio Eduardo de la Barra cuenta en una de las notas con que termina la recopilación de sus *Poesías* (tomo II) la escena que pasó entre él y la víctima de sus parodias, algunos días después de la publicación de éstas.

"Pasadas mis vacaciones, regresé del campo, y la primera visita que recibí fué la de Rubén Darío, quien me veía con mucha frecuencia. Aquella vez, después de largos rodeos, hubo de abordarme al fin, y me habló de las *Contra-rimas*.

"—¿Usted las ha leído? —me preguntó.

"—Sí; las conozco.

"—¿Y no sospecha usted de quién puedan ser?

"—*Mieux que ça:* conozco al autor.

"—¿De veras? ¿Quién es?... Dígamelo usted...

"—¿Jura y promete guardar el secreto?

"—Se lo prometo; ¿quién es el autor?

"—Yo.

"Darío quedó estupefacto; mas, luego me confesó que él y sus amigos, tras de muchas conjeturas, habían caído en la cuen-

ta de que aquellas parodias eran mías y no de   otro. Contéle
entonces cómo y por qué las había escrito; y él, hombre de talento, me refirió que había sido el primero en aplaudirlas por la
prensa."

Al decir esto último, Eduardo de la Barra se estaba refi-
riendo a un suelto de crónica de *El Heraldo* que salió el 9 de
enero de 1888 y que al día siguiente reprodujo en Santiago
La Época, como prueba de lo mucho que le interesaba, a la distancia, la obra de su antiguo redactor. El suelto de crónica a
que aludimos dice así:

"Las rosas andinas.—Con este título se ha publicado un
pequeño volumen de poesías que contiene las *Rimas* que don
Rubén Darío presentó al Certamen Varela, y una parodia de
las mismas, obra de autor anónimo.

"Siempre hemos sido enemigos de toda parodia literaria
porque, buenas o malas, siempre son a modo de caricaturas de
ideas. Generalmente, no se parodia sino lo bueno.

"Luego, tales juegos de ingenio son síntomas en todas partes de decadencia. Hemos leído las composiciones a que nos referimos, y, a pesar de nuestra preocupación en contra, aplaudi-
mos al autor de ellas. No puede ser sino un hombre de mucha
chispa y un buen poeta el que ha escrito eso. Además, algunas
no son parodias, sino imitaciones de las Rimas y, a nuestro entender, las hay que valen tanto o más que los originales."

* * *

Como se ha mencionado en estas páginas más de una vez
al poeta Eduardo de la Barra, no estará fuera de su sitio recordar ahora lo que el propio Darío dejó dicho de él. En el precioso artículo sobre *Asonantes,* de Tondreau, que tiene el sabor

de una irreemplazable página autobiográfica, hay una estampa. Darío le evoca "pequeño y regordete" en su oficina de rector del Liceo de Valparaíso. Conversa con él, y le encuentra vivaz y juvenil a pesar de que tiene ya "blanca la cabeza". Estos recuerdos corresponden al primer período de Darío en Valparaíso, precisamente entre junio y agosto de 1886. Después se vieron con más frecuencia, y llegaron sin duda a confiar el uno en el otro con verdadera intimidad. Sintiéronse hermanados por el culto de la poesía, y Eduardo de la Barra, magnánimo dentro de su carácter de mayor en edad y en experiencia, pasó a ser algún día el ángel tutelar de quien más apoyo necesitaba en esas sombrías horas.

Algo de lo que Darío le debió entonces se ha dicho más arriba; véase ahora lo que influyó Eduardo de la Barra para que Darío colmara sus ensueños juveniles, llegando a ser colaborador y corresponsal de *La Nación* de Buenos Aires. Y aun cuando hayamos tentado más de una vez en estas páginas desacreditar la *Autobiografía* por los muchos errores notorios que contiene, habremos de volver a ella cuando nos falte mejor fuente de información. Así acontece con la forma en que Darío narra cómo entró a ser, desde Chile, corresponsal de *La Nación,* de Buenos Aires. Esta distinción, envidiable para cualquier escritor, más lo era para un joven que apenas tenía iniciada su carrera literaria. Y si en ella cupo parte a algún chileno, ¡cuánto no habría que decir entonces en elogio de los chilenos que trataron a Darío de 1886 a 1889! Veamos, pues, lo que Darío cuenta:

> Yo tenía, desde hacía mucho tiempo, como una viva aspiración, el ser corresponsal de *La Nación* de Buenos Aires. He de manifestar que es en ese periódico donde comprendí a mi manera el manejo del estilo, y que en ese momento fueron mis maestros

de prosa dos hombres muy diferentes: Paul Groussac y Santiago
Estrada, además de José Martí[8].

Después de una digresión prosigue el poeta narrando lo
que le habría dicho Eduardo de la Barra:

> —Vamos a ver a mi suegro (don José Victorino Lastarria, como
> se ha recordado ya más arriba), que es íntimo amigo del general
> Mitre, y estoy seguro de que él tendrá un gran placer en darle
> una carta de recomendación para que logremos nuestro objeto, y
> también estoy seguro de que el general Mitre aceptará inmedia-
> tamente la recomendación.

Y la *Autobiografía* sigue diciendo: "En efecto, a vuelta de
correo venía la carta del general, con palabras generosas para
mí, y diciéndome que me autorizaba para pertenecer desde ese
momento a *La Nación*."

Darío se siente esta vez orgulloso de sus padrinos, de sus
amigos, de todos los que le ayudaban a mantenerse a flote después de los naufragios a que le arrastraba su pecadora carne,
y exclama: "Quiso, pues, mi buena suerte que fuesen un Lastarria y un Mitre quienes iniciasen mi colaboración en ese
gran diario."

Nombres a los cuales bien pudo agregar el del chileno Eduardo de la Barra, que tan feliz intermediario había sido en aquella
delicada gestión.

_____

[8] El interés de Darío por acercarse al ambiente literario de Buenos
Aires queda además acreditado con la siguiente noticia que publicaba
La Época en su edición de 22 de octubre de 1887:
"Don Rubén Darío acaba de recibir una muy honrosa carta del dis-
tinguido poeta argentino don Rafael Obligado."
Por la fecha, puede suponerse que Obligado se refería al envío de
Abrojos.

Capitulo VII

A Z U L ...

La excepcional información literaria con que Rubén Darío llegó a Chile debía con justicia llamar la atención de quien se aproximara a él y obtuviese —raro privilegio— alguna confidencia de este hombre recogido y ceñudo antes de tiempo. De estar a las investigaciones que hemos hecho, el primer artículo que Darío publicó en Chile fué *La Erupción del Momotombo,* que insertó *El Mercurio,* de Valparaíso, en su edición de 16 de julio de 1886. El poeta no había completado entonces un mes de permanencia en Chile y escribió su trabajo especialmente para ese diario, puesto que en la fecha al pie, que acompaña a la firma, dice: "Valparaíso, julio de 1886." Ya en esa ligera nota periodística encontramos referencia de Víctor Hugo: el poeta ha leído en la *Légende des siècles* el poema dedicado al famoso volcán nicaragüense, *Les raisons du Momotombo,* y narra la letra de la relación fabulosa de los conquistadores, puesta en verso por el poeta francés. Recuerda además que éste ha dicho, en elogio del volcán, que "forma a la tierra una tiara de sombra y de llama", y reproduce el verso "campos de soledad, mustio collado" como para acreditar que no conoce sólo a Víctor Hugo, sino también la poesía clásica española. Otro artículo del mismo diario, que el autor fecha el 24 de julio de 1886, destinado a llorar la muerte del poeta chileno Hermógenes de Irisarri, comienza diciendo: "Las musas se van, ¡Oh, Póstumo!, que tienes a bien poner oídos a mis tristes apóstrofes. Las musas se van porque vinieron las máquinas y apagaron el eco de las liras. Idos, ¡adiós, poetas inspirados! Los que nos quedaban se están muriendo; los que sobreviven han dejado la floresta primitiva de su Arcadia al ruido ensordecedor de la edad nueva; allá quedó el instrumento abandonado, el arpa de los cánticos primeros. Idos a Dios, encendedoras de divinos entusiasmos, dulces Piérides, que en mejores tiempos hallasteis en el suelo de Arauco servidores constantes y sumisos. Ya no hay vagar para vuestro culto." (*Obras Desconocidas*, pp. 16-17.)

En este artículo, tan embebido de clasicismo como ha podido verse, nombra a Macaulay, muestra familiaridad con la literatura chilena y menciona a Pedro de Oña, Guillermo Matta, Eduardo de la Barra, Eusebio Lillo, José Antonio Soffia, Quiteria Varas Marín; cita a Virgilio en latín, a Anacreonte a través de Baráibar y de Irisarri, y habla con discreción y tino de Ruckert, de Horacio y de Joubert. ¿Puede ser vulgar la información de un mozo que a los diecinueve años se codea de tal modo con los grandes de varias literaturas? Y si recorremos las páginas de *Obras desconocidas,* donde han quedado tantas muestras dispersas de un talento que no hizo asco al periodismo, veremos que la cultura del poeta era ya en ese tiempo harto escogida y varia. Habrá de admitirse, en presencia de lo citado, así como de lo que además puede encontrarse en aquel libro, que no era sólo la literatura española su fuerte: sabía también algo de latín y había leído a los más eminentes poetas clásicos. Debe aceptarse, en fin, que tampoco podría ser su francés tan "precario" como él mismo diría más tarde, puesto que no sólo citaba a los escritores que hemos mencionado, y a otros de su lengua, sino que también traducía al más grande y avasallador de todos ellos: Víctor Hugo. Porque a muy corta distancia de su llegada a Chile publicaba en *La Época,* el 15 de septiembre de 1886, una traducción del libro póstumo de Hugo *La fin de Satan,* y ella, *La entrada a Jerusalén,* no sólo es atinada, sino que tiene rasgos magistrales, como ya hemos tenido oportunidad de explicar[1]. Es curiosa la insistencia con que algunos de los amigos del poeta, y éste mismo, se han referido al escaso conocimiento del francés que tenía en los primeros años de su vida literaria. Gavidia dice haberle leído los versos de Hugo, porque el adolescente no sabía francés. Veamos otra información posterior. En 1890, al decir de Soto Hall, tampoco su francés era cabal: "Nos encontramos al poeta leyendo un libro de poemas franceses, cuyo autor no recuerdo. Estaba muy entusiasmado y quiso traducirnos uno de ellos. Rubén adivinaba más que sabía lo que paladeaba en lenguas extrañas. Su dominio del idioma de Molière era muy exiguo en aquellos tiempos." *(Revelaciones íntimas,* p. 104.) La traducción del fragmento de *La fin de Satan* que hizo en Chile (ver *Obras Desconocidas,* p. 44) muestra que ya en 1886 era capaz de realizar algo más que lo que dice el señor Soto Hall. Anotemos, en fin, otro rasgo. El poeta escribió un artículo *(Obras Desconocidas,* p. 236) que rueda en su mayor parte sobre los méritos que Pedro León Gallo, escritor chileno, había adquirido como traductor de Hugo y sobre la dificultad de traducir a éste. Y proponía que se recogiera ese caudal disperso: "Hay tiempo. Hoy se inicia una era brillante al parecer. Los que dirigen el movimiento son gentes de ilustración y entusiasmo. Se conservan de ese hombre audaz y superior escritos que andan esparcidos en folletines

---

[1] En *Rubén Darío y su creación poética,* folleto publicado en 1935 para comentar la obra del mismo título que se debe al eminente escritor argentino don Arturo Marasso, intentamos una comparación de esta traducción con el original francés, y creemos haber probado que la versión es delicada y fiel, fuera de que la forma castellana llama la atención por el buen gusto y la elegancia.

de diarios pasados y de revistas. Sobre todo, sus versiones de
Hugo, entre las que sobresalen *El Sátiro* y *El Siglo XX* de *La
Leyenda de los Siglos*. Que se recoja todo, que se imprima un
hermoso libro, y ello será una verdadera gloria literaria para
este soberbio país de Chile." (*Obras Desconocidas*, p. 241.)

Entre las muchas obras anunciadas por Darío y que no se
publicaron nunca, en ese mismo artículo figura por lo demás
mentada una recopilación de las traducciones de Hugo. "El
que estas líneas escribe —decía— tiene en vías de publicación
un estudio completo sobre los traductores del gran francés, españoles y americanos. Esta obra, escrita con una crecida cantidad de noticias, estaba falta de datos únicamente respecto a poetas de Venezuela y Chile." (Ibid., p. 237.) Esta labor generosa,
emprendida por el chileno Soffia y el colombiano Rivas Groot,
en Bogotá, sólo pudo publicarse en libro en 1889, cuando Darío tenía ya tal vez olvidado su proyecto...

* * *

Hablando de la ilustración literaria y artística de Darío a
su llegada a Chile, esto es, a los diecinueve años de edad, se di-
viden las opiniones de sus amigos. Samuel Ossa Borne, gran
lector de escritores franceses modernísimos, que aparentemente
se preparaba con esas lecturas a una vida literaria que después
no realizó, está entre quienes afirman que aquella ilustración
era grande y robusta.

"Rubén Darío traía una sólida ilustración literaria. Conocía bien los clásicos griegos y latinos. Mostraba sus preferen-
cias por Anacreonte, por Virgilio y Ovidio y Juvenal. Poseía
un gran bagaje de literatura española, se decía admirador de
Santa Teresa y de Fray Luis de León. Atraído por Campoamor
hasta todo extremo, con frecuencia Rubén Darío movía los la-

bios como si pronunciara una oración: era algún trozo de dolora que tenazmente venía a su mente, era la obsesión de Campoamor. Decía de dos aficiones de niño que habían pasado a serlo de hombre en él: Campoamor y las *Mil y una noches.* No podía ver un ejemplar de los cuentos persas sin abrirlo y dejar correr el tiempo en su lectura. "Cosas viejas siempre nuevas, como ese *Cantar de los Cantares.*" Interrogado sobre los libros santos, decíase sobrecogido por su grandeza, por la majestad de los profetas, emocionado ante Job... Pero ello era nada al lado de los sentimientos de dulce poesía, de inefable ternura que le producía el Nuevo Testamento.

"Tenía momentos de expansión. Una tarde quiso explicar un deseo que parecía perseguirlo cual un programa cuya fórmula buscaba en muchos de sus desvelos. Concentrar su cerebro para convertirse en un ser doble: hombre de la edad homérica, dotado con cuanto conocimiento pudiera haberse tenido en ella, llegado al mundo moderno y juzgarlo en un gran poema... ¡Toda una vida de trabajo! ¡Dante Alighieri más grande!... Su mirada hacíase fosforescente, su voz rara, parecía un loco, impresionaba como un ser superior.

"¡Lo grande! ¡Ah! Ossian le importaba poco que hubiera existido o que fuese una genial mistificación. No negaba su admiración a Milton, pero prefería a Byron. Shakespeare, no se pregunta; a él el sitio de honor en el tabernáculo...

"Heine y Goethe estaban entre sus predilectos. Si hubiera podido disponer de algunos pesos, habría hecho en Valparaíso, durante los días de su empleo en la Aduana, una edición de poesías titulada *A la manera de Heine.*" *(Revista Chilena,* t. I, 1917, pp. 78-9.)

El propio autor, que estudió muy a fondo la personalidad de Darío como se revela por la acuciosidad de los recuerdos que consignó años después, cuando ya su amigo nicaragüense había muerto, ha recogido expresiones textuales del poeta en las cuales se habla de sus primeros maestros y se rinde pleitesía a la tutela que sobre sus estudios ejercieron los jesuítas.

"Éste (Darío) dedicó bellos recuerdos a sus estudios dirigidos y acariciados por un padre Tortolini, anciano, un padre Valenzuela, poeta de Colombia, un padre Koning, sabio astrónomo, un padre Juinguito, hoy obispo de Panamá... Y lo que he perdido en el recuerdo... He de insistir siempre en que los padres de la Compañía de Jesús fueron los principales promotores de una cultura, que no por ser, si se quiere, conservadora, deja de hacer falta en los programas de enseñanza actuales. Por lo menos conocíamos nuestros clásicos y cogíamos, al pasar, una que otra espiga de latín y aun de griego. Jóvenes nicaragüenses de ese tiempo hay hoy que, según tengo entendido, son hasta obispos y profesores en lejanas regiones." (Samuel Ossa Borne, *Un manojo de recuerdos rubenianos, Pacífico Magazine,* abril de 1918.)

Otros, en cambio, pusieron en duda los conocimientos de Darío y le negaron ilustración y cultura en términos hasta desapacibles. Luis Orrego Luco, a quien tanto se ha mencionado ya en estas páginas, reconoce que el poeta admiraba a Víctor Hugo, pero da a entender que nada más le interesaba y que si se le hubiera querido sacar de allí, habría desbarrado lamentablemente. "La ignorancia de Darío era casi absoluta —escribe—, apenas distinguía un coche de una casa, y no percibía diferencia de un cuadro a una oleografía. Su bagaje literario se reducía a Víctor Hugo que era su maestro y su Dios; no conocía cosa alguna fuera del gran poeta."

Desde lejos, en cambio, la cultura literaria de Darío parecía suficiente. ¿Nadie ha notado que la leyenda de la ignorancia del poeta fué ya controvertida por Valera, y nada menos que en presencia de un ejemplar de *Azul...* que acababa de llegar a

sus manos? Léase lo que dijo entonces: "Desde luego, se conoce que el autor es muy joven: que no puede tener más de veinticinco años, pero que los ha aprovechado maravillosamente.
Ha aprendido muchísimo, y en todo lo que sabe y expresa muestra su singular talento artístico o poético." Mayor habría sido
tal vez el asombro de Valera si hubiese sabido que Darío en la
fecha de la publicación de *Azul*... tenía poco más de veintiún
años, y que no pocos de los fragmentos allí recogidos habían
sido escritos a los diecinueve. Y vale la pena recordar que la
investigación literal que más adelante se ha hecho, lejos de qui-
tar al juicio o adivinación de Valera un ápice de su justeza, lo
ha ido confirmando progresivamente. El bagaje literario que
trajo Darío a Chile no sólo era bastante para que figurara con
decencia en cualquier medio elevado, sino superior a la genera-
lidad y superior inclusive al de la mayoría de sus amigos chilenos.

Lo que el poeta adquirió en Chile es, como han precisado
el erudito norteamericano Mr. Mapes *(L'Influence Française)*
y el crítico argentino Marasso *(Rubén Darío y su creación poética)*, un concepto nuevo del estilo al través de lecturas de escritores franceses contemporáneos, que añadieron algo a la base
clásica de su formación literaria, que ensancharon su concepto
de arte, que le condujeron, en fin, a primorosos hallazgos de
expresión; y este concepto nuevo, bautizado más tarde con el
nombre de Modernismo, lo estudió con extraordinaria perspi-
cuidad Eduardo de la Barra al prologar el *Azul*..., lo definió
acertadamente Juan Valera al hablar de "galicismo mental",
y lo fijó en forma perfecta y marmórea José Enrique Rodó en
su trabajo crítico sobre *Prosas Profanas*. Y si podemos inquirir
cuantitativamente en el espíritu creador, si atribuimos cuotas a
los elementos que han intervenido en el nacimiento de su obra,
vendríamos a resumir diciendo que la poesía modernista de Da-

río (a partir de *Azul...* se entiende) está hecha, en lo tocante a cultura, de tres partes que se distribuyen en forma equitativa el total: un tercio de formación clásica, anterior al viaje a Chile, un tercio de información contemporánea, que comenzó a asimilar entre nosotros y completó más tarde en Europa, y otro de influencia directa de escritores franceses contemporáneos. Valera escribía: "... Lo primero que se nota es que está usted saturado de toda la más flamante literatura francesa. Hugo, Lamartine, Musset, Baudelaire, Leconte de Lisle, Gautier, Bourget, Sully Prudhomme, Daudet, Zola, Barbey d'Aurevilly, Catulle Mendès, Rollinat, Goncourt, Flaubert y todos los demás poetas y novelistas han sido por usted bien estudiados y mejor comprendidos. Y usted no imita a ninguno: ni es usted romántico, ni naturalista, ni neurótico, ni decadente, ni simbólico, ni parnasiano. Usted lo ha revuelto todo; lo ha puesto a cocer en el alambique de su cerebro, y ha sacado de ello una rara quintaesencia."

En *Historia de mis libros* el autor declara haber entrado en contacto con la moderna literatura francesa antes de llegar a Chile. "Mas mi penetración en el mundo del arte verbal francés —dice— no había comenzado en tierra chilena. Años atrás, en Centroamérica, en la ciudad de San Salvador y en compañía del buen poeta Francisco Gavidia, mi espíritu adolescente había explorado la inmensa selva de Víctor Hugo y había contemplado su océano divino en donde todo se contiene." Según confesión propia (*Obras Desconocidas,* p. 205), Darío trató por primera vez a Gavidia en 1884, y recuerda de él que "comenzó a publicar un poema por el estilo de los *Castigos* de Víctor Hugo". Pero todo esto se refiere a Hugo, no a escritores franceses más modernos, que hacia 1888 constituían una ardiente novedad.

Por su parte, el biógrafo de los días juveniles de Darío, don Diego Manuel Sequeira, a quien se ha citado ya con justo elo-

gio en este ensayo, contempla la posibilidad de que Darío cono-
ciera, siendo funcionario y lector de la Biblioteca Nacional de
Nicaragua, algunas de las producciones a que nos hemos referido. Menciona allí la existencia, en dicha Biblioteca (aun cuando
no nos afirme que se hallaran cuando Darío estuvo en ella), de
libros de Gautier, Mendès y Goncourt y otros escritores que visiblemente ejercieron influjo en la obra inicial de Rubén Darío
(obra citada, p. 173 y 189-90). Y señala sobre todo la existencia
de una traducción de *La llama azul,* cuento de hadas de Catulle
Mendès, emprendida por Darío en el curso de 1885 y publicada
en *El Porvenir de Nicaragua* por primera vez el 10 de septiembre de ese año (obra cit., p. 211). Esta notable singularidad de
la historia de la creación literaria de Darío, desconocida hasta
1945 y revelada sólo entonces por la diligencia del señor Sequeira, está llamada, como se ve, a cambiar no poco el diagnóstico
que en lo futuro haya de hacerse sobre la "cultura" de Darío y
sus aptitudes para el manejo del francés.

Años más tarde Darío explicaba:

"*El Azul...* es un libro parnasiano, y, por lo tanto, francés.
En él aparecen por primera vez en nuestra lengua el "cuento"
parisiense, la adjetivación francesa, el giro galo injertado en el
párrafo clásico castellano; la chuchería de Goncourt, la *câlinerie*
erótica de Mendès, el escogimiento verbal de Heredia, y hasta
su poquito de Coppée.

"*Qui pourrais-je imiter pour être original?,* me decía yo.
Pues a todos. A cada cual le aprendía lo que me agradaba, lo que
cuadraba a mi sed de novedad y a mi delirio de arte; los elementos que constituirían después un medio de manifestación indivi-
dual. Y el caso es que resulté original" [2].

Esta novedad complicada, abigarrada casi, estaba como he-

---

[2]   *Los colores del estandarte,* loc. cit., p. 163.

cha para despistar a los lectores, y se necesitaba tener la cabeza
tan sólida como Eduardo de la Barra, en Chile, y Juan Valera,
en España, para no perder del todo el rumbo en aquella poesía
nueva, esplendorosa, y en tal prosa inquieta, vibrátil, llena de caprichos femeninos y carente de todas las sesudeces de que hasta
entonces se había visto revestida la literatura chilena.

El intento de publicar el material de *Azul...* había nacido, por
lo demás, en Santiago, al calor de la recepción que brindaron al
poeta sus amigos, cuando éste llegó de Valparaíso a recoger el
premio que se le había asignado en el Certamen Varela por su
Canto épico. Así se desprende claramente de algunas noticias
periodísticas que hemos logrado espigar en la colección de *La
Época,* el viejo y siempre deferente hogar literario de Darío.
En la sección *El Día,* que habitualmente firmaba *Kar,* seudónimo de Carlos Luis Hübner, pero que esta vez apareció sin firma, podía leerse el 15 de octubre de 1887 la siguiente noticia:

> EL AÑO LÍRICO.—Con este título aparecerá en breve un elegante
> volumen de composiciones del aplaudido poeta y escritor don Ru-
> bén Darío, tan ventajosamente conocido en nuestro movimiento
> literario.

Puede observarse que Darío esta vez, según parece, se habría reducido a publicar en breve *plaquette* las composiciones
dedicadas a las cuatro estaciones del año, que en el definitivo
Azul... quedan encuadradas también bajo el rubro de *El año
lírico;* pero algunos días después el proyecto cambia. En la misma
sección *El Día,* que recordamos, *Kar* escribía como uno de tantos párrafos de su información: "EL REY BURGUÉS.—De Rubén Darío saldrá próximamente, tal vez el 1.º de enero, un volumen titulado como este suelto, y que contendrá los artículos en
prosa y verso y los cuentos que han dado a luz *La Época* y la

Revista de Artes y Letras, producidos por dicho autor. La edición será de lujo y dirigida por don Samuel Ossa Borne. El libro llevará como introducción varios juicios y apreciaciones respecto a los artículos y composiciones en él contenidos. Entre éstos figurará una carta de Armand Silvestre, muy honrosa para el señor Darío." *(La Época,* 16 de noviembre de 1887.)

Lo que en esta nota se describe es sin duda *Azul...,* tal cual hoy lo conocemos, ya que se habla de "prosa y verso" y se mencionan la *Revista de Artes y Letras* y *La Época* como las fuentes primitivas de edición. Lo demás se quedó en el tintero o fué olvidado, inclusive la carta de Armand Silvestre.

* * *

No habrán sido inútiles estas observaciones si se las liga con la publicación de *Azul...,* rica presea que Darío brinda a la historia literaria de Chile. Si *Abrojos* le había dado a conocer como poeta amargo (y sus críticos no dejaron de reprochárselo con cariñosa intención); si el *Canto épico* originó polémicas y dió al poeta alguna nombradía pública a la vez que dinero, *Azul...* iba a traer la consagración definitiva, y desde que este parvo volumen salió a luz, ya no iba a necesitar más Darío para que se le aplaudiera como uno de los más prometedores líricos de su generación.

Darío comenzó a publicar el material de *Azul...* en 1886, así en *La Época* como en la *Revista de Artes y Letras.* El libro consta de tres partes. La primera, en prosa, comprende fantasías que el autor no titubeó en llamar cuentos [3]: *El Rey Burgués, La Nin-*

---

[3] "A más de eso —dice Andrés González Blanco *(Rubén Darío, Obras escogidas. Estudio preliminar)*—, los trabajos contenidos en *Azul* más bien pueden catalogarse como impresiones de psicólogo errante que como cuentos con factura de nouvelle." Para Mr. Mapes, sin embargo,

*fa, El Fardo, El Velo de la Reina Mab, La Canción del Oro,
El Rubí* [4], *El Palacio del Sol, El pájaro azul, Palomas blancas
y garzas morenas. La Tribuna* de Santiago, al dar cuenta de la
publicación de *Azul...* (21 de agosto), en suelto que debemos
atribuir a Tondreau, reproduce, ligeramente comentado, el su-
mario del libro, y agrega: "Las cuentos y composiciones poéticas publicadas en el libro del señor Darío, habían visto la luz
pública en varios diarios y revistas de la capital, con excepción
de las *Palomas blancas y garzas morenas,* escrito últimamente
en Valparaíso." Preciosa noticia esta última, y de muy buena
fuente, ya que Tondreau acababa de pasar algunos días en Valparaíso con su amigo el autor de *Azul...* Y como allí mismo se
dice que Darío está a la sazón escribiendo su novela *La carne,*

---

la filiación es otra: "*Azul* marque une innovation importante: l'introduc-
tion dans la littérature espagnole d'un genre représenté surtout en France
à cette époque par Catulle Mendès, Armand Silvestre et Mézeroy, c'est-
à-dire, le conte parisien." (Obra cit., p. 39.)

[4] Quien haya leído *El Rubí* encontrará interés a la noticia que sigue. El 5 de Noviembre de 1886 *La Época* de Santiago publicaba con
el título *El Rubí. El arte de fabricar grandes piedras con pequeñas,* un
informe de C. Friedel a la cámara sindical de joyeros de Nancy, en el
cual no sólo se toca el problema de la falsificación de piedras preciosas
sino también se explica el procedimiento de fabricación sintética del rubí.
El Rubí apareció por lo demás dedicado en la siguiente forma: "A
Armand Silvestre, en pago de una frase bondadosa." Y según sospecha
en forma plausible Ernesto Mejía Sánchez en su recopilación de *Cuentos
completos* de Darío, México 1950, p. 79, aquella enigmática referencia
debe tener su origen en *Pensamiento de Otoño,* obra de Armand Silvestre que Darío tradujo y publicó en *La Época* el día 15 de Febrero
de 1887, traducción que conocida del autor debe haberle motivado algunas expresiones de afecto y de reconocimiento al joven poeta nicaragüense, perdido para él tras los mares y las montañas de América. Más
adelante se verá que al anunciar la próxima publicación de *Azul...,* el
autor hablaba de dar a luz una carta que había recibido de Silvestre.

anunciada en la tapa de *Azul...*, debemos en fin suponer que la novela existió y que el novelista decidió no proseguirla o acaso la destruyó una vez terminada.

La segunda sección, de prosa también, lleva el título general de *En Chile* y contiene una serie de cuadros descriptivos en que el poeta da a conocer en forma liviana sus impresiones de la vida chilena. En el propio libro anunciaba el autor, como de publicación próxima, una obra titulada *Dos años en Chile,* y sobre ella decía el poeta en una nota de la segunda edición de *Azul...* (1890): *"El Album porteño* y el *Album santiagués* debían formar parte de un libro que con el título de *Dos años en Chile* se anunció en Valparaíso cuando apareció *Azul...* y que no vió la luz pública por circunstancias especiales."

La tercera sección, en fin, que tiene forma métrica y a la cual el poeta impuso el título de *El año lírico,* que ya conocemos por un anuncio periodístico reproducido más arriba, contiene cuatro poemas descriptivos de las estaciones y dos pequeños poemas, *Pensamientos de Otoño,* que se presenta como traducido de Armand Silvestre, y *Anagke,* original.

La primera edición de *Azul...* fué dada a luz en Valparaíso, gracias a la buena voluntad de los amigos de Darío que corrieron con los gastos de la impresión: *"Azul* se imprimió en 1888 en Valparaíso —recordó el poeta en su *Historia de mis Libros*— bajo los auspicios del poeta De la Barra y de Eduardo Poirier, pues el Mecenas a quien fuera dedicado por insinuaciones del primero de estos amigos ni siquiera acusó recibo del primer ejemplar que se le remitiera." Saavedra Molina *(Bibliografía de Rubén Darío,* p. 29) en cambio dice: "La edición fué costeada por don Federico Varela, gracias al empeño que puso De la Barra, cuyo prestigio tenía gran poder sobre el rico minero, entonces senador." Esta afirmación debe contrastarse no sólo con la confesión de Darío, adversa a ella, sino también con una referencia que indirectamente la contradice. Poirier, cuando Darío se hallaba todavía en Chile, recordaba "que hace pocos meses... asociado a unos amigos de Rubén y admiradores de sus producciones, publiqué la edición de sus cuentos y versos, *Azul...*" Lo que, parece, es una manera sutil de expresar que no fué Varela quien la costeó, a pesar de haberle sido dedicada...

Al publicar su libro *Azul...* Darío creyó conveniente anunciar la próxima edición de nuevas obras, y efectivamente mencionó "en prensa" *Albumes y abanicos,* que sugiere la existencia de gran número de composiciones galantes y de ocasión; *Estudios críticos y literarios,* de los cuales hay no pocos en las *Obras desconocidas; Mis conocidos,* a que puede aplicarse la misma nota, y *Dos años en Chile;* y "en preparación" la novela *La carne. Dos años en Chile* no era obra autobiográfica, como parece proclamar el título, sino recopilación de páginas de arte, cuentos e impresiones, cual recordamos más arriba.

Como prólogo, *Azul...* debía llevar un estudio de José Victorino Lastarria, que éste no alcanzó a escribir porque se lo impidió la enfermedad final y la muerte. Entonces tomó su lugar Eduardo de la Barra, quien trazó un extenso estudio crítico que contiene buena parte de las observaciones desarrolladas por Valera, las únicas que conoce el lector moderno de ese libro, ya que en las ediciones posteriores a 1890 el prólogo del poeta chileno fué suprimido.

Si quisiéramos dar idea de la irregular memoria de Darío, no acudiríamos tanto al curioso *quid-pro-quo* que le hizo aparecer escribiendo su artículo sobre Vicuña Mackenna al llegar a Chile cinco meses después de la muerte del escritor chileno, artículo que había publicado en Centroamérica, que fué reproducido por la Prensa chilena y de cuya no inclusión en la *Corona fúnebre* de Vicuña se dolió su autor en carta a la viuda *(Obras desconocidas,* p. 9). Más significativa que todo ello es la nota

que pone en *Historia de mis libros:* "No conocía la frase hu-
guesca *l'Art, c'est l'azur,* aunque sí la estrofa musical de *Les
Châtiments: Adieu, patrie! L'onde est en furie. Adieu, patrie!
Azur!*" La verdad es que aquella otra sentencia de Víctor Hugo
es nada menos que el epígrafe escogido por Eduardo de la Barra
para su prólogo de *Azul...*, y fué comentada por el prologuista
en el curso de su estudio; lo que prueba que el uso de la expresión azul como título del libro era perfectamente consciente de
parte de Darío, y que tanto éste como el autor del prólogo habrían podido responder victoriosamente a las reservas que avanzó
Valera en sus cartas críticas de poco después.

* * *

Compuesto de prosa y verso, el Azul... parecía llamado a dejar vacilante al crítico. Ya Valera lo dijo, y muy bien: "En este
libro no sé qué debo preferir: si la prosa o los versos. Casi me inclino a ver mérito en ambos modos de expresión del pensamiento de usted. En la prosa hay más riqueza de ideas; pero es más
afrancesada la forma. En los versos la forma es más castiza. Los
versos de usted se parecen a los versos españoles de otros autores, y no por eso dejan de ser originales: no recuerdan a ningún
poeta español ni antiguo, ni de nuestros días." Esto desde el
punto de vista del origen de los dos "modos de expresión"; por
lo que se refiere a la fantasía, a la imaginación, a la gracia, a la
originalidad, sobre todo a la originalidad, no cabe ya dudar de
que es la prosa allí superior al verso. No hay creación de personas como en obra de novelista ni estudio de caracteres, pero sí
chispeantes asociaciones de ideas caprichosas y raras y trozos
excelentes de buena composición, que el tratadista buscará para
proponerlos como modelo cuando quiera enseñar a escribir con

nervio, tersura y una novedad que no surge acaso de otra cosa que de los muchos estudios hechos por el autor.

El lector moderno, pues, prefiere la prosa, no porque los versos sean pobres o mediocres, sino porque en aquélla hay mayor galanura y una dosis más opulenta de novedad. Es, también, la prosa de *Azul...* la que anuncia, con mayor claridad y precisión que el verso, los toques definitivos y magistrales del Modernismo, y no parece desdeñable circunstancia la de que fuese en los cuentos y cuadros de este libro donde el autor iba a encontrar más adelante una abundosa cantera para la elaboración de sus poemas decididamente modernistas. En los cuentos de *Azul...,* por lo demás, la sensibilidad cambia de página en página, hasta el punto de que todos ellos, colacionados por orden cronológico y con asistencia de las lecturas que Darío hizo en Chile, si de éstas pudiera reunirse alguna vez un elenco más o menos completo, formarían una especie de historia espiritual del escritor, que no dejaría de ofrecer novedades al conocedor de las letras. *Azul...* parece todo escrito en estado de poético trance, y no por el gacetillero de *La Época* y de *El Heraldo,* no por el amable comentador de las curiosidades literarias de entonces, sino por un poeta de verdad, enamorado del color y de la línea, exigente para consigo mismo en todos los requisitos del estilo.

El poeta no ha perdido del todo la intención vengadora de los *Abrojos* cuando escribe la prosa de *Azul...*; sería, sin embargo, negar todo lo que el libro contiene de nuevo y de peregrino sujetar el juicio al que nos hayan merecido aquellas composiciones anteriores. No. Rubén Darío quiso hacer algo novedoso y nunca usado cuando se puso a compaginar *Azul...,* y no cabe dudar que lo logró. Citemos, como primera prueba de lo que decimos, el amor al lujo y a la opulencia, que se transparenta en cuentos y cuadros. Parecía previsible que el ambiente oriental de la habitación de Pedro Balmaceda Toro de-

jaría una huella perceptible en Darío; he aquí, en fin, los ornamentos chinos y japoneses evocados en una página maestra de
El Rey Burgués: "¡Japonerías! ¡Chinerías! por lujo y nada
más. Bien podía darse el placer de un salón digno del gusto de
un Goncourt y de los millones de un Creso: quimeras de bronce con las fauces abiertas y las colas enroscadas, en grupos fan-
tásticos y maravillosos; lacas de Kioto con incrustaciones de
hojas y ramas de una flora monstruosa, y animales de una
fauna desconocida; mariposas de raros abanicos junto a las paredes; peces y gallos de colores; máscaras de gestos infernales y
con ojos como si fuesen vivos; partesanas de hojas antiquísimas
y empuñaduras con dragones devorando flores de loto; y en con-
chas de huevo, túnicas de seda amarilla, como tejidas con hilos de
araña, sembradas de garzas rojas y de verdes matas de arroz;
y tibores, porcelanas de muchos siglos, de aquellas en que hay
guerreros tártaros con una piel que les cubre hasta los riñones
y que llevan arcos estirados y manojos de flechas."

Hay en el libro otras referencias al mismo tema, pero basta
lo reproducido para ver lo que llamamos más arriba la influencia de Balmaceda, que en Darío no es textual, porque la escasa
obra escrita del chileno no lo habría permitido, sino influencia
de ambiente, que dejó para siempre una huella en el alma plás-
tica del poeta nicaragüense.

Bien puede asegurarse que es la fantasía la que domina en
este libro juvenil, de tan brillante historia en las letras castella-
nas. Si no lo ha probado el fragmento que acabamos de copiar,
podrá atestiguarlo este otro, tomado de *El Rubí:* "En los muros, sobre pedazos de plata y oro, entre venas de lapislázuli,
formaban caprichosos dibujos, como los arabescos de una mez-
quita, gran muchedumbre de piedras preciosas. Los diamantes,
blancos y limpios como gotas de agua, emergían los iris de sus
cristalizaciones; cerca de calcedonias colgantes en estalactitas,

las esmeraldas esparcían sus resplandores verdes; y los zafiros, en amontonamientos raros, en ramilletes que pendían del cuarzo, semejaban grandes flores azules y temblorosas." Hay derroche, fabuloso casi, de estos ornamentos, pero sin aglomeraciones ni mal gusto: "Los topacios dorados, las amatistas, circundaban en franjas el recinto; y en el pavimento, cuajado de ópalos, sobre la pulida crisoprasa y el ágata, brotaba de trecho en trecho un hilo de agua, que caía con una dulzura musical, a gotas armónicas, como las de una flauta metálica soplada muy levemente."

De las imágenes visuales, ricas de color, a las auditivas; esta última sugerencia, la de la flauta metálica, es de una rara y peregrina belleza y debe ser puesta en la cuenta de lo mejor que escribió jamás el autor. Hay también impresiones olfativas, sutilmente ingeridas en el conjunto: "Vió que otras tantas anémicas como ella, llegaban pálidas y entristecidas, respiraban aquel aire y luego se arrojaban en brazos de jóvenes vigorosos y esbeltos, cuyos bozos de oro y finos cabellos brillaban a la luz; y danzaban y danzaban con ellos, en una ardiente estrechez, oyendo requiebros misteriosos que iban al alma, respirando de tanto en tanto como hálitos impregnados de vainilla, de haba de Tonka, de violeta, de canela, hasta que con fiebre, jadeantes, rendidas como palomas fatigadas de un largo vuelo, caían sobre cojines de seda, los senos palpitantes, las gargantas sonrosadas, y así, soñando, soñando en cosas embriagadoras..." *(El palacio del sol.)*

Todo ello, visto, oído, percibido por el olfato, es de una esplendidez de que hay pocas muestras en la literatura castellana.

Esto por lo que toca a algunos de los interiores; hay opulencia no menor de la fantasía en lo que el poeta trae de la naturaleza y de la pintura de aire libre, a la cual brindó siempre,

también, el adorno de un estilo personal. Veamos *El pájaro
azul:* "¡Plena Primavera! ¡Los árboles florecidos, las nubes
rosadas en el alba y pálidas por la tarde; el aire suave que mueve
las hojas y hace aletear las cintas de los sombreros de paja con
especial ruido!"

Los rasgos tomados del puerto, en el *Álbum* dedicado a
Valparaíso, están igualmente llenos de reminiscencias cromáti-
cas y de sensaciones de aire abierto. El poeta vagó por los cerros "En busca de cuadros", como dice, y en su vagancia encontró aquellos apuntes, aquellas insinuaciones, aquellas pequeñas manchas, que forman el ambiente de la naturaleza trans-
portado a maravilla a la expresión literaria. Alguna vez, a él le
parece que lo que escribe podría quedar bien en la tela del pintor, y lo expresa en una nota de la segunda edición de *Azul...*:
"LA VIRGEN DE LA PALOMA.—Este cuadrito, tan modesto de
este libro, tengo la convicción de que daría motivo, tratado por
un pintor de talento, a una obra artística original y de alto valor
estético."

Y esta escena del paseo vespertino en la Alameda de Santiago, digna de Renoir, Degas y otros impresionistas por las sutiles insinuaciones de color que en ella se deslizan:

> He aquí el cuadro. En primer término está la negrura de los
> coches que esplende y quiebra los últimos reflejos solares; los ca-
> ballos orgullosos con el brillo de sus arneses, con sus cuellos es-
> tirados e inmóviles de brutos heráldicos; los cocheros taciturnos,
> en su quietud de indiferentes, luciendo sobre las largas libreas
> los botones metálicos flamantes; y en el fondo de los carruajes,
> reclinadas como odaliscas, erguidas como reinas, las mujeres ru-
> bias de los ojos soñadores, las que tienen cabelleras negras y
> rostros pálidos, las rosadas adolescentes que ríen con alegría de
> pájaro primaveral; bellezas lánguidas, hermosuras audaces, castos
> lirios albos y tentaciones ardientes.
> En esta portezuela está un rostro apareciendo de modo que

semeja el de un querubín; por aquélla ha salido una mano en-
guantada que se dijera de niño, y es morena tal que llama los
corazones; más allá se alcanza a ver un pie de Cenicienta con
zapatitos oscuros y media lila, y acullá, gentil con sus gestos de
diosa, bella con su color de marfil amapolado, su cuello real y la
corona de su cabellera, está la Venus de Milo, no manca sino
con dos brazos, gruesos como los muslos de un querubín de Murillo, y vestida a la última moda de París.

Más allá está el oleaje de los que van y vienen, parejas de
enamorados, hermanos y hermanas, grupos de caballeritos irrepro-
chables; todo en la confusión de los rostros, de las miradas, de
los colorines, de los vestidos, de las capotas, resaltando a veces
en el fondo negro y aceitoso de los elegantes sombreros de copa
una cara blanca de mujer, un sombrero de paja adornado de co-
líbries, de cintas o de plumas, o el inflado globo rojo, de goma,
que pendiente de un hilo lleva un niño risueño, de medias azules,
zapatos charolados y holgado cuello a la marinera.

En el fondo, los palacios elevan al azul la soberbia de sus fa-
chadas, en las que los álamos erguidos rayan columnas hojosas
entre el abejeo trémulo y desfalleciente de la tarde fugitiva.

La poesía titulada *Invernal* y que aparece en *Azul*... fué
escrita en Valparaíso en el invierno de 1887, aunque sobre impresiones del invierno santiaguino anterior; así se colige de la
carta que sobre ella se conserva, dirigida por Pedro Balmaceda
al poeta: "¡Qué lindamente escéptica es tu última composición,
Invernal! Muy superior a la anterior que me enviaste. Te doy
por ella mis felicitaciones sinceras. Tú, en verdad, te inspiras
con el invierno. Yo sufro reumatismos, dolores al corazón, ¡y
no amo a mujer alguna!..." Valera prefirió a esta poesía del
invierno la del estío, y elogió sobre todo la *Estival*. Sin disen-
tir abiertamente de este juicio, entendemos que ostentan mayor valor poético las demás composiciones poéticas del libro,
por lo que sugieren del poeta y de las vicisitudes de su alma: la
Estival, en cambio, nada cuenta de ellas.

Veamos, por ejemplo, *Primaveral,* donde hay un bosque al cual el poeta llama "nuestro templo". La descripción es hermosísima y aparece llena de sensaciones distintas, cuando no encontradas, que acreditan la vasta sensibilidad abierta a todos los estímulos; y como la música del poema, algo austera por ser el romance la forma escogida, suena a poco, un estribillo la alegra:

> *¡Oh, amada mía! Es el dulce*
> *tiempo de la primavera.*

Los atributos de la poesía modernista ya se muestran en este fragmento delicioso:

> *Allá hay una clara fuente*
> *que brota de una caverna,*
> *donde se bañan desnudas*
> *las blancas ninfas que juegan.*
> *Ríen al son de la espuma,*
> *hienden la linfa serena;*
> *entre polvo cristalino*
> *esponjan sus cabelleras,*
> *y saben himnos de amores*
> *en hermosa lengua griega...*

Esta fantasía juguetona, que toma del mundo lo que le place para organizar con él su deleite, no se agota en tales cuadros. La erudición clásica del poeta (tantas veces y con tan poco motivo puesta en duda) surge de pronto y nos regala otro encantador momento:

> *Mi dulce musa Delicia*
> *me trajo una ánfora griega,*
> *cincelada en alabastro,*
> *de vino de Naxos llena,*
> *y una hermosa copa de oro,*
> *la base henchida de perlas,*

para que bebiese el vino
que es propicio a los poetas.
En el ánfora está Diana,
real, orgullosa y esbelta,
con su desnudez divina
y en su actitud cinegética.
Y en la copa luminosa
está Venus Citerea
tendida cerca de Adonis
que sus caricias desdeña.
No quiero el vino de Naxos
ni el ánfora de asas bellas
ni la copa donde Cipria
al gallardo Adonis ruega.
Quiero beber el amor
sólo en tu boca bermeja,
¡oh, amada mía, en el dulce
tiempo de la primavera!

El más escrupuloso lector no hallará en estas líneas sino motivos de admiración: el poeta, aunque muy joven, se ha penetrado de la poesía clásica, en sus mejores traducciones al español si no en los textos originales, y la traspone con delicada intención de arte en su propia forma. Pero al mismo tiempo que trasplanta, crea: hay una música, una sugerencia que son suyas, y con ellas y los atributos que allega la imaginación, se está formando un estilo cuya paternidad, con el tiempo, nadie se atreverá a discutir. ¿No podemos acaso decir lo mismo de *Autumnal?* En este breve poemita, por lo demás, encontramos hecha versos una parte de la historia que el poeta cuenta en *El humo de la pipa,* fragmento que era preciso, siquiera por eso, rescatar del olvido en que yacía[5].

---

[5] Lo publicó por primera vez, después de casi medio siglo de postergación, el autor de estas páginas en *Obras Desconocidas,* etc., p. 241.

Pero a nosotros los chilenos nos resulta más cara otra composición del libro, la ya mencionada *Invernal*, porque en ella el poeta evoca, con tono de penetrante lirismo, algunos de los recuerdos de su vida chilena. Comencemos a leer:

> *Noche. Este viento vagabundo lleva*
> *las alas entumecidas*
> *y heladas. El gran Andes*
> *yergue al inmenso azul su blanca cima.*

En la noche aterida de Santiago el poeta tiene, ¡gracias a Dios!,

> *... la chimenea*
> *bien harta de tizones que crepitan;*

y en este tibio ambiente puede recordar a la mujer que le ha hecho sentir el amor, y en su nombre canta.

> *¡Oh! ¡Bien haya el brasero*
> *lleno de pedrería!*
> *Topacios y carbunclos,*
> *rubíes y amatistas*
> *en la ancha copa etrusca*
> *repleta de ceniza.*
> *Los lechos abrigados,*
> *las almohadas mullidas,*
> *las pieles de Astrakán, los besos cálidos*
> *que dan las bocas húmedas y tibias.*
> *¡Oh, viejo invierno, salve!*
> *puesto que traes con las nieves frígidas*
> *el amor embriagante*
> *y el vino del placer en tu mochila.*

Las imágenes de este sueño loco de amor estallan al modo que las chispas del carbón, y el poeta les da excelsa vestidura poética con sus versos de varia medida, unidos por el suelto lazo de la rima asonante, como para hacer mayor la delicadeza de la evocación y más aguda la sensación de melancolía de que rebosan.

* * *

Originalmente, el prólogo de *Azul*... debió ser escrito por Lastarria, como se ha dicho; pero el autor de los *Recuerdos Literarios* murió antes de cumplir su promesa. Eduardo de la Barra ha debido escribir su trabajo después del 16 de junio de 1888, fecha de la muerte de su suegro, y el libro estaba en circulación ya en los primeros días de agosto. A pesar de la celeridad en la composición de esa pieza, ella quedó excelente como crítica literaria, y llama la atención del lector moderno por la sutileza del estilo. De acuerdo con los usos de la época, el prologuista examinó los fragmentos de *Azul*... uno por uno, aun cuando se saltara pormenores en tal o cual caso, con la intención de poner en transparencia el espíritu que había guiado al autor en la composición de cada cuento y de cada poema. Y resultó así una obra maestra injustamente olvidada, ya que de Darío a esas alturas de su vida literaria no se podía decir nada más que lo que dijo su prologuista chileno Eduardo de la Barra. Nuestro poeta y crítico era, por lo demás, consciente del valor de su Prólogo, ya que en 1895 *(Endecasílabo dactílico,* página 48) decía: "Con igual derecho que él *(Clarín,* es decir, Leopoldo Alas), afirmamos nosotros que Rubén Darío es uno de los más claros talentos poéticos que ha producido Centro América, y antes de ahora lo hemos hecho ver en un juicio precursor de su fama, que mereció ser confirmado por la respetable opinión de don Juan Valera."

Pocos días después de salir a la circulación el libro, el prólogo de Eduardo de la Barra publicóse en *La Tribuna* en una
sección de crítica literaria que aparecía inaugurada con él; y
fué esta publicación periodística la que desencadenó la polémica.
Manuel Rodríguez creyó conveniente explicar al público santiaguino la poesía de su amigo el poeta nicaragüense, y en dos artículos muy hermosos, llenos de cariño, escritos con tanta erudición como buen gusto y amor a las letras, contó cuanto sabía de Darío y cuanto era accesible a los lectores del diario. Se
alzó contra la sospecha, emitida por el prologuista en términos
muy discretos, pero transparentes en su intención, de que Darío fuese un *decadente* de la literatura y de que con él naciera
a la vida una escuela destinada, como el marinismo, el eufuísmo y
el conceptismo, a producir más daños que beneficios a las letras.
Al revés, confiando en el talento de Darío, que declara sobresaliente, cree poder asegurar que sólo ejemplos saludables habrá
de producir esta poesía que a él le parece entonces subjetiva
antes que objetiva. Lazos estrechos de amistad le han permitido
asomarse al interior del espíritu que había creado los *Abrojos*
y el *Azul...*, y en él no había visto nada que pareciera decadencia, nada enfermizo ni afectado. Esto por lo que se refiere al
primer artículo; en el segundo pasó a contar las tristezas de Rubén Darío en su destierro, las crueles dudas que le atenacea-
ban cuando escribía los *Abrojos,* con las que se explica el tinte
generalmente sombrío de estos pequeños poemas. Cuenta también las lecturas de Darío en el fragmento que acabamos de
citar, y le llama "enfermo del alma". Alude a los motivos que
deben haber empujado al poeta a dejar tierra natal, amigos y
maestros, pero no levanta el velo que cubre estos misteriosos
años infantiles de Rubén Darío. Habla de sus aspiraciones y dice
que "ambiciona el oro, las libras esterlinas recién acuñadas,
para edificar un palacio fantástico, asilo de cuantos llevan en

su cerebro el pájaro azul y suelen sentir hambre y frío", y se refiere, en fin, a sus aptitudes. "Su sensibilidad —afirma— está en armonía con su imaginación, ama la belleza y la descubre donde quiera que se halle, sin esfuerzos ni vacilaciones." Y, fiel amigo que no calla las deficiencias, anota finalmente que "falta de cuando en cuando en sus escritos un fondo firme y sólido. Él edifica, levanta castillos y monumentos de variada y rica arquitectura, pero los cimientos de esas construcciones son débiles, no resisten los empujes del viento y del huracán".

Estos hermosos artículos, dictados por verdadero cariño y admiración sincera, nacieron por desdicha en una polémica y fueron enderezados a un hombre de genio vivo, que nunca se cuidaba de callar y que no dejó pasar ocasión alguna para salir a la defensa de sus puntos de vista. Esta vez no hubo excepción: Eduardo de la Barra mojó su pluma en tinta corrosiva y acre, que podríamos llamar biliosa si no supiéramos que era sólo hija de la vanidad literaria, siempre despierta en un escritor de muchísimo talento, pero horro de ponderación y de criterio. Los trabajos que dirigió a Rodríguez Mendoza no hacen honor al prologuista del *Azul...* y merecen el olvido en que han quedado. Lo que sí se pone en claro en esta discusión es que las novedades francesas de aquellos años no eran desconocidas en Chile, y que Darío entró en contacto con ellas gracias a algunos de sus compañeros chilenos.

Hace algún tiempo mi amigo Samuel Ossa, grande admirador de Coppée, Banville y Catulle Mendès —escribe Manuel Rodríguez—, me daba a conocer un libro que nunca he encontrado en los escaparates de nuestras librerías: *La Légende du Parnasse Contemporain*, interesantísima historia de los parnasianos, de ese grupo... de prosistas y de poetas llenos de ingenio y de caprichos de estilo que en la *Revue Fantaisiste* y en la *République des Lettres* dieron tantas batallas para ganar tan pocas victorias.

Contó en seguida algo de lo que contiene ese libro, enumeró los principales escritores en quienes se ocupa, y al hablar de sus hábitos de noctámbulos, que les acarrearon el mote de parnasianos o decadentes, descarga a Darío de una de aquellas acusaciones que pudieran hacerle daño. Rubén Darío, en suma, para su crítico chileno, "anda siempre en busca de luz y colores para sus versos y su prosa", y no trae el bermellón y el colorete de que había hablado con ligereza Eduardo de la Barra: "... Tenemos a la vista —agrega Rodríguez— los *Cuentos en prosa* y los cantos del *Año Lírico,* los cuales demuestran que Darío, si ha tenido a veces el pecado de dejarse llevar demasiado lejos por su poderosa fantasía, no ha cometido jamás el delito —imperdonable hasta en los hombres de letras que son mediocridades— de recurrir en su prosa o en sus estrofas al bermellón y al colorete".

Para el prologuista, el mayor inconveniente del poeta, desde el punto de vista de la técnica de creación y de estilo, que veía despuntar en *Azul...,* no era otro que cierta profusión de adornos, a su juicio innecesarios:

> El poeta tiene su flaco: esmalta y enflora demasiado sus bellísimos conceptos, abusa del colorete, del polvo de oro, de las perlas irisadas, de los abejeos azules... y sin necesidad; mientras más sobrio de luces y colores, más natural es y más encantador. Siempre el estilo ático fué más estimado que el estilo rodio por los hombres de buen gusto. La elegancia no consiste en el exceso de adornos, ni en la profusión de alhajas.

Y habrá que confesar, para ser justos, que el poeta De la Barra tenía razón sólo en parte. Bien pocos son los fragmentos del *Azul...* en que llame hoy la atención una elocución demasiado adornada, ni hay tampoco, porque el poeta era muy consciente de sus fuerzas y de sus recursos, una sola receta a la cual preste incondicional acatamiento. Trozos se leen en los cuales domina la más extensa sencillez, como *Invernal,* para hablar del verso, y los dos *Albumes,* para citar también la prosa, porque no es la riqueza de la fantasía lo que el prologuista quiso condenar, sino cualquier procedimiento de escuela que hiciera preferir a Darío la elocución adornada a la sencilla. Y claro está que una fantasía rica, exuberante a trechos, mal podía avenirse con un lenguaje pobre de inflexiones, con un léxico que no contuviera más palabras que las de uso cotidiano en menesteres no artísticos. Pero ya Rubén Darío había oído hablar de la escritura artista de los Goncourt, y hasta podemos aseverar que la conocía directamente [6], y a ella quiso acomodar, en parte por lo menos, el paso de su prosa y de su verso, sobre todo de su prosa.

"¡Fuera el oropel! ¡Fuera lo artificial, oh, jóvenes, y soplará un aire sano sobre las letras como sobre las flores del campo!", había agregado Barra. Y Darío podía haberle dicho que su empeño no era otro. El amor a la naturaleza, visible en tantos fragmentos de *Azul...* que sería ocioso citar, basta para dar al poeta el título de eminente gustador de las bellezas naturales que le otorgó *motu proprio* el señor Valera, quien pudo haber sido más terminante que el prologuista chileno para condenar el amor al oropel, si lo hubiese hallado.

Los artículos de Rodríguez están empapados en admiración cordial y sin reservas, y si lo que llevamos copiado parece poco, he aquí declaraciones más decisivas: "A los dieciocho años comenzó la fortuna a acariciarle con sus alas; a esa edad fué en su patria poeta laureado. Sus mejores coronas las ha conquis-

---

[6] Véase en *Obras Desconocidas,* Indice de nombres citados, la referencia que hace, más de una vez, a los hermanos Goncourt. En el prólogo de *Emelina,* por lo demás, ya en 1887, había mencionado el libro *En 18...,* como verdadero conocedor de su contenido y admirador de sus méritos.

tado en Chile, y la más valiosa de todas con la publicación de su último libro, *Azul...* Si hoy muriera —pido disculpas por la hipótesis— ya se podría, sin que nadie se extrañase por ello, cincelar en mármol o en bronce su figura. Esta recompensa se la deben desde luego sus compatriotas y algún día tendrán a mucha honra pagarla."

A cuantos digan que en Chile no tuvo Darío admiradores generosos de su talento debe recordárseles el nombre de Manuel Rodríguez Mendoza, que tan cabalmente le comprendió y le estudió[7]. Las dotes extraordinarias de asimilación que distinguían al poeta nicaragüense parecieron llegar a su colmo en estos días chilenos. Los libros que se pasaban de mano en mano unos pocos hombres selectos que en ellos bebían información y cultura, determinaron obras de creación propia en las cuales Darío dejó la impronta de su estilo. Cuando el poeta, años más tarde, contó, burla burlando, que se había propuesto imitar a todos para parecer original, dijo una gran verdad. En Chile imitó a todos cuantos, parnasianos o decadentes o neo-románticos, llevaban a la literatura francesa a una renovación decisiva de la sensibilidad estética, y de allí nació *Azul...*, uno de los libros más originales de la lengua española, y con *Azul...* el Modernismo, movimiento que ha reivindicado para el escritor el derecho a su personalidad, que arruinó una vez más la noción de escuela y que creó preceptos nuevos para aclimatar su doctrina.

* * *

---

[7] Véase en el *Apéndice* la bella carta que dirigió Rodríguez Mendoza a su amigo en el mes de enero de 1888, llena de insinuaciones proféticas y que transparenta la afectuosa solicitud de sus verdaderos amigos chilenos por el desperdicio de fuerzas y de talento que hacía Darío en los períodos de su bohemia.

La fortuna de *Azul...* comenzó de verdad cuando don Juan Valera le dedicó un par de extensos artículos recogidos más tarde en un tomo de sus *Cartas Americanas*. "Me encontraba en Valparaíso —explicaba Darío en nota de la segunda edición de *Azul...*—, y a la sazón era cónsul de España en aquel puerto el señor don Antonio Alcalá Galiano y Miranda, hijo del insigne orador y hombre público del mismo nombre, y primo de don Juan Valera. Por medio de don Antonio remití al autor famoso y crítico eminente un ejemplar de mi *Azul...* que acababa de aparecer, impreso en la tipografía Excelsior. Poco tiempo después tuve la honra de que Valera escribiese respecto a mi libro las dos cartas que encabezan esta edición."

Valera dirigió sus cartas al mismo Alcalá Galiano, y en ellas atisbó la real importancia de *Azul...*, aun cuando, como ya hemos dicho, muchas de sus observaciones, y no las de menor peso crítico, están contenidas en el prólogo de Eduardo de la Barra. Alcalá Galiano (que desde 1887 residía en Valparaíso) envió junto con el libro de Darío una carta a Valera, en la cual le explicaba quién era el autor, cuál su nacionalidad y por qué circunstancias el libro aparecía impreso en Chile y no en Nicaragua. Con esas noticias el asombro de Valera subió de punto. He aquí, se dijo, un joven poeta nicaragüense que escribe como si hubiera vivido años en París, trasnochando con los noctámbulos, metiéndose en cenáculos donde se habla de la más moderna y audaz literatura, y que logra dar a su libro todo el encanto parisiense como si en su vida hubiese hecho otra cosa que hablar y escribir francés. ¡Valiente americano! Un español de la Península no habría abdicado así no más del estilo español, por muchas y muy fuertes que fuesen las razones que se hubiera forjado para encontrar preferible el francés, y en recuerdo de esto citó a Marchena, a Cienfuegos, a Burgos, a Reinoso, afrancesados en los cuales supervive, sin embargo, la esencia española del alma con que nacieron. Pero este joven, claro está, no es español de España, sino español de América, es decir, una especie levemente diversa, a la cual es preciso considerar con parsimonia. Y empleó entonces una parsimonia extraordinaria para tratarle en sus famosas cartas, que sorprendieron a Darío cuando ya tenía casi las maletas liadas para emprender de nuevo viaje a su tierra. Llamó entonces "galicismo mental" a esta manera de producirse, y la elogió, con prudencia sin duda, pero la elogió, porque había en ella algo nuevo, exótico y galano que no podía pasar inadvertido a su experiencia de excelente catador literario.

Valera pudo haberse evitado una de las más discutibles divagaciones de su estudio si se hubiera tomado la molestia de leer con alguna mayor atención el Prólogo de Eduardo de la Barra con que se abre el volumen. Allí habría leído lo siguiente, que cuadra admirablemente al Darío de este libro: *"L'art c'est l'azur!,* dijo el gran poeta. Sí; pero aquel azul de las alturas que desprende un rayo de sol para dorar las espigas y las naranjas, que redondea y sazona las pomas, que madura los racimos y colora las mejillas satinadas de la niñez. Sí, el azul es el arte, pero aquel azul de arriba que desprende un rayo de amor para encender los corazones y ennoblecer el pensamiento y engendrar las acciones grandes y generosas. Eso es el ideal, eso el azul con irradiaciones inmortales, eso lo que contiene el cofre artístico del poeta."

¿No estaba el prologuista a la altura del autor del libro? Difícil sería probarlo. No sólo contiene el trabajo del señor De la Barra lo mejor que hasta entonces se había escrito sobre Darío, sino también, como se ha visto, anticipadas respuestas para algunas de las observaciones de Valera. Debemos rectificarnos, pues: no es que Valera no hubiese leído al prologuista, sino que tomó de él lo que le convenía y dejó olvidado el resto. Lo prueba, al lado de lo que hemos dicho sobre la frase de Víctor Hugo, la observación acerca de que el final de *Anagke* es blasfemo. No es éste un descubrimiento del famoso escritor español, sino un reparo que aparece en el prólogo del poeta chileno Eduardo de la Barra.

Lo que desde Madrid no podía ver don Juan cuando trazaba las cartas con las cuales consagró la gloria del *Azul*... es el combate íntimo de que fué teatro el espíritu del poeta en esos años. Su galicismo mental, para repetir la fórmula de Valera, no fué divisa que él se hubiese propuesto seguir contra todo riesgo, y no pocas veces sus lecturas de los clásicos le llevan a elogiar con real entusiasmo la expresión castiza. Al amigo Alfredo Irarrázaval Zañartu ya le decía, en el prólogo de los *Renglones Cortos:* "Muchas ocasiones he lamentado que escribas en chileno y no en castellano, que abuses del provincianismo, y que en el ara de la facilidad martirices a la rima. Ah, la rima española, nuestra bella campana de oro, debe ser uno de tus más grandes cuidados!"; y al escribir sobre el volumen de *Penumbras,* de que era autor Narciso Tondreau, iba más lejos: "La lengua castellana se convierte en una jerga incomprensible. La tendencia generalizada es la imitación de escritores y poetas franceses. Puesto que muchos hay dignos de ser imitados, por razones de escuela y de sentido estético, sigámosles en cuanto al sujeto y lo que se relaciona con los vuelos de la fantasía, pero hágase el traje de las ideas con el rico material del español idioma adunando la brillantez del pensamiento con la hermosura de la palabra." *(Obras Desconocidas,* p. 92.)

¿Qué habría pensado Valera si hubiese conocido estas líneas?

El galicismo mental a que alude Valera se bebía, por lo demás, en el ambiente, y no es raro que Darío lo haya bebido a grandes sorbos en Santiago y Valparaíso en los propios días en que escribió su *Azul*... Lo prueba esta escena cuya lectura habría encantado a Valera, por la buena compañía que se le da, en artículo firmado por *Un hablador pobrecito:*

—¿Por qué lee usted novelas en francés, hombre de Dios? Proporciónese usted las hermosísimas novelas españolas de Pérez Galdós, de Valera o de Armando Palacio, y encontrará usted...

—¡Cállate, hombre!—me interrumpe mi amigo—. ¡Qué puede haber bien escrito en español! España es una antigualla y los españoles unos brutos... El francés, amigo mío, no hay idioma como el francés. ¿Quién puede hoy día aspirar al título de galán aristocrático, elegante y de buen tono si no puede mezclar de vez en cuando en la conversación uno que otro vocablo francés? Esto, bien entendido, si se habla de modas, bailes y tertulias, que si la conversación gira sobre música o las representaciones teatrales de la Opera, no han de hacer falta cuatro o cinco términos en italiano. *(La Época,* 3 de Setiembre de 1887.)

Como otra manifestación más del afrancesamiento de las clases cultivadas de Chile en el período de Rubén Darío, puede recordarse que *La Época,* precisamente cuando él era redactor, publicaba correspondencias de París firmadas por Jules Simon, en su texto francés y con la traducción en seguida. Y eran franceses muebles y licores, tapices y porcelanas, en las casas elegantes, y habían sido escritos en Francia y publicados generalmente en París, los libros que se cambiaban los nuevos escritores chilenos entre quienes había caído Rubén Darío en este ya al parecer definitivo avatar de su carrera literaria.

Pues bien: todavía hay más. Al escribir sobre Catulle Mendès, ya en abril de 1888, el poeta estudió el problema de parnasianos y decadentes que se iría a tocar precisamente en cuanto viera la luz su libro *Azul...* en la polémica, ya relatada, de Eduardo de la Barra y Manuel Rodríguez Mendoza. Elogió el don de orífice pintor —así lo califica— de Mendès, y después de mencionar la importancia de su estilo trabajado con pulcritud elegante y refinada, miró hacia España y dijo: "En castellano hay pocos que sigan aquella escuela casi exclusivamente francesa. Pocos se preocupan de la forma artística, del refinamiento; pocos dan —para producir la chispa— con el acero del estilo en esa piedra de la vieja lengua, enterrada en el tesoro escondido de los clásicos; pocos toman de Santa Teresa, la doctora, que retorcía y laminaba y trenzaba la frase, de Cervantes, que la desenvolvía armoniosamente, de Quevedo, que la fundía y vaciaba en caprichoso molde, de raras combinaciones gramaticales. Y tenemos quizás más que ninguna otra lengua un mundo de sonoridad, de viveza, de coloración, de vigor, de amplitud, de dulzura, tenemos fuerza y gracia a maravilla. Hay audaces, no obstante, en España y no faltan —gracias a Dios— en América. ¡He aquí a Riquelme, a Gilbert en Chile![8]. Se necesita que el ingenio saque del joyero antiguo el buen metal y la rica pedrería, para fundir, montar y pulir a capricho, volando al porvenir, dando novedad a la producción, con un decir flamante, rápido, eléctrico, nunca usado, por cuanto nunca se han tenido a la mano como ahora todos los elementos de la naturaleza y todas las grandezas del espíritu." (*Obras Desconocidas,* pp. 171-2.)

La verdad es que la mayor parte de sus estudios literarios de entonces, convertidos en artículos para los diarios, versan so-

---

[8] Rubén Darío nombra aquí a dos escritores chilenos que interesa conocer. Daniel Riquelme, 1857-1912, fué eximio periodista además de autor de relatos novelescos basados en la historia. Como corresponsal de guerra de *El Heraldo,* estuvo en el Perú y publicó en Lima un diario durante la ocupación chilena. En la fecha en que Darío se refería tan elogiosamente a él, era redactor de *La Libertad Electoral* de Santiago. *Gilbert,* por su seudónimo *A. de Gilbert,* es el mismo Pedro Balmaceda, 1868-89, a quien se hace referencia en otras páginas de este estudio.

bre poetas y escritores franceses, y que los mismos fragmentos
de *Azul...*, obra en que hay más creación que comentario, revelan sobre todo lecturas en francés, porque el carácter de *Azul...*
es, sin duda, *sui géneris* en su obra literaria. Mas Darío volverá a su doctrina con cualquier motivo. Del trozo que se acaba
de leer reproduce algunas palabras, las más importantes, las
más decisivas, en el panorama sobre las letras centroamericanas publicado en la *Revista de Artes y Letras* de 1888 *(Obras
Desconocidas,* p. 186 y sigs.), y luego, al tratar de la traducción en general y del problema que es traducir a Víctor Hugo en
especial, dice lo siguiente: "Yo no estaré nunca conforme con que
el vino de nuestro Cervantes se apure —siquiera sean los extranjeros dueños de ricas copas, de raros cristales—, sino en
los firmes y viejos vasos castellanos." *(Obras Desconocidas,*
página 238.) Y si en el que iba a ser prólogo de *Asonantes* de
Tondreau parece infringir su credo cuando dice: "aplica al
verso castellano ciertos refinamientos del verso francés. Hay en
este idioma exquisiteces y secretos artísticos que introducidos
por él al español, lengua armónica y rítmica por excelencia,
forman una novedad bella, un conjunto de incrustaciones, de
giros, de arabescos preciosos", al paso de pocos renglones deja
en salvo la doctrina, la gallarda doctrina castiza que le informa:
"En cuanto a sus metros (los de Tondreau) son los hermosos
metros castellanos, mil veces superiores a los franceses." ¿Es
poco todavía? Pues hay algo más: "Nosotros no necesitamos
de todo eso. ¡Ah nuestros metros castellanos! El endecasílabo
es digno de la lira griega. Tenemos el verso de Safo y el verso
de Anacreonte, y versos apropiados para el arpa religiosa y el
címbalo, o para los sistros que acompañan las danzas." *(Obras
Desconocidas,* p. 290.)

En suma, lo que él procura —y lo dice por los mismos días
en que escribe los fragmentos de *Azul...* y cuando ya está a

punto de dar a luz el libro— es que se imiten los recursos de la técnica literaria francesa contemporánea (citando a los Goncourt, a Judith Gautier, a Catulle Mendès, a Louis Bouilhet como maestros) con los mismos elementos léxicos y sintácticos de que dispone el español. Eduardo de la Barra sintetizó esta íntima lucha de Darío al decir en su prólogo: "Suele haber raíces exóticas en su vocabulario, suelen deslizarse algunos graciosos galicismos; pero es correcto, y si anda siempre a caza de novedades, jamás olvida el buen sentido, ni pierde el instinto de la rica lengua de Castilla al amoldar las palabras a su orquestación poética. No así en las cláusulas de su florido lenguaje: ellas tienen más el corte francés moderno, brusco, breve, nervioso, que el desarrollo grave, amplio, majestuoso, de la frase castellana."

Y como al escribir el artículo sobre *Asonantes* de Tondreau, el poeta ya conoce la opinión de Valera, que se ha publicado en Chile pocos días antes de su partida, puede hablar del "galicismo mental" que se le enrostrara y en respuesta retorcer el argumento y replicar: "Busquemos, pues, ese procedimiento exquisito de los artistas de la palabra escrita, y que cada escritor muestre el pequeño mundo interior que lleva en su alma, con su manera artística." (*Obras Desconocidas*, p. 291.)

Puede concluirse que los problemas de técnica que iban a tocar a propósito de *Azul*... su prologista, Eduardo de la Barra, y su primer crítico español, Juan Valera, no habían sido indiferentes a Rubén Darío, y que la solución que éste les daba andaba muy lejos de la que supuso Valera. Predicando una cosa y haciendo otra, Darío, que aconsejó el atento estudio y hasta la imitación de los tesoros de la lengua castellana, solía mostrar admiración por las innovaciones de lengua y estilo que había sorprendido en las obras de algunos escritores franceses y terminaba por acogerlas todas, o casi todas, al escribir las

páginas de *Azul...* El carácter complejo de su arte aparece desde luego en estas que pudieran parecer contradicciones y que
no lo son, porque Darío fué, como puede verse por el conjunto
de su obra, un talento sincrético en que podían insumirse las
más dispares nociones del arte, que de todas ellas haría una
como doctrina propia, el Modernismo.

* * *

La intención de Darío al leer las cartas en que Valera estudiaba su *Azul...* fué, naturalmente, que ellas se diesen a luz también en los diarios chilenos que habían aceptado su colaboración,
y con particularidad en *La Época*. Sin embargo, las cartas no
aparecieron allí, como pretendía el poeta, sino en *La Tribuna,*
diario de que era redactor Tondreau, en las ediciones de 23 y
26 de enero de 1889, cuando a Darío le quedaban muy pocos días
en Chile[9]. Al publicar la primera, el diario encabezó el texto
con la siguiente nota de su redacción:

> DON JUAN VALERA Y RUBÉN DARÍO.—El insigne novelista y
> crítico español don Juan Valera, el célebre autor de *Pepita Jimé-
> nez,* ha dirigido al inspirado escritor centro-americano don Rubén
> Darío, autor de *Abrojos* y de *Azul,* las siguientes cartas en que
> se hace amplia y merecida justicia a este prosista y poeta, que
> ha colaborado con tanto brillo en la prensa de Santiago y Val-
> paraíso. He aquí dichas cartas que, publicadas primeramente en
> *El Imparcial* de Madrid, han sido reproducidas por *Las Noveda-
> des* de Nueva York y otros importantes diarios y periódicos de
> Norte y Sud América.

---

[9] Las *Cartas Americanas* de Valera, de la serie a que pertenecen
las dos dedicadas al *Azul...* de Rubén Darío, eran habitualmente reproducidas en *La Libertad Electoral* de Santiago.

En los días mismos de la publicación de *Azul...* el poeta menudeó, desde Valparaíso, colaboración en dos diarios de Santiago. El primero de ellos, *La Libertad Electoral,* encontrábase ya en la fila de oposición al Presidente Balmaceda, como órgano de los hermanos Matte. Allí publicó Darío el artículo de divulgación *Hija de su padre* (13 de julio), en el cual elogia a Judith Gautier, y el cuento *Morbo et umbra* (30 de julio), trabajos que dedica, respectivamente, a sus amigos santiaguinos Narciso Tondreau y Vicente Rojas y Rojas. También salieron en las columnas de *La Libertad Electoral* un cuento para los niños, *El perro del ciego* (21 de agosto), la risueña fantasía *Hebraico,* también con formas de cuento (3 de septiembre), y la fantasía *Arte y hielo* (20 de septiembre), dedicada a Carlos T. Robinet [10] y visiblemente inspirada en las visitas al taller de Nicanor Plaza. Otro artículo de divulgación, *Pedro León Gallo, poeta* (5 de octubre), ha sido aducido ya como prueba del conocimiento que Darío poseía de la obra de Víctor Hugo y por el importante anuncio que en él hace de una recopilación de las traducciones americanas del poeta francés. Finaliza esta serie, de las más brillantes en la obra chilena de Darío, con *El humo de la pipa* (19 de octubre), cuento que bien pudo entrar en *Azul...* dada la índole de su fantasía y el esmero de su estilo.

Fundada en Santiago *La Tribuna* el 25 de junio de 1888, el nombre de Darío desaparece de *La Época* y se ve con ma-

---

[10] Y debe haber sido precisamente Robinet el conducto para esta colaboración, ya que éste, buen amigo de Rubén Darío desde su llegada a Santiago en agosto de 1886, era redactor de ese diario, junto a Daniel Riquelme, autor de artículos de costumbres bajo el seudónimo *Inocencio Conchalí,* José Arnaldo Márquez, peruano, con seudónimo *B. de Zamora* Horacio Echegoyen, administrador, que de vez en cuando escribía cuentos, Juan Gonzalo Matta, corresponsal en Berlín, y otros más.

yor frecuencia en el nuevo diario, para el cual colaboraba por la vía epistolar. En *La Tribuna* habían pasado a ocupar sitios de distinción algunos de los amigos más señalados de antes: Pedro Balmaceda, a quien el carácter abiertamente opositor de *La Época* hacía ya intragable el ambiente de este diario, Manuel Rodríguez Mendoza y Narciso Tondreau. Dedicada a este último aparece la composición *Lo que son los poetas,* con leyenda al pie que dice: Valparaíso, 8 de agosto de 1888 (publ. el 6 de octubre). Es también *La Tribuna* el diario en el cual se acoge el prólogo de *Azul...,* y al darlo en las ediciones siguientes al 20 de agosto, abre paso a la polémica sobre el libro en que bajo seudónimo tercia Rodríguez Mendoza (31 de agosto y 1 de septiembre). Si Tondreau intervino en la reproducción del prólogo, debe entenderse que al acogerlo creía hacer un servicio a Rubén Darío, ya que de la cordialidad inalterable de sus relaciones no cabe pensar otra cosa. En *La Tribuna* escribía asimismo Luis A. Navarrete, de quien el diario publica con fechas 5 y 8 de noviembre la conferencia leída en el Ateneo de Santiago que acusaba de plagio a Préndez. Este respondió en *La Época,* y Darío le siguió. El día 16 de noviembre se publicó en este diario la carta al director de la Biblioteca Nacional de Nicaragua, Antonino Aragón, destinada a ensalzar el volumen de *Nuevas Siluetas* y la persona de su autor, y el 29 del mismo mes *El triunfo de Préndez,* artículo con el cual Darío terciaba en la polémica desencadenada por Navarrete. "Se anunció últimamente —decía allí— por la prensa que yo defendería a mi amigo el poeta Préndez de los ataques que se le hicieron en el Ateneo. En efecto, tenía escrita mi opinión, y la habría publicado en este diario, con gran gusto, si el autor de las *Siluetas* no hubiera ya salido victorioso con su propia defensa. Las bases principales en que se apoyaban mis razones en su favor, él las ha presentado. No me queda sino dejar constancia de que desde un principio estuve de su parte, y no sin cierto temor, pues sabía que cierta juventud literaria, y más de un buen nombre de las letras chilenas, estaban en su contra." *(Obras Desconocidas,* página 254.) De estas palabras puede colegirse que el amplio estudio de Darío sobre Préndez, a propósito de la acusación de plagio ya referida, no vió la luz sino en resumen y que a este resumen impuso el autor el título de *El triunfo de Préndez,* para no repetir los argumentos ya empleados por éste.

También pertenecen al cuerpo de colaboración de *La Tribuna* el "cuento ruso" *La Matuchka* (1 de febrero de 1889), y como despedida literal, ya que emprendió el viaje al día siguiente, la rima II de la serie entregada al Certamen Varela, *Amada, la noche llega,* que salió el 7 de febrero.

Capítulo VIII

EL VIAJE DE RETORNO

Ser autor a los veintiún años de edad de un libro discutido en la prensa y que abanderiza, ya en pro, ya en contra, a los escritores de una nación en la cual ese autor no ha nacido, es, sin duda, un real triunfo literario. Aparentemente, Darío pudo descansar en él para iniciar de nuevo, desde más segura trinchera, la conquista del ambiente chileno; pero antes de que los ecos de la polémica se hubieran apagado, el poeta, que había ya proyectado irse de Chile, lo disponía todo para el viaje. Y tornando la mirada más atrás, podría decirse que se le estaba abriendo paso a la fama con no mucho mayor esfuerzo. Los escritores jóvenes eran sus amigos, y de algunos había recibido conmovedoras muestras de adhesión y de cariño. El estilo mismo de sus artículos periodísticos, novedoso y hasta raro, hizo que se fijaran en Darío todos los ojos, y cuando a esos artículos siguieron triunfos resonantes, hasta las iniciales resistencias se trocaron en admiración y respeto. El haber obtenido premio *ex aequo* con Préndez en el Certamen Varela no era poca cosa, considerando la distancia de años que mediaba entre los dos competidores. Y por donde mirara el curioso, podría encontrar manifestaciones claras de que a Darío se abría en el ambiente chileno una atención que no es fácil prodigar a los extraños, presea ganada, en fin, por el talento y la gracia literaria [1].

Pobre y desvalido siempre en la vida material, Darío estaba más pobre a raíz de la aventura de *Azul*... El libro fué dedicado en frases exaltadas a Federico Varela, el patrocinante del Certamen de 1887, pero, según recuerdo del autor, el destinatario no acusó siquiera recibo del ejemplar que le fué enviado, acaso el propio día de la publicación. ¿Qué había ocurrido? No pretendemos haberlo descubierto.

El día 20 de septiembre de 1888 *La Libertad Electoral* de Santiago publicó de Darío un cuento o fantasía titulada *Arte y hielo*, dirigida como tributo de amistad a Carlos Toribio Robinet. Es un trabajo hermoso, aunque sarcástico y cruel, digno de la serie de medallas del *Azul*..., y Eduardo de la Barra al leerlo envió a su amigo Robinet la siguiente carta:

"Mi querido amigo: Veo en *La Libertad* un artículo que Darío le dedica; eso me recuerda un olvido mío que necesito reparar. Es el caso que hace días prometí a Darío escribir a usted con el fin de pedirle su ayuda para buscar los medios de trasladarlo a su país del modo más eficaz y delicado que posible sea.

"Creo que bastará con cuatrocientos pesos para hacerlo, y me parece que entre sus amigos y clientes no faltarían quienes quisieran dar la mano a un joven de talento y de porvenir.

"Tal vez los Edwards y otros hombres generosos dieran la

---

[1] Años después, al escribir la *Historia de mis libros* y al tratar precisamente de *Azul*..., Darío manifestaba estar olvidado de casi todas estas luchas. Comenzó por decir que "el libro no tuvo mucho éxito en Chile", a pesar de que lo era, y grande, la polémica que hemos narrado en el capítulo anterior. Pero, más ecuánime, dijo también: "Cuando publiqué los primeros cuentos y poesías que salían de los cánones usuales si obtuve el asombro y la censura de los profesores, logré, en cambio, el cordial aplauso de mis compañeros."

mitad de esa suma y el resto podríamos obtenerlo cotizándonos entre algunos pobres.

"Mejor aun sería conseguirle alguna comisión del Gobierno que le procurara pasaje libre hasta Panamá o hasta Montevideo. Se trata no de un cualquiera, sino de un joven escritor abandonado en nuestra tierra y expuesto a morirse de hambre, y en tal caso, ¿por qué un Gobierno ilustrado no tendría un rasgo de generosidad que nadie podría vituperarle? No prestar a tiempo estos pequeños servicios es lo que después pesa. Ello, por otra parte, no sería sin antecedentes, y acaso tendría después su compensación.

"En fin, mi amigo, en sus manos lo dejo. Se trata de salvar a este joven poeta, lleno de talento, y darle un pequeño impulso que lo ha de llevar lejos. Se trata de un caso en que puede hacerse efectiva la confraternidad entre los hombres de letras."

A pesar de que aparentemente la carta ha terminado, el poeta agrega algo más:

"Yo le aconsejo a Darío que se vaya a Buenos Aires, gran centro donde una pluma como la suya encuentra trabajo bien recompensado, que de allí salte a España. Pero con buenos deseos y buenos consejos no se come ni se anda.

"Otro camino es el de volver a su tierra y de allí procurar salir a alguna Legación en Europa, donde pueda darse a conocer. Mas para todo se necesita plata, y él no tiene con qué moverse y está en la situación más apremiante y angustiada. A mí me desespera no poder socorrerlo, pues ahora tengo deudas, lo que nunca me había pasado; a X.[2] no acudo porque sería inútil. ¡La puerta que aquí toqué estaba cerrada para el pobre joven! Por eso acudo a usted, hombre de talento y de corazón,

---

[2] ¿No será este X don Federico Varela? La carta fué publicada sin dar el nombre.

activo y relacionado, que sabrá comprender y querrá hacer algo
por el abandonado poeta, expuesto a morirse de hambre y deses-
peración. ¿No hallará usted hombres generosos que lo salven?

"Aquí fracasaron nuestros planes, ojalá allá se logren."

Esta carta [8] tiene tal tinte angustioso, habla con tal vehemen-
cia de la miseria de Darío, presenta con tales contornos la situación del poeta, que sería vano pretender quitarle el carácter
de una prevención casi desesperada. ¿Algunos accesos de esa
"inquerida bohemia" de que hablaba Rubén Darío precisamente
para explicar su alejamiento de Chile, le habían conducido a
tales extremos? Sea lo que fuere, de esas líneas se desprende que
estaba pasando en Chile horas tristes, angustiosas, que había perdido la fe en el porvenir que esta tierra pareció en otros días
reservarle, y que, falto de coraje, abandonaba la lucha.

Mientras Eduardo de la Barra iniciaba aquella gestión, Darío se daba maña para colaborar desde Valparaíso no sólo en el
diario que ya se mencionó, sino también en *La Época*. Tocó a
este periódico dar una singular noticia el día 11 de noviembre
de 1888:

> SONETOS AMERICANOS.—Rubén Darío prepara un nuevo volumen
> de versos, con el título que encabeza este suelto. La obra constará
> de una serie de sonetos en forma nueva que serán otros tantos pe-
> queños cuadros de la vida americana y especialmente de la época
> de la conquista. Estas composiciones son otros tantos diminutos
> bajo-relieves en que la elegancia artística de nuestro ilustrado ami-
> go se manifiesta en toda su audacia y originalidad. *La Época* pu-
> blica hoy los tres primeros sonetos y seguirá dando a luz los demás
> a medida que el autor los vaya remitiendo a esta redacción.

---

[8] Apareció por primera vez en el diario *La Opinión,* Santiago, 7 de
mayo de 1939. El original estaba entonces en poder de don Luis de la
Barra, hijo del autor.

Los tres sonetos publicados entonces, *Chinampa, El sueño del Inca* y *El toqui* (*Caupolicán* más tarde), han sido discutidos por las novedades técnicas que entrañan y que se indican en el suelto que se ha copiado, y son, en suma, obras de grande interés artístico [1].

Algunas semanas después de la carta de Eduardo de la Barra con que se abre este período de la vida de Darío, éste escribió a Santiago a su amigo Préndez en términos muy claros y categóricos acerca de la necesidad en que se hallaba de emprender viaje.

"Valparaíso, noviembre 20-1888.

"Mi querido amigo:

"Te escribo con el siguiente objeto: debes de tener entendido que mi partida a Centro América me es más necesaria que nunca. Mi padre acaba de morir, y yo tengo que estar en Nicaragua a la mayor brevedad. Conoces perfectamente mi situación.

"Parece que las esperanzas que teníamos no se han podido realizar por ahí. ¡Qué se hace!

"Ahora, oye: un amigo mío ha empezado aquí algo que, si es duro para mí, es el único medio que me queda para poder irme. Ha pedido a personas que tienen buena voluntad, y alguna es-

---

[1] El profesor norteamericano E. K. Mapes, autor de un profundo estudio sobre la influencia francesa en Darío, que se ha citado ya en estas páginas, es autor también de *Los primeros sonetos alejandrinos de Rubén Darío,* 1935, publicado en la *Revista Hispánica Moderna* y tirado aparte en corto número de ejemplares. Allí señala como escritos en metro alejandrino, a la francesa, cuatro sonetos del período chileno, que son los tres *Sonetos americanos* dados a conocer en noviembre de 1888 y el dedicado a Lastarria, con motivo de su muerte, algunos meses antes. Debe, pues, ponerse en el haber de la influencia que el ambiente literario de Chile ejerció sobre Darío, esta innovación que en el folleto citado el señor Mapes estudia con mucha erudición.

timación por mí, que contribuyan para formar un fondo con el cual pueda hacer el viaje. Ya hay bastante adelantado.

"Tócate a ti —pues no puedo decirlo a otro amigo— ver lo que te sea posible hacer en el círculo de tus relaciones políticas o sociales. Por de pronto recuerdo yo dos, tres, cuatro amigos, quienes, si tú les insinuaras algo, se prestarían gustosos. Triste, pero preciso. Se necesita que, por lo menos, vengan de ahí veinte libras; lo demás aquí, como digo, se está juntando. Todo callado, como todo bien que se hace noblemente.

"En fin, hágase lo posible; hazte tú iniciador por tu parte, y rompe esta carta, si te parece.

"Creo que también de aquí se ha escrito a Robinet a este respecto.

"Todo debe hacerse, a más tardar, en la presente semana. Mi salud, peor.

"Tu amigo

"Darío.

"P. S. Haz reclamar en mi nombre un artículo que está en *La Libertad* titulado *Cuento ruso,* y lo publicas en *La Época.* Esto, pronto."

En la carta que se acaba de leer el autor habla de la muerte de su padre. La crónica porteña de *La Época,* a cargo de Eduardo Poirier, dió poco después, el 11 de diciembre, la siguiente noticia: "Por comunicaciones llegadas al Consulado de Nicaragua en Valparaíso y por cartas particulares se sabe que el 11 de octubre pasado falleció en León, Centro-América, el señor Manuel Darío, padre del poeta Rubén Darío, que desde hace algunos años reside entre nosotros." Este párrafo precisa la fecha de ese fallecimiento, que no hemos encontrado en otras obras, y abre en fin la puerta a suponer que las relaciones de familia de Darío influyeron para que éste abreviara su estancia en Chile.

Y algunos días más adelante, otra carta igualmente reveladora, con pormenores íntimos al través de los cuales puede advertirse que la negociación emprendida por Eduardo de la Barra había fructificado por lo menos en el grado necesario para proyectar el viaje.

"Mi querido amigo:

"Hasta hoy respondo por razón de proseguir aquí sin descanso la consecución de los medios necesarios para el viaje.

"Es un hecho que éste no podrá realizarse hasta el 5 de enero, es decir, dentro de once días, contando desde hoy. En caso contrario habrá que esperar el vapor próximo.

"Con lo que tú me has conseguido tengo ya para gastos de viaje y llegada. Aquí se trata de conseguir pasaje, y de "arreglarme la maleta", como dice Barra. Poco a poco parece que esto se conseguirá.

"Y a propósito: Carvallo me ofreció una caja hace mucho tiempo. Debe haberla hecho llegar a la casa en que yo habité en Santiago, Nataniel, 51. En tal caso debe de estar en poder de don Manuel Rodríguez Mendoza. O si no, se puede averiguar.

"Tú puedes hacerme el favor de mandar a pedir en mi nombre unos libros y ropa que tengo en casa del mismo Manuel, y remitírmelos por expreso. Si la caja se encontrase, sería un pequeño ahorro.

"Es terrible el asunto viaje, tal como lo estoy palpando. Pero ¡qué se hace! La ayuda conseguida es parte del camino andado.

"No te digo más por no quitarte el tiempo.

"Tuyo

"Darío.

Valparaíso, diciembre 5 de 1888."

* * *

Estas cartas de peticiones de dinero disimuladas entre burlas y palabras de sorna, eran ya frecuentes en la vida de Darío, y Sequeira (*Rubén Darío criollo*, p. 73) reproduce una de 1882 que se parece no poco a las que llevamos colacionadas. Escribiendo a Francisco Castro el poeta decía: "Vine a buscar dinero y me hallo debiendo más de cien fuertes. Chico, te ruego consigas algo para pagar la composición de un frac donde Tonino y me lo mandas antes del 14. Pienso irme al Salvador entonces. Búscame también mis camisas en mi casa, pídelas diciendo que no tengo con qué mudarme. Mándame toda la ropa que puedas conseguir. Habla secretamente con Moncada recomendándole silencio y ve cuánto se reúne entre UU. los muchachos, para ajustar el pasaje aunque sea. Mira si me puedes conseguir una valija también, pues la necesito para irme. No llego yo porque allí debo también mucho y no tengo con qué pagar." Y así durante muchas líneas más.

Y al mismo Préndez, en carta sin fecha pero que debe ser posterior a las dos que se han copiado, Darío comunicaba algunos encargos de diverso orden, desde el económico, destinado a cubrir sus urgencias monetarias, hasta el literario, vinculado a la reproducción de las cartas que sobre *Azul...* había escrito Valera.

"Mi querido amigo:

"Es de todo punto urgente que te veas con Antonio Edwards, que ofreció conseguir con don Arturo lo que tú me comunicaste.

"El viaje se aproxima cada día más.

"La remisión puedes hacerla por un giro a la calle Victoria, número 100. Esto en cuanto se pueda.

"Lo de Rodríguez Mendoza ya lo haré arreglar por otro medio, pues veo que no te es posible.

"Te saluda con todo cariño,   "RUBÉN DARÍO.

"P. S.—¿Por qué no habrá publicado *La Época,* que está suscrita a *El Imparcial,* de Madrid, dos cartas que me dirige Valera sobre mi *Azul...?* Vale."

Obvio será repetir que Antonio y Arturo Edwards eran ambos hermanos de don Agustín, a quien se ha mencionado ya aquí como Ministro de Hacienda y propietario de *El Mercurio* y de *La Época,* los dos primeros hogares periodísticos que se ofrecieron en Chile a Darío; y hogares de verdad, porque, ya se sabe, en el edificio del segundo el poeta forastero tuvo hasta alojamiento.

Las gestiones para conseguir dinero y para enviarlo a Valparaíso, encomendadas a Préndez, dieron resultado, como puede verse en el conmovedor recibo que por $ 33,40 expedía la Compañía del Telégrafo Americano para el giro telegráfico que se tomó a nombre del poeta, cuya dirección de Victoria, 100, consta en dicho documento. Este recibo, conservado entre los papeles de Préndez, ha pasado en seguida a poder de Carlos Préndez Saldías, quien nos lo muestra con legítima emoción. Y para que se vea el precio que da el poeta de hoy a testimonio tan elocuente de las fraternales relaciones que unieron a su padre y a Rubén Darío, el recibo está encuadrado en marco y colgado en uno de los muros del escritorio de Carlos Préndez. Lástima es que se hayan perdido algunas cartas que mediaron en aquellos días entre los dos amigos, como aquélla en la cual se ha debido aludir a Rodríguez Mendoza, dada la referencia que allí hace Darío: "Lo de Rodríguez Mendoza ya lo haré arreglar por otro medio, pues veo que no te es posible." Al parecer, la lucha política había separado a aquellos dos escritores, balmacedista Rodríguez y opositor Préndez. A este último, por lo demás, se le había elegido diputado suplente para el período 1888-91, y en esta calidad hubo de sufrir el rigor de la persecución policial en el período de la dictadura.

Con más pormenores sobre las cartas de Valera, cuya no publicación en *La Época* dolía de verdad al poeta, acostumbrado a ver en ese diario el hogar periodístico predilecto, escribió Darío a Narciso Tondreau en los últimos días del mes de diciembre.

"Mi querido poeta y amigo:

"Su carta última —le decía— me ha venido a calmar mis temores de Alcestes. Es usted bueno, lo que no me extraña, puesto que siempre me ha demostrado cariño.

"Vamos a otro asunto.

"No habría querido enviar a ningún diario las cartas de don Juan Valera si usted no me hubiese escrito.

"He estado agriamente impresionado con toda la prensa, sobre todo con la en que hay algunos que se dicen mis amigos. Sé que diarios como *La Época,* donde hay varios poetas, están suscritos a *El Imparcial,* de Madrid. Hay más. Se han reproducido todas las cartas de don Juan Valera, y se han saltado las dirigidas a mí. Es cierto que don Juan hace elogios que no me ha hecho nadie, y que con la publicación de su juicio vendríamos a quedar en que soy un ternero de cinco patas. Cosa que desagradaría a todos los que creen que sólo soy un hombre de cuatro. Porque creo que hay quienes piensan así.

"Por lo demás, le envío la única carta que conservo, pues la segunda se me perdió.

"Y le doy mil gracias por su atención, que creo —cosa rara— que es sincera.

"En cuanto a mí, no quiera usted saber nada, ni me vuelva a pedir noticias. No hay brazos de leche ni nada.

"Me alegro mucho, mucho, que se haya decidido a escribir *El bosque,* poema que sólo usted puede escribir en Chile, pero

que no agradará a los ateneicos colegas suyos, sino a un reducido número. Yo le aplaudo de todo corazón[5].

"Yo también tengo una guagua de gran poema o de dispa-
rate monumental. No sé lo que saldrá, pero lo sabremos pronto.

"Mi viaje se acerca. De repente, cuando menos piense usted... ¡adiooos!, ya voy por Panamá. Y entonces, muchos estarán contentos. Y yo también.

"Su amigo

"DARÍO.

"P. S.—Usted tiene relaciones con algunos españoles, como
el Conde de Vista Florida, y pudiera ser que él tuviese la carta
número dos de don Juan. Si no él, el Club Español, o las librerías, o en cualquier parte. Vale.

"Valparaíso, 26 de diciembre de 1888."

* * *

Es fama que entonces el poeta erró por las colinas de Valparaíso no ya "en busca de cuadros" como había hecho antes,
sino en compañía de unos desalmados que se hicieron sus amigos de pega. Y allí habría sido su ángel guardián cierto homeópata, Francisco Galleguillos Lorca (1846-99), que contaba amistades en la población más humilde de los cerros.

"En lo referente a mi permanencia en Chile, olvidé también
un episodio que juzgo bastante interesante. Cuando habitaba en
Valparaíso tuve la protección de un hombre excelente y de ori-

---

[5] *El Bosque,* poema anunciado por Tondreau en esos días y a que
se refiere Darío, quedó incompleto o por lo menos en parte inédito hasta
la muerte de su autor. Muchos años después señalaba éste todavía su
existencia al publicar en *La Ley,* suplemento literario de 25 de junio de
1899, *El viento,* y al presentarlo como *Fragmento del poema inédito El
Bosque..*

gen humilde: el doctor Galleguillos Lorca, muy popular y muy mezclado entonces en política, siendo una especie de "*Leader*" entre los obreros. Era médico homeópata. Había comenzado de minero, trabajando como un peón; pero dotado de singulares energías, resistente y de buen humor, logró instruirse relativamente y llegó a ser lo que era cuando yo le conocí. Llegaban a su consultorio tipos raros, a quienes daba muchas veces, no sólo las medicinas, sino también dinero. La hampa de Valparaíso tenía en él a su galeno. Le gustaba tocar la guitarra, cantar romances, e invitaba a sus visitantes, casi siempre gente obrera, a tomar unos "ponches" compuestos de agua, azúcar y aguardiente, el aguardiente que llamaban en Chile "guachacay". Era ateo y excelente sujeto. Tenía un hijo a quien inculcaba sus ideas en discursos burlones, de un volterianismo ingenuo y un poco rudo. El resultado fué que el pobre muchacho, según supe después, a los veintitantos años se pegó un tiro.

"En una ocasión me dijo el doctor Galleguillos:

"—¿Quiere usted acompañarme esta noche en una visita que tengo que hacer por los cerros?

"Los cerros de Valparaíso tenían fama de peligrosos en horas nocturnas, mas yendo con el doctor Galleguillos me creí a salvo de cualquier ataque y acepté su invitación. Tomó él su pequeño botiquín y partimos. La noche era obscura, y cuando estuvimos a la entrada de la estribación de la serranía, el comienzo era bastante difícil, lleno de barrancos y hondonadas. Llegaba a nuestros oídos, de cuando en cuando, algún tiro más o menos lejano. Al entrar a cierto punto, un farolito surgió detrás de unas piedras. El doctor silbó de un modo especial, y el hombre que llevaba el farolito se adelantó a nosotros.

"—¿Están los muchachos?—preguntó Galleguillos.

"—Sí, señor—contestó el rotito.

"Y sirviéndonos de guía, comenzó a caminar y nosotros tras

él. Anduvimos largo rato, hasta llegar a una especie de choza o casa, en donde entramos. Al llegar hubo una especie de murmullo entre un grupo de hombres que causaron en mí vivas inquietudes. Todos ellos tenían traza de facinerosos, y en efecto, lo eran. Más o menos asesinos, más o menos ladrones, pues pertenecían a la mala vida. Al verme me miraron con hostiles ojos, pero el doctor les dijo algunas palabras y ello calmó la agitación de aquella gente desconfiada. Había una especie de cantina, o de boliche, en que se amontonaban unas cuantas botellas de diferentes licores. Estaban bebiendo, según la costumbre popular, un "ponche" matador, en un vaso enorme que se denomina "potrillo" y que pasa de mano en mano y de boca en boca. Uno de los mal entrazados me invitó a beber; yo rehusé con asco instintivo y se produjo un movimiento de protesta furiosa entre los asistentes.

"—Beba pronto —me dijo por lo bajo el doctor Galleguillos— y déjese de historias.

"Yo comprendí lo peligroso de la situación y me apresuré a probar aquel ponche infernal. Con esto satisfice a los rotos. Luego llamaron al doctor y pasamos a un cuarto interior. En una cama, y rodeado de algunas mujeres, se encontraba un hombre herido. El doctor habló con él, le examinó y le dejó unas cuantas medicinas de su botiquín. Luego salimos, acompañados entonces de otros rotos que insistieron en custodiarnos, porque, según decían, había sus peligros esa noche. Así, entre las tinieblas, apenas alumbrados por un farolito, entramos de nuevo a la ciudad. Era ya un poco tarde y el doctor me invitó a cenar.

"—Iremos —dijo— a un lugar curioso, para que lo conozca.

"En efecto, por calles extraviadas llegamos a no recuerdo ya qué casa, tocó mi amigo una puerta, que se entreabrió, y penetramos. En el interior había una especie de "restaurant", en donde cenaban personas de diversas cataduras. Ninguna de ellas con aspecto de gente pacífica y honesta. El doctor llamó al dueño del establecimiento y me presentó.

"—Pasen adentro —nos dijo éste.

"Seguimos más al fondo de la casa, no sin cruzar por un patio húmedo y lleno de hierba.

"—Aquí hay enterrados muchos —me dijo en voz baja el médico.

"En otro comedor se nos sirvió de cenar y yo oía voces que en un cuarto cerrado daban de cuando en cuando algunos individuos. Aquello era una timba del peor carácter. Casi de madrugada salimos de allí y la aventura me impresionó de modo que no la he olvidado. Así no podía menos de contarla esta vez."

* * *

Estas andanzas muestran que Darío se había ido alejando de las amistades aristocráticas que le acogieron en su llegada a Chile. En la compañía de Galleguillos Lorca y de su gente del hampa, ¡cuán lejos estamos del ambiente escogido de *La Época,* en que diez o doce pares del ingenio revelaban a Darío, momento a momento, lo mejor del espíritu chileno! ¿Podía el poeta, salvo por contraste, acordarse de la compañía de Balmaceda en aquellos cerros cuyo silencio nocturno era interrumpido por disparos lejanos? Balmaceda le había presentado, además, a su padre, que era Presidente de la República, a su madre y a sus hermanas; y en don José Manuel el poeta encontraba la finura de modales, la exquisitez de lengua y de ademán que distinguen al hombre refinado del plebeyo. El Presidente Balmaceda le había, también, sugestionado con los giros de su palabra voluble, y con su ilustración, tal vez periférica pero encantadora, le daba a entender que las artes y las letras no podían estar demasiado distantes de su espíritu de gobernante moderno. En el

palacio de la Moneda el joven nicaragüense había disfrutado
todos los halagos de las grandes situaciones políticas que la democracia franquea a sus favoritos, esto es, a quienes saben per-
seguirla, halagarla y cortejarla: cómodos muebles, té exquisito,
licores finos de las mejores marcas, cigarros de excelente taba-
co habano; y esta aura de esplendor casi monárquico que rodeaba
a Balmaceda se extendía fuera de los espesos muros del palacio.
Darío recorrió los paseos de Santiago acompañando a Pedro
Balmaceda, repantigado en el muelle cojín de un coche de propiedad fiscal, manejado por expertos lacayos que pagaba el era-
rio chileno. La transición entre este ambiente y otros era suave
y dulce. No había tantas exquisiteces en las casas de algunos de
sus amigos, pero siempre quedaba algo de lo que eran los bie-
nes mostrencos de la época: la buena mesa, los vinos importa-
dos de Francia y de España, el caviar ruso, la cerveza inglesa y
holandesa, las galletas importadas de Inglaterra... Para ir de
una casa a otra se empleaban coches tirados por caballos de im-
portación, cada uno de los cuales había costado algunas docenas de libras esterlinas. En los muros de las habitaciones divi-
saba el poeta decoraciones que provenían, aunque en copia, de
las que caracterizaron en Francia los siglos XVII y XVIII, y en
los muros colgaban cuadros que habían sido escogidos en los
catálogos de grandes colecciones entregadas al martillo. En pieles, plumas, perfumes y joyas las damas santiaguinas gastaban
sumas que bien podía considerar siderales cualquier mozalbete
de poco más de veinte años, sobre todo si éste pertenecía a la
ralea triste, siempre en derrota económica, inepta para amasar
fortuna, a que se daba entonces el nombre genérico de poetas,
y hoy el más ambicioso de intelectuales. Al pasar por la calle
Dieciocho de Septiembre, el chico Balmaceda había hablado a
su amigo del palacio Cousiño, y ante la estupefacción del huésped le condujo a ver aquellos interiores en que pulidos *parquets*

copiaban los reflejos de arañas de visos sorprendentes, mientras por las ventanas entreabiertas, de cristales biselados, entraba en sordina el canto de los pájaros que en el jardín se perseguían y se disputaban las migajas de los festines. Y así otras casas, también decoradas, con mesas dignas de las bodas de Camacho, mucho brocado en los muros y lámparas de cristal.

Estas imágenes fueron palideciendo y adelgazándose en la memoria de Darío a medida que bajaba, peldaño a peldaño, en la figuración social que alcanzó a lograr en Santiago. Entre sus amigos periodistas había no pocos que eran miserables, para decirlo en una palabra, a pesar de que debían cubrir sus desnudeces y disimular sus hambres tras amplias y socarronas sonrisas. Y ellos también le llevaron a sus hogares, antes de que el doctor Galleguillos Lorca le sirviera de cicerone entre los atorrantes y los hampones del puerto. Dióse cuenta allí de que no pocas sonrisas obsequiosas nacen en medio del cieno, y de que no se necesita un olfato muy sutil para distinguir el perfume que de verdad puede caracterizarlas. Advirtió que había heroísmo en aquellos pobres galeotes que llevaban encima la maldición de haber sido dotados por la Providencia no con los talentos que hacen ganar dinero, sino con ese otro algo bufonesco que permite entretener al prójimo, escribir gacetillas, redactar párrafos de elogio a Pedro, Juan y Diego, lucubrar hasta versos armoniosos y encantadores, talento que todos dicen envidiar, que lleva a las academias y encumbra a las posiciones más inesperadas, pero que no se puede trocar en escudos adecuados para comprar en la tienda y en el almacén lo que los otros de menor talento abarrotan. Darío se había extasiado alguna noche oyendo a Sara Bernhardt, en medio del lujo del teatro, y cuando llegaba la hora de dormir tenía que atravesar el zaguán del diario y, lejos de todas las linduras de oropel que adornaban los salones, irse a cobijar en un cuartucho gélido. Y así todo...

Y él amaba el lujo, no la pobreza. Tras las comodidades y el placer había dejado su rinconcillo centroamericano, ilusionado con las palabras de Cañas, y en este nuevo mundo que le había permitido entrever sus encantos, o algunos de sus encantos más salientes, erraba ahora lleno de nostalgia, de frío, de inquietud, de neurosis y, acaso, de hambre.

"Amo la belleza, gusto del desnudo —había escrito en Chile, precisamente—; de las ninfas de los bosques, blancas y gallardas; de Venus en su concha y de Diana, la virgen cazadora de carne divina, que va entre su tropa de galgos, con el arco en comba, a la pista de un ciervo o de un jabalí. Sí, soy pagano. Adorador de los viejos dioses, y ciudadano de los viejos tiempos. Yo me inclino ante Júpiter porque tiene el rayo y el águila; canto a Citerea porque está desnuda y protege el beso de dos bocas que se buscan; y amo a Pan porque, como yo, es aficionado a la música y a los sonoros ditirambos, junto a los riachuelos armoniosos, donde triscan las náyades, la cadera sobre la linfa, el busto al aire, todas sonrosadas al beso fecundo y ardiente del gran sol. En cuanto a las mujeres, las amo por sus ojos que ponen luz en el alma de los hombres; por sus líneas curvas, por sus fuertes aromas de violeta y por sus bocas que parecen rosas. Otros busquen las alcobas vedadas, los lechos prohibidos y adúlteros, los amores fáciles: yo me arrodillo ante una azucena sagrada, paradisíaca. ¡Oh, el amor de las torcaces! En la aurora alegre se saludan con un arrullo que se asemeja al preludio de una lira. Están en dos ramas distintas, y Céfiro lleva la música trémula de sus gargantas. Después, cuando el cenit llueve oro, se juntan las alas y los picos, y el nido es un tálamo bajo el cielo profundo y sublime, que envía a los alados amantes su tierna mirada azul." *(Carta del país azul, La Época,* 3 de febrero de 1888.)

Era preciso partir. Eduardo de la Barra, profetizando esta

vez, opinaba que se fuera a la República Argentina, para lo cual
las credenciales de corresponsal de *La Nación* de Buenos Aires
equivalían a una llave maestra que le abriría todas las puertas, y
hablaba también de que su patria debía encargarle una misión di-
plomática. Sin tanto esplendor seguro, con dinero prestado a
fondo perdido por sus amigos, Darío partiría.

Una hermana de madre de Eduardo Poirier, Rosa Cepeda,
mereció en esos últimos días la dedicatoria de una serie de frágiles poemitas que Darío englobó en el título común de *Humoradas,* con recuerdo de Campoamor. La entonación es generalmente
ligera, de humor festivo, conforme el nombre del grupo,
pero en el estilo asoman algunos de los desplantes que después hicieron la fama de Darío. A este último rasgo corresponden
los versos iniciales de la serie:

> *Amiga mía, creo*
> *que si fuese el poder como el deseo,*
> *este libro a su dueña llegaría*
> *hecho un cesto de rosas virginales,*
> *o un ánfora de miel y de ambrosía*
> *o una concha de perlas orientales.*

Los versos fueron escritos cuando Darío estaba seguro de
su próximo viaje; por eso se diseña el autor a sí mismo, al
finalizar estas Humoradas:

> *Al cantor pasajero*
> *no lo arrojes ausente en el olvido.*
> *La flor recuerda al pájaro viajero*
> *que un ritornelo moduló a su oído.*

Algunas veces la expresión es enigmática, pero posee luz
para deslumbrar acerca de los orígenes de la novedad de estilo

que Darío estaba acarreando a la poesía española; tal ocurre
con estos versos encantadores:

> *Si la poesía es del amor idioma,*
> *de una selva salvaje a los murmullos,*
> *¿qué estrofas compondría una paloma*
> *que rimara sus versos con arrullos?*

En años siguientes, la destinataria de estos versos —dirigidos en parte a sus "ojos negros como abismos"— fué cayendo de la posición social encumbrada en que la había conocido
su amigo nicaragüense, y en las últimas horas de su existencia la vimos comerciar en libros, en esfera muy humilde, haciendo uso de la relativa cultura que se le había brindado, de
joven, en el hogar de su hermano. Y se encendían otra vez sus
ojos de emoción al recordar a Rubén Darío y al jactarse, con
legítima soberbia, de que él hubiese escrito en su honor aquellas
estrofas que pocos conocían y que muchos ni siquiera creían
efectivamente nacidas de la pluma del glorioso poeta...

* * *

La Libertad Electoral informaba el 9 de febrero, lo siguiente:
"Don Rubén Darío.—El laureado poeta centroamericano que
tan celebrado ha sido por el novelista español Juan Valera, zar-
pa hoy de Valparaíso con destino a su patria. Le deseamos feliz
viaje y nuevos triunfos en su brillante carrera literaria." Sobre
la partida misma, *La Libertad* decía también: "Rubén Darío.
En el vapor "Cachapoal" partió el sábado para Panamá el bizarro y brillante poeta centroamericano para seguir, de ahí, viaje a Nicaragua, su patria. Darío iba triste. Tres años de residencia entre nosotros le habían ya acostumbrado a nuestra tie-

rra, aunque el bardo errante no había aquí hallado la realidad de
los ensueños que por acá lo trajeron. Que sea más feliz en sus
nuevas peregrinaciones el querido amigo. Lleva el cargo de corresponsal de *La Nación* de Buenos Aires y fundadas esperanzas de obtener en Nicaragua un puesto en alguna de las legacio-
nes de su patria acreditadas en Europa. Algunos amigos lo acom-
pañaron a bordo hasta que el vapor empezó a levar anclas. La
víspera de su partida había sido objeto de una hermosa manifestación de parte de las sociedades obreras, que habían aprendido
a apreciarlo y le manifestaron sincero cariño en los últimos días."
(11 de febrero.)

La *Época* había ido cerrando sus columnas a Darío a medida
que sus amigos desaparecían de la redacción principal; de modo
que no extraña ver al diario guardar silencio acerca del viaje
de su antiguo colaborador y amigo. Sólo en la crónica de Valparaíso se rompe aquella clausura, y el 10 de febrero leemos: "Parte hoy a su patria en el "Cachapoal" Rubén Darío, el autor de
Azul..., el poeta de las rimas irisadas y áureas, el cantor de las
glorias de Chile. Ha pasado en nuestro país tres de los mejores
años de su vida. Su labor literaria y artística ha sido fecunda y
variada. El poeta de sentimiento y de inspiración ha sabido encontrar aquí temas y argumentos dignos de su estro, que ha re-
vestido luego del ropaje galano y espléndido que sabe dar a todas sus producciones. Saludamos en su despedida al cantor via-
jero y pedimos para él a la Providencia un porvenir lleno de
ventura, de honor y de merecida gloria. Parécenos, y es de desear, que el Gobierno de su país habrá de colocarle en un medio, lugar o posición en el extranjero, que puedan ser a propósito para que el hijo esclarecido siga honrando a su patria como
lo ha hecho en Chile."

Y después de la noticia de la partida, el mismo diario agregaba informaciones sobre la despedida que se había ofrecido

al poeta nicaragüense en el salón de la Sociedad Filarmónica de Obreros de Valparaíso. Pronunciaron brindis Francisco Galleguillos y Manuel Serey, entre otros, y en respuesta el poeta "brindó largo rato correctamente en verso".

El día 11 de febrero de 1889 el diario santiaguino *La Tribuna* publicaba el siguiente suelto de crónica:

"DON RUBÉN DARÍO.—Entre los pasajeros salidos el sábado 9 de Valparaíso en el vapor "Cachapoal" va don Rubén Darío, el distinguido poeta nicaragüense, con destino al puerto de Panamá.

"El señor Darío, a pesar de su extremada juventud, ha dado en Chile muestras de raro talento literario, y sus producciones en verso, a la vez que sus artículos en prosa, han sido leídos con interés, por el mérito que entrañan y por la riqueza, lujo y novedad del estilo.

"Los *Abrojos* son una delicada compilación de poesías cortas, incisivas, llenas de amargura y decepción. *Azul...* es un libro preciosísimo, que contiene cuentos en prosa escritos como pocos lo han hecho hasta ahora, y cinco o seis poesías de alto coturno. Ambos libros han sido escritos en Chile y han conquistado nombre y fama a su autor.

"El señor Darío escribió un soberbio *Canto épico a las Glorias de Chile,* premiado justamente en un certamen literario y aplaudido por todos los que lo han leído.

"Innumerables poesías y artículos sueltos ha publicado en la Prensa de Santiago y Valparaíso, de que fué constante y asiduo colaborador. Su nombre es ya popular entre nosotros, y estamos seguros de que en Chile no morirá su recuerdo.

"Que nuestro amigo tenga un viaje feliz son nuestros deseos más sinceros."

Pasaron los días, y antes de terminarse el mes de febrero de aquella partida, en *La Libertad Electoral* de Santiago se publicaban los dos artículos que Luis Orrego Luco había escrito para despedir al amigo y compañero de letras. Son complejos como el carácter que la vida misma había presentado al forastero, pero tras la burla, a veces implacable, asoma la comprensión humana, el cariño que calma las heridas. En ellos hemos escogido ya algunas expresiones para dar cuenta de lo que Darío pareció a sus amigos chilenos, y hallamos en fin la síntesis que más nos interesa poner en relieve a los lectores de hoy.

"Es un bohemio incorregible —decía Orrego Luco—. Acaba de embarcarse con dirección a Panamá llevando solamente diez pesos en su cartera.

"Adiós, amigo Rubén, usted ha sufrido y ha sollozado muchas veces en la tierra de Chile, despreciado por los unos, ofendido injustamente por los otros, pero no olvide que en ella se han extendido los horizontes de su alma. Desde aquí usted ha visto la tierra prometida, ojalá que a diferencia del poeta de la historia, le sea dado penetrar en ella."

Con estas expresiones parece rimar, a la distancia, la carta que en 1912 Darío dirigió al mismo Orrego Luco para darle a conocer su intención de volver a Chile. Habíase fundado entonces en París la famosa revista *Mundial Magazine,* de la cual Darío era director literario y proveedor de casi toda la colaboración periodística y artística, solicitada por él a sus amigos los escritores españoles y americanos, y en el viaje organizado por los hermanos Guido para abrir el mercado de las librerías americanas a su revista entró de comparsa el poeta. Agasajado tal vez con exceso en Buenos Aires por los muchos amigos que allí había hecho en su anterior residencia, Darío sufrió una crisis de salud que le hizo aconsejable no someter al viaje por la cordillera de los Andes a su ya gastado corazón. La carta a que nos referimos fué escrita entonces, antes de que el poeta decidiera el regreso a Europa sin pasar por Chile, y dice así en la parte que hace a nuestro objeto: "Mi afecto por Chile se ha conservado el mismo después de tan largos días, y han revivido siempre en mí aquellas pasadas horas... Bien sabido es que allí publiqué mi libro *Azul*..., es decir, el libro de ilusiones y ensueños que había, con favor de Dios, de conmover a la juventud intelectual de dos continentes. Nunca podré olvidar que allí pasé algunas de las más dulces horas de mi vida, y también de las arduas, pues en Chile aprendí a macizar mi carácter y a vivir de mi inteligencia. Va esta carta, mi querido Lucho, como un saludo íntimo, pues el saludo nacional está escrito hace tiempo en mi *Canto a las glorias de Chile*."

Capítulo IX

RUBÉN DARÍO Y CHILE

Antes de cumplir tres años en tierra chilena el poeta lograba partir; y si no lo hizo en enero de 1888, cuando confesó su proyecto a Rodríguez Mendoza (ver *Apéndice*), ni en septiembre, cuando Eduardo de la Barra pedía su ayuda a Robinet, ello debe atribuirse a que entonces no logró reunir el dinero necesario para el viaje. Algunos biógrafos creen que el poeta dentro del mismo 1888 hizo viaje a Lima, que habría interrumpido su residencia en Chile. La leyenda de este viaje, que nunca existió, nace del error deslizado en el artículo de elogio de Ricardo Palma que se reproduce en diversas partes tomado de *Tradiciones peruanas*, edición de Montaner y Simón, Barcelona, 1893. Sea ese error culpa del copista o de la imprenta o, en fin, del autor del artículo, es el caso que allí se lee: "Fuí desde el Callao hasta Lima por sólo conocerle, en febrero de 1888." (Obra citada, I, p. XIV.) Pero este artículo acredita que el viaje a Lima no pudo hacerse en 1888, sino en 1889, y, según parece, cuando Darío, al regreso de Chile, volvía a Centroamérica, pues allí leemos: "¡Lima! Ya lo he dicho en otra parte: si Santiago es la fuerza, Lima es la gracia." Y esta expresión que rememora Darío se halla en el prólogo de los *Asonantes* de Tondreau, que se publicó por primera vez en Chile en la *Revista de Artes y Letras* en un número de 1889, como escrito por el poeta ya de regreso en la América Central. El propio Darío zanja por lo de-

más la duda en su estudio *La República del Perú,* publicado en
Mundial Magazine, su revista parisiense (1912), al escribir :

> Hace ya largos años tuve la suerte de pasar algunas horas en
> Lima. ¡Lima! La ciudad tradicional de la riqueza, de la gentileza
> y del encanto femenino, la ciudad de Santa Rosa y de don Ri-
> cardo Palma. Y volvía yo de Chile para Centro América. El va-
> por tenía que permanecer algunas horas en el Callao, y yo apro-
> veché ese tiempo para hacer mi corta visita a ese precioso reli-
> cario de la galantería y esplendor coloniales.

En suma, mientras no se pruebe cosa mejor, habrá que insistir en que Rubén Darío no estuvo en Lima en 1888, sino al
año siguiente, y su estada en Chile no fué interrumpida por ningún viaje al extranjero desde 1886 hasta 1889.

No es verdad, por lo demás, que entonces partiera de Chile
lleno de resentimiento contra sus hombres. Para despedirse de
Chile, el propio día de su partida, el poeta escribió un artículo
de elogio a Poirier, el buen amigo de las primeras horas chilenas
y también el consejero y camarada de las últimas, y allí define
lo que fué su estada en este país. "...No quiero dejar las playas
de Chile, de este Chile noble que me dió albergue generoso durante tres de los mejores años de mi vida, que me alentó en mis
trabajos literarios, que me discernió premios y honores; no quiero partir, digo, sin dejar estampado, junto con mi *farewell* a
Chile y a mis amigos, que son tantos y tan queridos, la palabra
de justicia, de cariño y de admiración al amigo entre todos ellos,
al amigo que me recibió como un hermano al pisar estas playas,
que como un hermano también gozó con mis goces, sufrió con mis
dolores, me alentó en mis triunfos y me consoló en mis horas
amargas; al amigo que hoy también, hoy que parto pesaroso y
triste de este gran país, me ha de conducir a bordo y ha de ser el
último que me estreche entre sus brazos fraternales y cariñosos."

En Poirier elogiaba Darío sobre todo al traductor, por las versiones de diversas obras que le había publicado hasta entonces *El Mercurio*. "...No hay garrida lectora de Valparaíso —escribía— que no quiera a Poirier, cuya pluma de traductor, a las veces, no sólo vierte con facilidad el pensamiento del autor, sino que, como lo ha dicho una distinguida amiga mía, "idealiza los tipos originales y les da más vida, colorido y vigor que el que los mismos autores les infundieron". De esa galería de lindas novelas son *Días oscuros*, *El secreto de Lady Damer*, *Recobrada* y tantas otras que han visto la luz en *El Mercurio*. Ha hecho una edición especial de *Recobrada*, cuya traducción consideramos superior a la que después publicó el galano y brillante José Martí."

Y en docenas de líneas que siguen ensaya la biografía del comprensivo y diligente Poirier, que le ha dado ejemplo de trabajo tesonero y abnegado; hasta que llega el momento de hacer alto en aquella grata faena: "Y aquí debo poner punto final a pesar mío. El "Cachapoal" me aguarda, listo para hacerse a la mar. Y ya que parto, y ya que esta tarde es triste para mí, triste en su opacidad dorada y melancólica y triste para quien dice adiós al soberbio país de Chile, reciban del poeta que les deja, un apretón de manos cada mano amiga, un pensamiento cada compañero en las tareas de las letras, una despedida del corazón cada chileno que fué conmigo de buena voluntad y de buena alma."

* * *

A poco de llegar Rubén Darío a Centroamérica, cuatro sucesos chilenos ocuparon su atención.

El primero fué la muerte de Arturo M. Edwards, hermano del propietario de *La Época*, ocurrida en Bolivia el 22 de mayo de 1889. Y aunque el poeta había conocido muy ligeramente a este joven, los más gratos recuerdos de Chile se aglomeraron en su espíritu al conocer aquella noticia.

"Existe en Chile —escribió entonces— una familia honorabilísima y opulenta, que sostiene hospicios, que enjuga lágrimas, que ampara desgraciados y que por donde quiera tiene corazones que confortar, vejeces que sostener y bocas que alimentar de las cuales recoge cosechas de bendiciones. Esa familia es la familia Edwards, la que según la noticia del último vapor sufre hoy un pesar intenso.

"Arturo M. Edwards, uno de los principales miembros de ella, ha muerto en Bolivia, a donde fuera en busca de alivio a su salud quebrantada.

"Durante mi permanencia en aquel país no conocí sino muy ligeramente al lamentado joven que hoy duerme ya el sueño del misterioso sepulcro; pero conocí sus obras; más de una vez se me refirieron acciones suyas dignas de un alma nobilísima y de un corazón de oro.

"Arturo M. Edwards, aunque entregado a sus negocios y a servir al país en su puesto de diputado al Congreso, no desdeñaba y más bien sentía afición por los trabajos de la inteligencia. Recuerdo que no hace mucho tiempo salió de las prensas de *La Época* una novela de André Theuriet, traducida por un escritor anónimo cuyo verdadero nombre no sabrán quizá muchos santiaguinos. El escritor anónimo era Arturo M. Edwards."

Este artículo, escrito en San Salvador en julio de 1889, fué reproducido por *La Época* de Santiago (22 de agosto), pero llegó demasiado tarde para que se pudiera incluir en la corona fúnebre que en honor a Edwards colectó Pedro Nolasco Préndez.

En seguida dióse el poeta a la gratísima tarea de cumplir el compromiso que había contraído con Narciso Tondreau para escribir el prólogo del libro *Asonantes,* que el escritor chileno tenía listo cuando Darío abandonó las costas chilenas. En esta

oportunidad el poeta quiso evocar la totalidad de su existencia en
Chile, a grandes pinceladas, en un cuadro abigarrado y pintores-
co, donde hay juicios sobre hombres, impresiones del país y de
la ciudad de Santiago, y recuerdos de toda laya, estampados con
la frescura de lo que se acaba de vivir. Dice allí que en 1886, al
llegar a Chile "uno de sus mayores deseos era conocer a sus famosos hombres de letras". Recuerda en seguida a algunos, y no
olvida por cierto a Eduardo de la Barra, ni a Carlos Toribio
Robinet, ni a José Victorino Lastarria, ni a Miguel Luis Amunátegui, ni a Adolfo Valderrama. Luego habla de la redacción
de *La Época,* en la cual se aglomeraban los jóvenes escritores,
entre quienes el poeta iba a encontrar a sus mejores amigos. De
Tondreau, como es justo, hace un elogio especial, con detalles
de crítica literaria, y le juzga tanto al través de *Penumbras,* sobre las cuales ya había escrito un artículo, como por los versos
del nuevo libro, al que esas páginas iban a servir de prólogo. Es
cierto que dice, de paso, que "por aquel tiempo la vida literaria
en Santiago estaba en una especie de estagnación poco consola-
dora", pero el tono general del artículo respira admiración por
Chile, en el que loa la pujanza racial, el entusiasmo y la agitación
del vivir, y todo aquello, en fin, que distinguía entonces a Chile
junto a algunos de los demás países de América, atrasados por
causa de una política interna poco eficaz, mal coordinada y a veces caótica.

El tercer suceso que, a poco andar, ocupó a Rubén Darío
fué el inesperado fallecimiento de su entrañable amigo Pedro
Balmaceda Toro, el compañero más querido en el arte, el más
fino y sutil de los alentadores que encontró en esta tierra. Y entonces, con palabras que revelan el verdadero tormento de su
alma, redactó un libro entero, *A. de Gilbert,* para evocar la memoria de ese adolescente que al distinguirle entre todos no tuvo
para con él reserva alguna. ¿Qué expresión escoger para mos-

trar el concepto que Darío se había formado de Chile? No, no es posible escoger. En cada una de esas páginas hay algo admirativo, algo que mueve al entusiasmo. El poeta no oculta que sus impresiones de Chile fueron muchas veces de extrañeza, ya que, al fin y al cabo, el salto que había dado era muy grande, pero jamás empaña su pluma la menor reserva. Evoca con justeza los días de Santiago, entre el terror del cólera y las bullentes conversaciones de *La Época,* y hace el elogio de Pedro Balmaceda y de su padre, el Presidente de Chile, a quien dirigiera poco antes el *Canto épico* con fórmula cortés y refinada, de verdadero artista y de hombre digno.

El Presidente Balmaceda, que a la muerte de su hijo ordenó reunir sus escritos dispersos en un libro, le hizo enviar un ejemplar de esa obra, y Darío le respondió con esta carta, en la cual le anuncia la próxima publicación de *A. de Gilbert,* "obra del corazón":

Al Excmo. Sr. D. José Manuel Balmaceda, Presidente de la República de Chile: Palacio de la Moneda, Santiago.

Señor:

Acaba de llegar a mis manos el libro de su malogrado hijo, que debo a la bondad de usted.

Cosa inapreciable es para mí, por ser obra de aquella alma brillante que tanto amé, y por venir del padre de uno de mis mejores, fraternales amigos.

Usted sabe cómo se unieron nuestros espíritus por el afecto y por el arte, cómo íbamos juntos en la labor del diario, cómo aspirábamos a lograr juntos la gloria.

Al saber la terrible noticia de la muerte de Pedro, he sufrido mucho. Me hallaba en el campo, y lleno de duelo, en mi retiro, escribí a su memoria un libro, que se está acabando de imprimir en la Imprenta Nacional de San Salvador.

¡Con Pedro ha perdido el mundo literario un gran artista y la humanidad un corazón dulce y bueno, hoy que son tan raros!

Comprendo el profundo dolor de su herida alma paternal. Mas debe tener usted el consuelo de que Pedro vivió la vida de la luz y se apagó como una estrella.

Su lírico espíritu soñador, que flotó siempre en la aurora, se sentirá feliz en tanto que cerca de la tumba que guarda el cuerpo que animara haya flores y cantos de pájaros, y su recuerdo viva en el corazón de los suyos.

Para mí, el querido compañero no ha muerto... Yo no quiero imaginarme aquella amable cabeza expresiva, pálida sobre la almohada del lecho mortuorio. Yo alimentaré mi engaño hasta que —si Dios vuelve a guiar mis pasos a ese gran país de Chile— pueda ver en la casa el gabinete vacío, el asiento en la mesa, solitario, y yo sin aquel que me diera aliento, aplauso, apoyo, consuelo, amor.

Pronto recibirá usted el libro que le anuncio, y que es una obra del corazón.

Entre tanto, soy como siempre su agradecido y afectísimo amigo

Rubén Darío.

San Salvador, diciembre 11 de 1889.

Finalmente, llegaron a Darío las noticias de la Revolución de 1891, que, a la distancia, siguió en todas sus peripecias con legítima ansiedad, ya que no podía negarse a la certidumbre de que todos los jóvenes ilustrados a quienes había conocido en Chile ocuparían puestos en la lucha y llegarían hasta arrostrar la muerte en la defensa de la causa de su partido. Cuando estuvo en *El Heraldo* de Valparaíso y cuando colaboró en *La Libertad Electoral* de Santiago pudo haber comprendido cuál era el tono de la oposición que ya entonces motivaba el Presidente Balmaceda, y tal vez llegó a adivinar que este estado de ánimo no tendría otra salida que la revolución en el momento en que el jefe del Estado se decidiera a llevar adelante su intransigente concepto de las prerrogativas constitucionales. Los jóvenes redac-

tores de *La Época* también pasaron a la oposición cuando llegó
el instante de la lucha, pero en el tiempo en que Darío frecuentó
los salones del diario el tono de la política era allí más moderado y no hacía presumir todavía un estallido violento.

Vamos a ver cómo se expresa Rubén Darío de Chile a medida que recibe noticias de los graves sucesos desencadenados
por la revolución. La plebe, que quiere siempre aprovechar en
beneficio directo de sus apetitos las alternativas de la política,
se precipita al saqueo una vez que la defensa del Gobierno ha
caído destrozada en los campos de Concón y Placilla. Darío escribe entonces su artículo *La obra del populacho,* que refleja las
emociones de su alma. "Lo de Chile causa una dolorosa impresión. Porque mientras ese pueblo modelo se alistaba y trabajaba
para las próximas elecciones, mientras se daba al mundo el espectáculo duro, pero fructífero, de un antagonismo viril y de
grandes trascendencias entre el Gobierno y el Congreso, ha bro-
tado allá en lo de abajo, en medio de la inconstante y ruda muchedumbre, una onda de perversidad que ha impulsado al cri-
men y al pillaje." Y después de elogiar calurosamente a Chile,
destacando todos sus progresos, calificando a Valparaíso como
"una inmensa colmena que hace sus labores a la orilla del mar",
trae un recuerdo personal que conviene reproducir por la luz que
arroja sobre sus últimos días pasados en Chile. "El que estas
líneas escribe no puede menos de guardar en su alma, con vanido-
sa gratitud, el recuerdo de los buenos y entusiastas trabajadores
porteños. Una noche la Liga de Obreros de Valparaíso despedía
al humilde poeta, al amigo periodista que les había aplaudido y
alabado en el diario. Local hermoso, música alegre, gente afectuosa y honrada, mesa digna de Lúculo. En la fiesta de despedida a que he aludido, yo tuve la satisfacción y agradecimiento patriótico de ver en los trofeos de las paredes, junto a la galante
e inmerecida alusión, enlazada con la victoriosa bandera de Ar-

turo **Prat,** nuestra azul y blanca bandera centroamericana. Hablaron los obreros sin pompa, pero con franqueza y sinceridad, y cuando nombraban a la democracia, lo hacían con voz alta y llena de fuego. Dignos, orgullosos y satisfechos de su labor estaban esos hombres de los talleres. Y no pueden ser ellos, los sostenedores del partido democrático, los miembros de la copiosa y rica Liga Obrera, los que han impulsado a los canallas a cometer crímenes e infamias" [1].

A Balmaceda, como ya se ha visto, le había conocido por su hijo, el menudo y triste *A. de Gilbert,* y a la muerte de éste había dedicado un libro tierno. Poco después le llega la noticia de que Balmaceda se ha quitado la vida en su refugio de la legación argentina, y entonces redacta un artículo, *Balmaceda, el Presidente suicida,* que refuerza las expresiones de cariño de que está henchido aquel libro.

En ese trabajo cordial pasa revista somera a hechos e ideas en cuyo contacto había estado poco tiempo antes: la pugna entre el Congreso y el poder ejecutivo, los menudos episodios de la guerra civil, fecundados por el odio recíproco de los combatientes, y después de hablar, a propósito del suicidio, de Nerón, "el César neurótico", escribe: "Y mientras se entierra su cadáver —y con él, ¡ay!, tal vez el de la democracia chilena—, espera América toda el momento en que, por necesidad fatal, aparezca, tras los antagonismos y los recelos, la espada en el solio, el militarismo, la tiranía, en el noble y bello país que fué modelo y gala de las naciones hispano-americanas."

Recogiendo impresiones de esos mismos días, Máximo Soto

---

[1] Según don Roberto Hernández (*Los primeros teatros de Valparaíso,* etc., p. 403), en esta recepción declamó Rubén Darío su poesía *Al Obrero,* que fué publicada por el autor de este trabajo en *Obras Desconocidas,* p. 266.

Hall ha escrito en sus *Revelaciones íntimas* (p. 74): "Mientras comíamos, Castro habló de París y Darío de Chile. Frescos y gratos estaban en su memoria los recuerdos de aquella tierra, y en su charla supimos quién era el héroe de su *Sátiro sordo* y cómo concibió en la Avenida de las Delicias la *Canción del oro*." Sin exagerar, pues, podría decirse que la memoria de Darío de sus años de vida en Chile le había llevado a formar concepto elevado de la nación y de sus hombres representativos.

En el mismo libro se reproduce un artículo de Darío titulado *Este era un Rey de Bohemia,* en el cual el autor se rebelaba contra la vida desordenada del escritor y de paso decía: "En Chile no se escribe ni una gacetilla con las manos puercas" (p. 175). Por su parte, el señor Soto Hall comenta: "No olvidaba nunca que salió de su país sin otro bagaje que su lira al hombro y sus ensueños en el alma y que se encontró, en extraños lares, con una sociedad noble que le abrió sus puertas. Amaba, y hacía bien en ello, la hospitalidad chilena, que participa de la tienda protectora del árabe y de la sencilla amabilidad del home inglés" (p. 235). Expresiones aquéllas que convienen no poco a lo que el propio poeta nicaragüense dejó dicho en *Historia de mis libros* (1912): "A pesar de no haber producido hasta entonces Chile principalmente sino hombres de Estado y de jurisprudencia, gramáticos, historiadores, periodistas y, cuando más, rimadores tradicionales y académicos de discreta descendencia peninsular, yo encontré nuevo aire para mis ansiosos vuelos y una juventud llena de deseos de belleza y de nobles entusiasmos."

¿Será necesario seguir citando frases escritas al azar de los días y de los acontecimientos para probar, una vez más, que Darío no era enemigo de Chile, ni siquiera detractor de sus escritores, en los años inmediatamente siguientes a su par-

tida de esta tierra? Parece que basta lo transcrito para que el
lector discreto formule su juicio.

* * *

El primer viaje que desde América hizo a Europa Rubén
Darío le llevó hasta las gradas del trono de España, en donde
mantuvo la representación de Nicaragua, su patria, en las
fiestas del centenario del descubrimiento de América. Llegaba
a Madrid graduado ya como poeta, y las cartas de Valera sobre *Azul...*, escritas cuando el autor de este libro se hallaba
en Chile, le habían granjeado en España una reputación que
pocos jóvenes a sus años podían disputar. Allí, en 1892, le encontró uno de sus antiguos amigos chilenos, Luis Orrego Luco,
con cuya lengua aguda había emprendido trato en la sala de
redacción de *La Época*. Los dos amigos se abrazaron, hicieron
memoria de los días pasados, olvidaron tal vez agravios de entonces y renovaron su amistad. Orrego le recordaba, años después, cuando ya Darío había fallecido, en el nuevo ambiente
madrileño por el cual discurría el poeta aupado a diplomático.

"Algunos años más tarde, cuando Rubén Darío se alejó de
nuestra patria, sometido a los oleajes y contingencias de la vida,
volví a encontrarle en España —escribía Orrego Luco—. Era
ya otro hombre. Su indumentaria elegante, su aire vivo, la mayor posesión de sí mismo hacían ver el desarrollo de su personalidad por nuevos rumbos. Ya no era el bohemio de nuestro
tiempo que se embriagaba con ajenjo para olvidar sus penas
en el *nepentes,* como él decía. Era hombre que confiaba en sí,
seguro de su personalidad artística, fuerte en el aplauso de los
jóvenes. La sociedad española le abrió los brazos. Le vi en casa
de la condesa de Pardo Bazán y donde don Juan Valera, leyendo versos a la encantadora hija del gran crítico y contestan-

do las bromas de las espirituales hijas del duque de Rivas, las
jóvenes Saavedra; le vi en casa de Menéndez Pelayo, perdido
en aquellas montañas de libros que trepaban hasta el techo en
el Hotel de las Cuatro Naciones. También nos encontramos en
La Huerta, como llamaban a la hermosa quinta palacio en donde
vivía don Antonio Cánovas del Castillo, entonces Presidente
del Consejo de Ministros y jefe del Partido Conservador español, que a sus muchos y grandes merecimientos de crítico y
de sabio unía sus admirables dotes de orador parlamentario, y
su acción de restaurador de la monarquía derrotada en la revolución de 1868.

"Era un hermosísimo palacio, con grandes vestíbulos tapi-
zados de gobelinos y con armaduras legítimas de acero de Mi-
lán cinceladas como encajes, y cuadros que llevaban las primeras firmas de la pintura europea.

"Cánovas daba una gran comida a los diplomáticos del Centenario. Y vi a Rubén Darío, en otro tiempo desdeñado de muchos, perseguido por necios que jamás alcanzaron a compren-
derlo, vi a Darío sentado junto a Cánovas del Castillo, sin atención a las fórmulas de ceremonial, antes que los embajadores
y los duques y grandes de España, en su calidad de príncipe
de las letras americanas. Era la hora de su triunfo que llegaba
para él. Luego, fuimos al conservatorio o serre, en donde el
gran político tenía hermosísimos helechos y varios papagayos,
blancos los unos, como los de Australia, pintados los de los
trópicos. Cánovas, acompañado de Darío, les arrojaba la punta de
un pañuelo para jugar con ellos y el poeta les daba bizcochos. La
señora Joaquina Osma, mujer de Cánovas, nos acompañaba.
Había sido su matrimonio historia vibrante de amor. El grande
hombre, ya maduro, se había enamorado de ella que era joven.
Los marqueses de la Fuente se habían opuesto, y cuando en la
hora suprema del triunfo de la monarquía Cánovas era el restau-

rador, los padres de Joaquina lo aceptaron, pero Cánovas era orgulloso y contestó a los amigos que servían de intermediarios: "Sólo volveré el día que el marqués venga a casa a buscarme y a darme explicaciones." Y así volvió para casarse con Joaquina, que le adoraba." *(Pacífico Magazine,* enero de 1921, p. 80.)

En 1895, estando en Buenos Aires, Darío escribió a su amigo chileno Emilio Rodríguez Mendoza una carta en la cual hay un juicio severo sobre Chile:

> ... en lo desagradable de mi memoria chilena —se lee allí—, la figura de Manuel (Rodríguez Mendoza) y algunos dos más, son las únicas que miro con tintes claros y dignos de mi afectuosa recordación. Por lo demás, a veces me figuro que he tenido un mal sueño al pensar en mi permanencia en ese hermoso país. Eso sí que a Chile le agradezco una inmensa cosa: la iniciación en la lucha de la vida [2].

Y más adelante, en la misma carta: "... me imagino que no han de contentarse los chilenos con destrozarse a sí mismos y comerse a los vecinos. Coman, coman, pero piensen y tengan poetas y artistas. Un día me dijo Menéndez Pelayo que Chile no había tenido nunca un poeta en el sentido justo. ¿Y Vicuña Mackenna? —le dije— ...aunque en prosa. Me lo concedió sonriéndose." Como se ve, en 1895 había olvidado ya casi todos los elogios que había hecho en Chile de sus amigos y camaradas de arte.

En París encontró Darío, en los primeros años del siglo, a un escritor chileno, Francisco Contreras (1877-1933), que se le presentó como discípulo ferviente del Modernismo, por el cual

---

[2] Esta carta, de 10 de febrero de 1895, puede leerse en su texto íntegro en el libro de Emilio Rodríguez Mendoza *¡Como si fuera ayer!,* donde ocupa las páginas 393-7.

en su tierra nativa había librado batallas enconadas. Fueron muy amigos. Las revelaciones que el propio Darío hizo en sus charlas sirvieron a Contreras para que, andando el tiempo, escribiera un sólido libro biográfico en el cual se examina muy adecuadamente la carrera del poeta nicaragüense. Contreras hubo de plantearle no pocas veces temas de la vida chilena, cual se colige en el siguiente fragmento de un artículo sobre *Parisiana* que vió la luz en la revista santiaguina *Zig-Zag* (16 de febrero de 1908):

> A la vez sorprendidos y halagados, callamos pensativos. Recordamos que en Chile se cree que Darío no ve con buenos ojos a nuestro país y a nuestros escritores; se piensa que su elogio, generoso para otros países de América, para nosotros es escaso cuando no nulo. Nada más falso, pues él ha publicado un libro entero sobre un escritor chileno: *A. de Gilbert*. Diversas ocasiones ha hablado con simpatía de nuestros artistas: dígalo Correa. En *Parisiana*, que tenemos a mano, encontramos hermosas páginas sobre dos de nuestros pintores: Valenzuela Llanos y Plaza Ferrand. Y he aquí que al hablar nosotros personalmente con él, nos charla de Chile (así quien evoca buenos recuerdos) amable, sonriente, melancólico...

El escritor chileno le dió a conocer sus originales, y algunos de ellos encontraron acogida en *Mundial Magazine,* la bella y espléndida revista que auspició Darío con su glorioso nombre. De otra parte, Darío prologó una novela rimada de Contreras, *La piedad sentimental,* publicada también en París, 1911; y en ese prólogo, titulado *Prefacio,* leemos:

> Desde *La Araucana* hasta nuestros días puede decirse que Chile no ha producido poesía. La ha hecho con luchas épicas y con mujeres divinas. En ese intermedio ha habido una gran floración retórica y utilitaria, a la que, por fin, ha sucedido un bello despertamiento de líricas savias. Ahí está lo hecho por la nueva gene-

ración, que se enorgullece con la producción del malogrado Pedro
Antonio González y que cuenta con líricos como Dublé Urrutia,
Bórquez Solar, Valledor Sánchez, Magallanes Moure, Miguel Luis
Rocuant. Entre ellos se destaca Francisco Contreras.

Contreras, que por más de un aspecto es "parisiense", me ha
hecho revivir mis días pasados en Santiago de Chile. Las montañas cercanas espolvoreadas de nieve; la Alameda, el cerro Santa
Lucía, la Quinta Normal; los barrios bajos; esa triste poesía ur-
bana que se esfuma en el ruido y tráfago municipales, y tantas
cosas que hoy existen en mi recuerdo, con una vaga saudade y tal
vez amarga tristeza: todo esto ha aparecido ante mis ojos después de la lectura de *Romances de hoy*.

La novedad de estos párrafos consiste en que Darío ha venido olvidando con el paso de los años a sus camaradas de Santiago y de Valparaíso, ya que ahora opina sobre los escritores
de las nuevas generaciones, a quienes confía la tarea de abrir
nuevos horizontes en el arte chileno, o, como él dice, de provo-
car el "despertamiento de líricas savias". Y si se atiende a que
desde su altura de heraldo del Modernismo bien podía mirar en
menos la gesta literaria de no pocos países americanos, se enten-
derá que las reservas que hace sobre la pobreza de la creación
poética en Chile forman parte de una doctrina de lucha en la
cual, como siempre ocurre, para exaltar lo presente es ineludi-
ble olvidar lo pretérito.

No estará de más recoger también lo que el poeta dijo a su
amigo chileno Alberto del Solar (1860-1921), residente en Buenos Aires, pero a quien había conocido en Chile, cuando se le
solicitó que prologara su obra *El Mar en la leyenda y en el
arte*. "Estas líneas van para Chile —escribía Darío—: por tanto, mi saludo al noble y fuerte país en donde he vivido bellos
años de juventud." Y antes de elogiar al autor, ensaya su pluma en el recuerdo del mar, al cual, en calidad de Monstruo, de-
claraba haber sentido en la costa chilena, cuando sus vagares

le llevaron por las caletas vecinas a Valparaíso y por los cerros
en que está edificada la ciudad, en interminables errancias que
eran otros tantos actos de comunión con el paisaje marino de
dilatado horizonte. El prólogo respira además gratitud y admiración por el escritor chileno, y después de pasar revista a
otras obras del mismo autor, sobre la que prologa dice: "Leedla
y sentiréis llenarse vuestros pulmones de un aire impregnado
de yodos y alquitranes; veréis pasar en rápido desfile, en la leyenda y en el arte, una sucesión de visiones marinas que os en-
cantarán." Este prólogo aparece firmado en septiembre de 1897
y en Buenos Aires.

* * *

Ha debido haber entonces una trizadura en el espíritu del
poeta, que le llevó más tarde a condenar sus días de Chile y
a englobarlos en aquellas denominaciones que emplea en la carta al señor Rodríguez Mendoza. Y si no se admite esta circunstancia, que ha tenido su origen en un hecho que no resulta hasta
hoy accesible a nuestras investigaciones, habrá que confesar que
Rubén Darío era un hipócrita, porque, pensando mal de Chile,
empleaba términos elogiosos cuando escribía para la prensa y
habría reservado para la carta íntima (a la cual por lo demás
puso la nota de confidencial) la verdad que antes disfrazaba.
Pero tal sospecha es injusta y carece de asidero: Rubén Darío
no era hipócrita, y más bien habría pecado por imprudente que
por solapado. Los seis años corridos entre 1889 y 1895, ricos
en viajes, en aventuras, en obras, en nuevos conocimientos, en
amistades nuevas, son suficientes para que el autor de *Prosas
Profanas,* festejado en Buenos Aires, disputado en salones, ateneos y clubes, sintiera de pronto que su vida chilena había sido
escasa, pobre y hasta, si se quiere, vergonzante. Para condenar

a Chile le es preciso olvidar que él mismo se había mostrado entre nosotros bastante atrevido por sus costumbres noctámbulas, su amor a los éxtasis alcohólicos y la irregularidad de sus hábitos, y que al favor de los poderosos que le distinguieron había respondido en forma esquiva y torpe. Y el poeta —hombre al cabo— entonces olvidó.

A P É N D I C E

I

Carta de Rubén Darío a la viuda de Vicuña Mackenna.

Valparaíso, julio, 6 de 1886.

Señora Victoria Subercaseaux de Vicuña Mackenna.

Santa Rosa de Colmo.

Muy distinguida señora:

Junto con la apreciable tarjeta de usted he tenido el honor de recibir el ejemplar de la *Corona Fúnebre* que tuvo la amabilidad de enviarme por medio del señor Cónsul del Uruguay, don Juan Francisco Sánchez.

Altamente agradecido por tan valioso obsequio, doy a usted las más expresivas gracias.

He hojeado todo el volumen, y he tenido la pena de lamentar la precisión con que se ha dado a luz, pues por ella probablemente o por no haber llegado a manos de los compiladores las numerosas necrologías que con motivo de la muerte del ilustre Vicuña Mackenna publicaron muchos órganos de la prensa de Colombia y Centro América, éstas no se registran en el libro.

Ya se ve, ¡se ha escrito tanto sobre el gran chileno!

Sin embargo, nosotros tenemos derecho a quejarnos, porque él pertenecía no sólo a Chile, sino a toda la América, como tantas veces se ha dicho. Y en mi patria, señora, su nombre es tan conocido, que al circular en los diarios la funesta noticia llegada por cable, no hubo quien no se entristeciera.

El señor general Juan José Cañas (que fué Ministro del Salvador en esta República y amigo personal de su llorado esposo y que se halla desterrado en la capital de Nicaragua) recibió el propio día de la nueva una visita de pésame de varias distinguidas personas, encabezadas por el general Carlos F. Avilés. Yo tuve la inmerecida honra de exponer al señor Cañas, en nombre de los visitantes, el objeto de aquella espontánea manifestación, y él contestó con sentidas palabras que fueron reproducidas en el *Mercurio* del 7 de abril del año corriente.

Leyendo la *Corona,* al ver la relación de los funerales, he adquirido un grato convencimiento: Vicuña Mackenna tenía tantos queredores como admiradores. Conquistaba aplausos con la cabeza y bendiciones con el corazón.

Poseía el doble privilegio de los añosos y enormes árboles que hay en los bosques de mi tierra: a quien los mira de lejos le asombran con su grandeza y fecundidad; a quien se acerca a ellos, le amparan con su ramaje, le libran del sol. Dos veces asombran. Don supremo y magnífico.

Nosotros desde allá le advertíamos alto y famoso a Vicuña Mackenna, por sus sabios escritos. Aquí, a más de eso, conocían sus bondades.

Y "así se explica que los desvalidos, los ignorantes, los obreros y hasta los mendigos sepan quien es don Benjamín Vicuña Mackenna, y lo alaben muchas veces sin saber pronunciar su nombre", como dice el elegante escritor Bañados Espinosa.

Esa es una gloria que muy pocos alcanzan.

Repito a usted mis agradecimientos por el regalo de obra tan querida para todos los que, como yo, admiran las innumerables de aquel prodigio de fecundidad.

Tengo a honra firmarme de usted atento seguro servidor que sus pies besa

RUBÉN DARÍO.

II

Carta de Pedro Balmaceda Toro a Pedro Nolasco Préndez.

Mi querido poeta:

Usted huye del cólera, y, por antítesis, apura toda la filosofía alegre y encantadora de sus versos. Nada le puedo decir de mí. A cada instante veo coches con la insignia roja, carretones que conducen muertos, un verdadero espectáculo de tragedia, en el 5.º acto, allá cuando el dramaturgo ordena el degüello general de sus personajes.

Muchas cosas me hacen falta. Ocioso será acaso decirle que usted ha dejado un vacío en nuestra tertulia diaria de *La Época.*

Otro de los emigrados es Darío. Mi buen amigo renunció al diario, prefiriendo el ajenjo de Valparaíso al ajenjo que en otro tiempo bebía con nosotros en el restaurante Gage. Esto sólo se llama cambiar de amargura.

En todas partes encontrará la misma copa envenenada con sus alas verdes. Él no lo quiere comprender; busca la variedad de la tristeza, como usted los giros de los encajes. Él es todo ajenjo, su poesía, sus palabras, su llanto... ¡Pobre muchacho!

Me ha escrito varias veces, con ese estilo risueño, divagador; me refiere un sinnúmero de proyectos, de locuras, de las cuales me cede algo de gloria, algo de espuma de *champagne,* porque para él todo es vino, aun la mujer. Las ama bebiéndoles el corazón, haciendo saltar las gotas, estrellando el cristal, después de la orgía, en algún mueble cincelado. Aquello es magní-

fico... Nos imagina a su lado, derrochando la vida junto a una
mariposa; tanto piensa en esto, que casi dice: ¡Aguarda, la tengo de las alas, cogedla, que se me escapa!

Ha publicado dos lindas composiciones, que se las remitiré
muy pronto, es decir, cuando tenga el placer de acompañarlas
con su silueta, que aun no me ha llegado.

Esto compromete mi agradecimiento. Usted, sin duda alguna, ha pensado que quien le aplaudía tan de corazón, a su
vez sabría apreciarlo como amigo.

Tengo esa condición de muchacho —lo poco que me queda
de niño.

Ultimamente, sólo he publicado una *Revista de la Semana*,
bastante necia para no enviársela.

Trabajo en un cuento: *Dos amores*. Es la historia de un escultor. ¿No es verdad que, ante todo, nosotros buscamos la em-
briaguez de la forma? Sólo el arte...

He aquí mi divisa, y por eso también me tiene usted apasionado de una guagüita. Es pequeña, una *fayence* de mármol, una
estatua florentina; algo de la Venus de Médicis, mucho de Lu-
crecia, y, sobre todo, lo que abunda... todo es de ella, peculiar,
propio.

No le hago versos, porque nunca los he podido hacer. En
cambio, le cuento mis historias tristes, le digo que escribo todo
aquello que ella no puede escuchar de mi boca. En fin, esto es
una vieja historia, sin aliciente, demasiado pura, sin contacto
terrestre; así, una especie de lirio del viento, como dice Darío...
¡Qué buenas ideas tiene Darío! ¡Hasta luego!

Esto ya no es carta.

Crea siempre en la sincera amistad de su affmo. amigo.

PEDRO BALMACEDA TORO[1].

III

Carta de Manuel Rodríguez Mendoza a Rubén Darío.

Santiago de Chile, enero del 88[2].

Querido Rubén:

Me ha dado pena la lectura de tus versos de anoche, de tus desahogos de poeta y de amigo desgraciado; pero en ellos descubro aliento vigoroso, capaz de ayudarte en la lucha del porvenir.

Tú —permíteme que lo diga— eres con todo tu gran talento, que yo lo juzgo a la altura de muy pocos en América, un pobre hombre con alma de niño y carácter de mujer. En Chile has escrito versos y prosa con inimitable brillo, superando, en mi sentir, a todos nuestros poetas y prosistas; pero al propio tiempo, quizás por no retardar una cena o una cita amorosa, has escrito vulgaridades; sí, tú has escrito vulgaridades a veces, y tu misión te ordenaba sólo vendimiar —si me permites esta palabra— uvas doradas, exprimir su jugo en cincelada copa de oro,

---

[1] Esta reveladora carta dirigida a Pedro Nolasco Préndez fué publicada en *Zig-Zag,* 31 de marzo de 1923, con reproducción facsimilar del original de una de sus partes.

[2] Escrita en papel de tamaño oficio con membrete que dice: *República de Chile. Ministerio de Industrias y Obras Públicas.* Rodríguez Mendoza era funcionario a la sazón.

y brindar néctar de dioses a caballeros y plebeyos, a amigos y
enemigos, a hombres de ingenio y estólidos envidiosos.

Tú —permíteme que lo diga—, tendrás algún día, en alguna parte, no sé si en Chile o en tu patria, mármoles y bronces
que recuerden tu privilegiada inspiración, tu originalidad extraordinaria y tu estro que a menudo supera al de muchas cele-
bridades y que en ocasiones me hacen pensar en tu parentesco
con Hugo y en tus afinidades con Byron; pero tú, mi buen
amigo, bien mereces también figurar en los altares, como santo
con vara de azucena en las manos, porque has sido cándido y
demasiado bondadoso para estrechar la mano de verdugos que
tomabas por amigos, de Judas que te adulaban cuando podías
ofrecerles una copa de *champagne* coronada de espumas, de miserables que se daban prisa para esquivarte el cuerpo cuando
tu pluma de poeta había hecho mala cosecha de escudos.

Tú —permíteme que lo diga—, recordando un nombre, Rosario, que nunca olvida tu memoria, por pura sinonimia has be-
sado labios descoloridos, mejillas pálidas, una frente de Mag-
dalena vulgar y no arrepentida, que al par de tus caricias te
ofrendaba todas las miserias de su cuerpo de ramera.

Tú —permíteme que continúe siendo franco, es decir, siendo
tu amigo—; tú has hecho a escape y sin tino la vida de bohemio. Cuando yo me arrepentía de esa vida en que el crepúsculo
y el amanecer y la aurora es la noche, en que se derrocha la vida
y la salud se escurre como el azogue de entre los dedos, cuando
yo te gritaba: "¡Detente!", tú decías: "¡Adelante!", y vola-
ban los corchos de Moscato Spumante o de Roederer y reci-
bías en tus brazos senos desnudos y cuerpos de libidinosas
odaliscas.

De tarde en tarde —lo repito, de tarde en tarde— herías las

cuerdas mágicas de tu lira; cantabas las flores y las nieves, los árboles floridos y las plantas que marchita el otoño, los ideales de un gran corazón, de tu corazón de poeta; dabas a luz un abrojo, amargo como el ajenjo o corrosivo como el vitriolo; entonabas patrias canciones; hacías el epitalamio de las aves y de los insectos, de los lirios y de las rosas; escribías la apoteosis del pájaro azul; aplicabas cauterios..., y te columpiabas después en hamacas mecidas por geniecillos alegres y traviesos.

Vicente Grez, Alcibíades Roldán, Pedro Balmaceda y yo, más que nadie, te aplaudíamos y te animábamos a seguir en la lucha con nuevo ardor; pero tú dormitabas en las hamacas que tejía tu fantasía y tu inexperiencia.

En Chile, ¿has gozado?

Sí.

¿Has sufrido?

Sí, y mucho, por desgracia.

¿Has aprendido a vivir?

Quién sabe; yo no lo podría jurar.

Piensas en volver a tu patria. Haces bien; yo te aplaudo porque sé que en tierra extranjera los peregrinos pasan de la noche a la mañana de un trono a un patíbulo.

Al partir, estrechando a dos manos la diestra tuya, pensando en tus grandezas y en tus extravíos, te exijo que no olvides mis consejos, los de quien te ha dicho siempre: "El arte de la vida es el arte supremo; la felicidad es de los buenos, de los grandes, y, sobre todo, de los que saben hacer la comedia del vivir."

Al partir, estrechando a dos manos la diestra tuya, y dejando hablar tan sólo a mi conciencia de amigo sin tacha, permíteme decirte que si dejas en Chile muy pocos amigos y mu-

chos admiradores, sólo dejas una persona que ha tenido el valor
de ser tu mejor amigo y tu juez más severo, a

MANUEL RODRÍGUEZ MENDOZA.

P. S. Tu carta a Varela [3] me parece bien. He puesto entre
paréntesis tres o cuatro palabras que no me gustan.

---

[3] Se refiere a don Federico Varela, el Mecenas de esa época. La
carta a que alude Rodríguez Mendoza ha permanecido desconocida hasta hoy.

CRONOLOGÍA

1886

Junio 6.—Darío se embarca en Corinto (Nicaragua), rumbo al Sur, en el vapor *Uarda*.

Junio 24.—Llega a Valparaíso.

Julio 13.—*El Mercurio* de Valparaíso da cuenta de su llegada, con elogioso comentario.

Julio 16.—Primera colaboración en *El Mercurio, La erupción del Momotombo*.

Agosto 1.—*Emelina*, escrita en colaboración por Poirier y Darío, queda presentada al certamen de *La Unión* de Valparaíso.

Agosto...—Primer viaje de Darío a Santiago.

Agosto 3.—Primera colaboración en *La Época* de Santiago, *Caso cierto*.

Agosto 20.—Se publican las *Siluetas de la Historia* de Pedro Nolasco Préndez.

Setiembre 18.—Inaugura su período presidencial don José Manuel Balmaceda.

Octubre 17.—Homenaje de *La Época* a Sarah Bernhardt, con versos de Darío.

Octubre 24.—Publícase en *La Época* la décima a Campoamor.

Noviembre 22.—*La Época* anuncia la próxima publicación de *Abrojos*.

1887

Enero 13.—Se da el fallo en el certamen de *La Unión*. *Emelina* no es premiada.

Enero 18.—El poeta cumple veinte años de edad.

Febrero...—Darío regresa a Valparaíso.

Marzo 16.—Aparece en Santiago el volumen de *Abrojos,* impreso por Jover.

Marzo 29.—Por decreto de Hacienda se nombra a Darío guarda inspector de la Aduana de Valparaíso.

Junio 20.—Se informa sobre una solicitud de licencia a Darío en la Aduana.

Junio 28.—Convocatoria para el Certamen Varela.

Agosto 1.—Termina el plazo de recepción para los trabajos enviados al Certamen Varela.

Agosto 2.—Expira la licencia concedida en la Aduana.

Agosto 18.—Declárase vacante el empleo de Darío por no haberlo reasumido después de la licencia.

Setiembre 8.—En Santiago se entregan los premios del Certamen Varela. Darío no se presenta a recibir el suyo, aunque estaba en la capital.

Octubre 9.—*La Época* publica el *Canto épico a las glorias de Chile,* premiado en el Certamen Varela.

Octubre 16.—Darío se halla enfermo en Santiago.

Noviembre 15.—Tondreau y Darío firman la circular para pedir colaboración al *Romancero de la Guerra del Pacífico,* libro que no se publicó.

Diciembre...—Aparece el primer volumen del Certamen Varela, con producciones de Darío.

Diciembre...—Darío regresa a Valparaíso.

1888

Enero 3.—*La Época* publica la nómina de los autores que habían ofrecido colaboración al *Romancero de la Guerra del Pacífico,* y la reproducen otros diarios.

Enero 6.—Eduardo de la Barra publica en Valparaíso el volumen de *Rosas andinas* con las *Rimas* de Darío y sus *Contra-rimas.*

Enero 28.—*La Libertad Electoral* de Santiago publica el artículo de Darío sobre Amunátegui.

Febrero 11.—En *El Heraldo,* Valparaíso, aparece *La Semana,* primera de la serie.

Abril 7.—Darío publica en *La Libertad Electoral* el artículo *Catulo Mendès. Parnasianos y decadentes*.

Junio 14.—Fallece en Santiago José Victorino Lastarria sin haber escrito el prólogo prometido para *Azul...*

Julio 30.—Aparece *Azul...* en Valparaíso.

Agosto 20 y 21.—El prólogo de Eduardo de la Barra para *Azul...* se publica en *La Tribuna* de Santiago.

Setiembre...—Eduardo de la Barra escribe a Carlos Toribio Robinet para que se haga colecta entre los amigos de Darío a fin de repatriarlo.

Noviembre 11.—*La Época* publica los tres *Sonetos americanos* de Darío.

Noviembre 16.—Darío defiende en *La Época* a Pedro Nolasco Préndez ante la acusación de plagio que se le había hecho en el Ateneo.

Diciembre 11.—*La Época* anuncia la muerte del padre de Rubén Darío, ocurrida el 11 de octubre en León, Nicaragua.

1889

Enero 23 y 26.—*La Tribuna* de Santiago reproduce las cartas de Valera sobre el *Azul...*

Febrero 3.—Primera colaboración de Darío a *La Nación* de Buenos Aires, reproducida en *La Época* de Santiago el 1 de marzo.

Febrero 9.—Darío sale de Chile rumbo al Norte en el vapor *Cachapoal*.

PRINCIPALES OBRAS CONSULTADAS

Alemán Bolaños, Gustavo: *La juventud de Rubén Darío.* Guatemala, 1923.

Balmaceda Toro, Pedro: *Estudios y ensayos literarios.* Santiago, 1889. Contiene, pp. 211-20, el artículo de Balmaceda sobre *Abrojos,* publ. antes en *La Época,* 20 de marzo de 1887.

Barra, Eduardo de la: *Crítica literaria. Azul... Cuentos en prosa. El año lírico, por Rubén Darío,* en *La Tribuna,* Santiago de Chile, 20, 21, 22 y 24 de agosto de 1888. Es el prólogo del libro.

Barra, Eduardo de la: *El endecasílabo dactílico. Crítica de una crítica .del crítico Clarín.* Rosario, República Argentina, 1895.

Barrantes, V.: *El Certamen Varela,* en *Revista de Artes y Letras,* Santiago de Chile, 1889, t. XVI, p. 632.

Blanco Fombona, Rufino: *El Modernismo y los poetas modernistas.* Madrid, 1929.

Contreras, Francisco: *Rubén Darío,* en *Selecta,* Santiago de Chile, octubre de 1912, p. 184.

Contreras, Francisco: *Rubén Darío, su vida y su obra.* Barcelona, 1930.

Donoso, Armando: *Rubén Darío en Chile,* en *Revista Chilena,* núm. XXI, mayo de 1919, p. 30.

Donoso, Armando: *Obras de juventud de Rubén Darío.* Santiago de Chile, 1927.

Gana, Federico: *Rubén Darío anecdótico,* en *Zig-Zag,* Santiago de Chile 2 de diciembre de 1916.

Ghiraldo, Alberto: *Archivo de Rubén Darío.* Buenos Aires, 1943.

Hernández, Roberto: *Rubén Darío en Valparaíso,* en *Boletín de la Academia de la Historia,* núm. 30, 1944, pp. 39-48.

Hübner Bezanilla, Carlos: *Rubén Darío,* en *La Mañana,* Santiago de Chile, 21 de febrero de 1916.

Huneeus Gana, Jorge: *Canto épico a las glorias de Chile, por Rubén Darío,* en *La Época,* Santiago de Chile, 9 de octubre de 1887.

León de la Barra, Alfonso: *La tristeza de Rubén Darío,* en *Zig-Zag* Santiago de Chile, 13 de noviembre de 1920.

Mapes, Erwin K.: *Escritos inéditos de Rubén Darío recogidos de periódicos de Buenos Aires.* Nueva York, 1938.

Marasso, Arturo: *Rubén Darío y su creación poética.* La Plata, 1934. Hay segunda edición de Buenos Aires, s. a.

Orrego Vicuña, Eugenio: *Antología Chilena de Rubén Darío.* Santiago de Chile, 1942.

Orrego Luco, Luis: *Rubén Darío,* en *La Libertad Electoral,* Santiago de Chile, 20 y 21 de febrero de 1889.

Orrego Luco, Luis: *Rubén Darío. Recuerdos íntimos,* en *Sucesos,* Santiago de Chile, 17 y 24 de febrero y 2 de marzo de 1916.

Orrego Luco, Luis: *Rubén Darío en Chile,* en *Pacífico Magazine,* Santiago de Chile, enero de 1921.

Ossa Borne, Samuel: *Un té de amigos. (Algunos recuerdos de Manuel Rodríguez Mendoza y Rubén Darío.)* En *Revista Chilena,* Santiago de Chile, núm. 1, abril de 1917, p. 69.

Ossa Borne, Samuel: *Un autógrafo de Rubén Darío. Para el retrato de Campoamor,* en *Pacífico Magazine,* Santiago de Chile, mayo de 1917.

Ossa Borne, Samuel: *La historia de la Canción del oro. Recuerdo de Rubén Darío,* en *Revista Chilena,* Santiago de Chile, núm. IX, diciembre de 1917, p. 368.

Ossa Borne, Samuel: *Un manojo de recuerdos rubenianos,* en *Pacífico Magazine,* Santiago de Chile, abril de 1918.

Picado, Teodoro: *Rubén Darío en Costa Rica.* 1919-20.

Poirier, Eduardo: *Revista Literaria. Abrojos, por Rubén Darío,* en *Revista de Artes y Letras,* Santiago de Chile, 1887, t. IX, p. 73.

Poirier, Eduardo: *Rubén Darío. Añoranzas y recuerdos,* en *El Mercurio,* Santiago de Chile, 9 de febrero de 1916.

Rodríguez Mendoza, E.: *Rubén Darío,* en *El Mercurio,* Santiago de Chile, 17 de marzo de 1916.

Rodríguez Mendoza, E.: *¡Como si fuera ayer!...* Santiago de Chile, s. a. (1919). Contiene capítulos dedicados a Rubén Darío en las pp. 49-66 y 391-404.

Rodríguez Mendoza, E.: *Remansos del tiempo.* Madrid, 1929. Contiene *Rubén Darío en Chile,* pp. 53-92.

Rodríguez Mendoza, Manuel: *Los Abrojos de Rubén Darío,* en *El Mes Ilustrado,* Santiago de Chile, núm. 1, agosto de 1896.

Saavedra Molina, Julio: *Los hexámetros castellanos y en particular los de Rubén Darío*. Santiago de Chile, 1935.

Saavedra Molina, Julio: *Poesías y prosas raras de Rubén Darío*. Santiago de Chile, 1938.

Saavedra Molina, Julio, y Erwin K. Mapes: *Obras escogidas de Rubén Darío*. Santiago de Chile, 1939.

Saavedra Molina, Julio: *Rubén Darío y Sarah Bernhardt*. Santiago de Chile, 1941.

Saavedra Molina, Julio: *El primer libro de Rubén Darío "Epístolas y Poemas"*. Santiago de Chile, 1943.

Saavedra Molina, Julio: *Una antología de Rubén Darío planeada por él mismo*. Santiago de Chile, 1945.

Saavedra Molina, Julio: *Bibliografía de Rubén Darío*. Santiago de Chile, 1946.

Sequeira, Diego Manuel: *Rubén Darío criollo*. Buenos Aires, 1945.

Silva Castro, Raúl: *Rubén Darío y Chile. Anotaciones bibliográficas*. Santiago de Chile, 1930.

Silva Castro, Raúl: *Obras Desconocidas de Rubén Darío escritas en Chile y no recopiladas en ninguno de sus libros*. Santiago de Chile, 1934.

Silva Castro, Raúl: *Rubén Darío y su creación poética*. (Comentarios al libro de don Arturo Marasso.) Santiago de Chile, 1935.

Silva Castro, Raúl: *Esbozo de un programa de estudios sobre Rubén Darío*. Los Angeles, California (Estados Unidos), 1940.

Soto Hall, Máximo: *Revelaciones íntimas de Rubén Darío*. Buenos Aires, 1925.

Torres Ríoseco, Arturo: *Rubén Darío. Casticismo y Americanismo*. Cambridge, Mass. (Estados Unidos), 1931.

Torres Ríoseco, Arturo: *Vida y poesía de Rubén Darío*. Buenos Aires, 1944.

INDICE

PB-DCU8166-8B
20

PB-0005166-SB
20

DATE DUE

MAY 7 68			
JUN 4 68			
89. 9 T 9AV			
APR 1970			
JUL 7 1983			
GAYLORD			PRINTED IN U.S.A.